Foi sem querer que te quis

Foi sem querer que te quis

O LIVRO QUE DÁ A
RECEITA PARA SER
FELIZ NO AMOR

ILUSTRAÇÕES DE RAUL MINH'ALMA

Diagramação: Futura *(rogerio@futuraeditoracao.com)*

Dados Internacionais de Catalogação na Publicação (CIP)
(Câmara Brasileira do Livro, SP, Brasil)

Minh'alma, Raul
  Foi sem querer que te quis / Raul Minh'alma. -- Ribeirão Preto, SP : Editora Novo Conceito, 2022.

  ISBN 978-85-8163-923-9

  1. Romance português I. Título.

22-110789   CDD-869.3

Índices para catálogo sistemático:
1. Romances : Literatura portuguesa 869.3
Eliete Marques da Silva- Bibliotecária- CRB-8/9380

Avenida Luiz Eduardo de Toledo Prado, 870, sala 405 • Vila do Golf
Ribeirão Preto/SP • Brasil • 14027-250
+55 16 3515-9797
http://www.editoranovoconceito.com.br/

Dedico este livro a você.

— Acabou.

Essa simples palavra parecia ter a forma de uma mão gigante que me agarrava e começava a apertar meu corpo, esvaziando o ar dos meus pulmões. Senti-me repentinamente submersa num oceano de lágrimas desejosas de me abandonarem os olhos.

— Como assim acabou, Gabriel? *Perguntei por impulso, com a inútil expectativa de que me desse uma resposta contrária.*

— Desculpe! Eu tenho andado muito confuso. Não sei se é isto que eu quero, não sei se é disto que preciso. Eu tenho de ser o mais correto possível contigo e isso implica me afastar de você para assentar as minhas ideias, refletir sobre aquilo que sinto e tentar perceber por que é que eu não estou bem.

— Não, Gabriel! Não pode ser. Como é que isso é possível? Eu sempre fiz tudo por você, sempre dei... *A voz me falhou.* Sempre dei o meu melhor por esta relação. Abdiquei de muitas coisas por nós e me esforcei sempre para corrigir as minhas falhas e melhorar os meus defeitos. E você está me dizendo que não sabe se é isto que você quer e precisa? Não, isto não pode estar acontecendo!

— Beatriz... tenha calma. Isto também não é nada fácil para mim porque sei que estou magoando uma pessoa que é muito importante para mim, mas eu não consigo nem posso estar ao seu lado incompleto. Não estaria sendo justo com você e com certeza você também não iria querer isso. E é assim que eu me sinto. Incompleto. Não pense que a falha é sua ou que você cometeu algum erro. O problema é meu e sou eu que tenho de resolvê-lo.

Gabriel pousou a mão sobre o meu braço e eu senti, naquele gesto, uma compaixão dolorosa que me fez sufocar ainda mais dentro daquele carro parado no estacionamento em frente ao meu prédio. Era o típico gesto de um amigo tentando confortar outro pela perda de um ente querido, e isso deu-me uma náusea tão intensa que julguei que ia vomitar ali dentro.

— Abra o vidro. Rápido! *Pedi-lhe.*

Ele deu meia-volta à chave do carro e fez descer o vidro do meu lado. Coloquei a cabeça ligeiramente de fora e respirei fundo várias vezes o ar fresco da noite que guardava para si em segredo todo aquele cenário de despedida. De costas para ele, percebi pelo seu silêncio que ficou sem saber o que dizer para não piorar o estado em que tinha me deixado. De certa forma, eu agradecia a ele, pois sabia que naquele momento só a voz dele iria remexer de novo o meu estômago. Enquanto lutava contra o acelerar do meu ritmo cardíaco com respirações profundas, dei por mim a focar o meu olhar numa lata de Coca-Cola vazia, amassada e abandonada junto ao passeio. Senti uma empatia imediata com aquele pedaço de lixo. No fundo, também eu tinha dado tudo o que tinha de mim. Também eu tinha sido completamente sugada, amassada e estava prestes a ser abandonada junto àquele mesmo passeio. Éramos a prova quase viva de que dar tudo é um bom começo para ficarmos sem nada.

— O que é que te falta? *Perguntei, assim que me recompus o suficiente para voltar a ouvir a voz dele.* Diga o que é que te falta ao meu lado se eu sempre te dei tudo o que tinha de mim. É o sexo que não é bom? Sou eu que não sou boa o suficiente para você? Meu Deus... já sei. Conheceu outra pessoa? Foi isso, não foi?

— Não diga asneiras, Beatriz. Nem comece a fazer filmes na sua cabeça. Eu não tenho ninguém. Já te expliquei que o problema é meu, vem de mim e é responsabilidade minha.

— Bobagem, Gabriel! Você apenas não quer dizer a verdade para não me magoar ainda mais. Mas se é para doer então prefiro, e peço, que me magoe com a verdade. Não tenha medo de dizer que já não me ama, não tenha medo de dizer que já não sente o mesmo, que não é mais a mesma coisa e que perdeu o interesse. Eu prefiro a certeza de que acabou de vez à dúvida indefinida do que isto ainda pode resultar.

— Desculpe, mas não me peça para dizer que não te amo porque sinto que não estaria sendo verdadeiro. Mas também não sei se aquilo que eu sinto é forte o suficiente para chamar de amor.

Assim que ele terminou de dizer aquela frase, comecei a sentir um nó na garganta e o estômago novamente às voltas. Tornei a pensar na lata junto ao passeio e desta vez senti inveja dela por acreditar que eu conseguia estar em pior estado do que ela naquele momento. Como se não bastasse, senti-me ridícula ao perceber que sentia inveja de um pedaço de lixo. E ainda para piorar comecei a sentir raiva de mim mesma por não conseguir parar aquele turbilhão de sensações e pensamentos que se apoderava de mim. Era como se na minha mente e corpo estivesse acontecendo um erro informático incontrolável daqueles que fazem surgir montes de janelas umas atrás das outras na tela do computador. Senti-me incapaz de ter um raciocínio lógico com tanta turbulência emocional, mas sentia-me ainda mais incapaz de permanecer calada.

— Quem ama sabe que é amor. Quem ama sabe que só quer estar ao lado daquela pessoa. Se você tem dúvidas é porque não ama. Se não sabe se é forte é porque não é forte e se não é forte não é amor. *Senti-me orgulhosa ao perceber o raciocínio que estava conseguindo fazer e ao mesmo tempo ridícula por ter reparado nesse pormenor. Mas continuei.* Amar é querer e é saber. Se você não sabe, se não quer e se nem sabe o que quer é porque não ama. Por isso é preferível que me diga logo as coisas como elas são. Dói, muito, mas é melhor para mim, Gabriel. Se vai me deixar sozinha, pelo menos não me dificulte a tarefa de seguir em frente. Se vai fechar a porta para mim, então feche-a bem.

— Eu não sei se isto é um fim. Eu apenas preciso de um tempo para organizar a minha mente e o meu coração. Quem sabe se tudo se resolve e isto seja apenas uma má fase.

— Cale-se! Está dizendo isso só para atenuar a minha agonia neste momento. Você sabe bem que as coisas não vão melhorar só porque sim. Isto não é uma discussão em que nos zangamos e que depois de uma noite de sono está tudo bem outra vez. Isto é você me dizendo que duvida do que sente por mim. E quando uma relação chega a este ponto você sabe muito bem que já muita coisa morreu e não há muito a fazer. Pedir um tempo é só um disfarce. Uma forma covarde de camuflar a realidade, de ir se afastando aos poucos e não parecer que foi uma decisão exclusivamente sua. Essa responsabilidade pesa em você e por isso você prefere agir como um covarde. Pois é isso que você é. Nem capacidade tem de admitir as coisas, de ser um homenzinho e assumir as suas decisões.

Comecei a sentir uma sensação tão estranha que olhá-lo começava a tornar-se insuportável, mas sabia que assim que deixasse de poder fazê-lo ia me desfazer em lágrimas. Lágrimas que não estava conseguindo derramar. O que acentuava o nó que sentia na garganta.

— Não seja injusta comigo. Não é ódio que eu mereço que você sinta por mim. Eu estou apenas fazendo aquilo que acredito ser justo para os dois. Mas isso implica termos de sofrer. E sim, estou falando dos dois porque eu também estou sofrendo com isto.

— Então não faz sentido você sofrer e eu sofrer também por estarmos longe um do outro só porque você acha que isso é o mais justo. Por que é que não me deixa ajudar você a resolver isso? Sempre estive do seu lado e já passamos por outras fases menos boas. Tenho certeza que vamos superar esta também.

— Se continuar ao seu lado, vou continuar sem resolver os meus problemas. Preciso sentir a sua falta. Algo que só consigo estando longe de você. E talvez seja isso mesmo que eu esteja precisando. Perceber que sinto a sua falta e que é ao seu lado que tenho de estar.

As minhas mãos começaram a ficar dormentes e percebi que a ansiedade começava a tomar conta de mim. Queria ir embora dali, mas não conseguia fazê-lo sem esclarecer o melhor possível aquele fim. Já era mau o suficiente tudo aquilo, mas quanto mais perguntas ficassem sem resposta pior seria.

— Por que é que você nunca me deu sinais de que não estava bem?

— Eu te dei muitos sinais, Beatriz. Mas talvez você não tenha reparado ou dado importância. O que posso garantir é que isto não caiu do céu. Já se arrasta há algum tempo e se eu estou tomando esta decisão agora é porque é o meu último recurso. Sinto que é o que deve ser feito, mas acredite que não está sendo nada fácil.

— Se não está, não se afaste de mim. Fique comigo e vamos resolver mais esta batalha juntos. *Supliquei de olhos raiados na direção dele enquanto segurava sua mão.*

Gabriel soltou um suspiro e desviou o olhar do meu. Nesse preciso instante percebi que não havia mais nada a fazer. Não iria conseguir demovê-lo da sua decisão. Além disso, se mudasse de ideia seria por pena ou por favor e não tardaria muito a se arrepender e a voltar atrás. Um cenário bastante pior para mim. Soltou por fim a mão da minha e a pousou sobre a alavanca do câmbio.

— É melhor eu ir embora. *Respondeu sem me olhar.*

Não voltei a insistir, peguei a bolsa pousada no chão entre as minhas pernas e como se estivesse deixando um sonho e uma vida inteira para trás saí do carro e bati a porta. Aquele baque ficou entoando em meus ouvidos e foi como se abafasse todos os outros sons, inclusive a partida do motor do carro do Gabriel, que se preparava para abandonar o estacionamento. Era como se tivesse entrado num mundo paralelo todo ele submerso. Esperei que Gabriel recuasse o carro e depois abaixei-me para apanhar a lata amassada de Coca-Cola. Atravessei a estrada em direção à lixeira seletiva que estava do outro lado e coloquei-a lá dentro. Assim, aquela lata um dia iria renascer, ser novamente preenchida e regressaria à vida. Tal como eu... um dia. Olhei para o fundo da estrada e reparei que o carro de Gabriel tinha parado no semáforo. Por instantes desejei que aquele semáforo não ficasse verde, pois seria o confirmar daquela despedida. Durante aqueles segundos fugazes imaginei-o saindo do carro e correndo na minha direção dizendo que estava arrependido e não conseguia viver sem mim. Mas não tive tempo sequer de conhecer a sensação daquela visão, pois o semáforo ficou verde, ele cortou à esquerda e desapareceu. De repente, os sons voltaram a desenhar-se nos meus ouvidos, o mundo inteiro caiu sobre meus ombros, atirando-me de joelhos contra o asfalto ainda quente, e as lágrimas jorraram dos meus olhos como se eles fossem barragens cedendo à força das águas. Perdi a noção de quanto tempo estive ajoelhada no meio da rua até o carro que se aproximou por trás de mim ter buzinado. Agarrei a bolsa, ergui-me e sem pedir desculpas precipitei-me para o interior do prédio. Entrei no apartamento devagarinho para não acordar os meus pais e a minha irmã e fui direto para o banheiro. Debrucei-me sobre o vaso e vomitei tudo o que tinha no estômago. Escovei os dentes, coloquei um comprimido para a ansiedade debaixo da língua, deitei-me na cama e apaguei.

Tinha pedido ao diretor do lar onde eu trabalhava, além dos muitos domicílios que visitava como terapeuta ocupacional, para me dar dois dias de folga. Depois do que tinha passado não me sentia em condições de cuidar bem dos meus velhinhos, como carinhosamente tratava os pacientes do lar. Fiquei dois dias em casa lamentando a minha vida e quase sem colocar nada na boca, mas talvez isso tenha sido pior. Trabalhando pelo menos me distraía um pouco e não pensava no recente aumento da minha coleção de desilusões amorosas. No entanto, querendo ou não, estava na hora de regressar ao trabalho. O diretor pedira-me para levar um bolo para o lanche, tal como acontecia muitas vezes, pois sabia do meu gosto pela culinária, herdado da minha avó, e da minha disponibilidade para ganhar uns extras. Por isso, preparei um bolo de abacaxi, o meu favorito, dei um beijo na minha mãe, que me lançou o seu olhar meigo numa tentativa frustrada de me compor o coração com o seu poder de mãe, vesti o melhor sorriso que consegui e saí de casa. Quando entrei no lar e passei no corredor, ouvi o incontornável assobio de Nicolau Vilar. É claro que ele não me ia deixar passar à sua porta sem trocar uma palavra comigo e muito menos estando eu com um bolo na mão, tendo em conta que ele tinha sido mestre doceiro ao longo da sua vida. Fundara a sua própria marca e empresa, criando uma pequena fortuna que depois da aposentadoria passara a ser gerida pela sua única filha. Pormenores que ele me havia contado nas muitas conversas que tínhamos durante as nossas sessões de terapia. Parei e entrei de bolo na mão no quarto de Nicolau, que estava sentado numa poltrona.

— Ora diga-me lá o que é que a minha aprendiz nos traz hoje? *Perguntou ele, esfregando as suas mãos enrugadas.*

— Olhe, senhor Nicolau, trago aqui um fantástico bolo de abacaxi que a sua diabetes não vai deixá-lo provar. *Disse-lhe com um sorriso, descobrindo o bolo para que ele o pudesse apreciar.*

— Já viu a ironia da vida, menina Beatriz? Um mestre doceiro amaldiçoado com a diabetes. Triste fado o meu. *Disse ele, devolvendo um sorriso de quem estava mais do que conformado.*

— Deixe lá. Eu não tenho diabetes, mas também, com este palmo e meio de altura e esta minha habilidade natural para engordar, se comer uma fatia amanhã não há roupa que me sirva. Por isso, não estou muito melhor que o senhor. Vou deixar isto na cozinha e volto em breve para fazermos os nossos exercícios.

— E esse sorriso sem brilho da menina é por quê?

Mais do que um mestre dos doces, Nicolau era um mestre da vida. Costumava conversar muito com ele. A minha atividade enquanto terapeuta ocupacional assim o exigia, pois era extremamente importante criar uma relação de proximidade com os pacientes que estavam ao meu encargo. A verdade é que muitas vezes, no caso de Nicolau, a terapia tinha mais efeitos em mim, já que eu aproveitava para desabafar com ele os meus problemas e ouvia sempre com muita atenção os seus tão sábios conselhos. Ele sabia grande parte da minha vida, essencialmente do campo amoroso, e era difícil esconder-lhe alguma coisa, tal era a facilidade com que ele me lia. Ainda tentei sorrir para disfarçar o meu estado de alma, mas nem assim consegui enganá-lo. Soltei um suspiro, pousei o bolo sobre a cômoda ao meu lado e sentei-me na cama junto à poltrona onde estava sentado. Depois de um momento de silêncio lá me confessei.

— O meu namorado terminou comigo. *Disse, cabisbaixa.*

Ele fez um compasso de espera antes de começar a falar.

— Já falamos muito sobre amor e sobre relacionamentos. Em especial os seus. E não me leve a mal dizer isto, mas não me surpreende que o seu namorado tenha terminado a relação.

— Mas por que é que o senhor diz isso? Eu não acho que seja assim tão má pessoa e namorada. E também acho que não mereço estar passando novamente por uma experiência destas. A vida simplesmente não quer que eu seja feliz no amor e cada vez mais acredito que não fui feita para ser feliz, senhor Nicolau.

— A Beatriz é uma boa pessoa...

— Boa demais. *Complementei, de olhos postos no chão.*

— Não! Não há pessoas boas demais, há pessoas boas de menos. Ser bom de mais é o normal. Apenas não parece porque as pessoas boas de menos são muitas mais. Não diga que é boa demais porque em momento algum a Beatriz deveria ser menos do que isso. Pois ser menos do que isso seria afastar-se daquilo que é de verdade. E isso não tem como ser bom. Nós já tivemos esta conversa antes e eu já percebi que não é com palavras que a menina vai resolver isso.

— Eu sei disso, senhor Nicolau, acredite que sei, mas às vezes é difícil acreditar nessas coisas. Porque pelo visto essa forma de pensar só me tem trazido desilusões. Talvez porque acabo sempre por me entregar demais, por dar demais. Até porque não sei estar de outra forma com alguém. Se estou, estou inteira e dou tudo o que tenho e não tenho pela pessoa que está comigo. E sinto que isso acaba afetando o interesse da pessoa que está ao meu lado. Só que eu não sei ser de outra forma. O que eu devo fazer?

— Não é isso que está lhe trazendo todos esses dissabores no amor, não é o fato de se entregar por completo. Até porque esse é um dos fundamentos do amor. Não é aquilo que a Beatriz dá que está errado, é aquilo que espera por aquilo que dá. É o peso que coloca em quem deveria supostamente recompensá-la pelo amor que você dá. Esse é um erro bastante comum nas relações porque infelizmente as pessoas confundem tudo. Confundem amor com paixão, paixão com obsessão e até mesmo amor com amar. E talvez essa seja a maior falha da humanidade e que eu infelizmente já não tenho tempo de conseguir mudar.

— Claro que tem tempo. Não de mudar a humanidade, mas quem sabe de mudar a vida de uma ou duas pessoas. Tudo tem de começar por algum lado, não é? Diga-me, senhor Nicolau, qual é o segredo para eu começar a ser feliz no amor? Tenho certeza que há algum segredo, alguma fórmula. O senhor é tão sábio destas coisas, eu acredito que não tenha criado apenas receitas de doces ao longo da sua vida. Certamente o senhor Nicolau também terá uma receita para ser feliz no amor. Dê essa receita para mim, por favor!

— Não posso, menina Beatriz. Perdoe-me, mas não posso porque, ainda que eu queira ajudá-la, se eu lhe explicar as coisas agora, você vai ficar com isso na cabeça e, como a menina pensa e se preocupa demais, vai acabar sufocando a própria realidade e não vai sair do mesmo lugar. Repare que para as coisas acontecerem é preciso saber deixar acontecer. Ou seja, é preciso saber esperar. Dou um exemplo rápido. Imagine que você está fazendo um trabalho qualquer para o seu patrão e ele se coloca ao seu lado e começa a pressioná-la para acabar o trabalho rapidamente. Ele lhe diz que já está ficando atrasada, não sai do seu pé e não para de insistir para você agilizar e terminar o serviço. Isso por um lado pode servir como incentivo, por outro lado pode funcionar como um entrave. A Beatriz fica bloqueada e não consegue fazer nada com tanta insistência. E é o que acontece muitas vezes com a nossa vida. Colocamos excessiva carga e ansiedade sobre ela e sobre o que tem de acontecer quando na verdade nem sabemos se é isso que tem mesmo de acontecer. Apenas sabemos que é aquilo que queremos que aconteça. E quem nos diz que é o melhor para nós? Quem lhe diz, por exemplo, que continuar com essa sua relação lá com esse rapaz seria o melhor para você?

— E como é que eu sei que não seria? *Perguntei, um pouco confusa, enquanto tentava assimilar toda aquela informação.*

— Nunca saberá. Por isso resta-lhe fazer o quê?

Nicolau falava como se eu fosse uma criança tentando resolver um simples e básico problema de matemática. Eu sabia que não estava me dizendo tudo e muito menos da forma mais realista, mas também sabia que não estava me dizendo mentira nenhuma. Apenas adaptava a linguagem e a informação que estava transmitindo. As rugas que lhe cobriam o rosto, o cabelo grisalho e a voz gutural que emanava tão profundos ensinamentos faziam-me sentir ainda mais pequenina junto dele.

— Aceitar? *Respondi depois de uma curta reflexão.*

— Aceitar e confiar. Acha mesmo que, naquela situação que acabei de exemplificar, se o seu hipotético patrão confiasse na Beatriz, na sua responsabilidade e nas suas capacidades, ele sentiria necessidade de estar constantemente pressionando você? Claro que não.

Mesmo sem entender perfeitamente as mensagens que ele estava transmitindo, pois com certeza tinham uma dimensão muito maior do que parecia, era como se fossem uma lufada de ar fresco que eu precisava sentir naquele momento. As palavras daquele homem enchiam-me o coração.

— Acabei de lhe pedir a receita para ser feliz no amor e o senhor me disse que não podia dar agora. Então quer dizer que ela existe?

A nossa conversa foi interrompida pela dona Zélia, uma das auxiliares do lar, que era também coordenadora de um grupo de voluntariado do qual eu fazia parte.

— Está de volta, Beatriz? *Perguntou ela junto à porta.*

— Parece que sim, dona Zélia, houve um pequeno problema, mas já está sendo resolvido. *Respondi com um sorriso tímido.*

— E quando é que volta a fazer a ronda noturna conosco?

O grupo de voluntariado que ela coordenava era responsável por distribuir comida e roupa durante a noite em zonas suburbanas da cidade a dependentes químicos e sem-teto. Eu participava sempre que podia, mas dividia o tempo livre com uma outra associação de acolhimento de menores onde também fazia voluntariado.

— Assim que as coisas acalmarem, prometo regressar às rondas noturnas e visitar os meus meninos lá da associação.

— Acho que faz muito bem! Olhe, eu precisava que a menina viesse ver uma paciente nossa, se puder ser agora agradeceria muito.

Despedi-me de Nicolau com um *até já*, recolhi o bolo e fui tratar do assunto que a dona Zélia me havia pedido. Quando resolvi a questão com a paciente, alguns minutos depois, regressei ao quarto de Nicolau para receber a resposta à pergunta que lhe havia feito, mas já não o encontrei sozinho. Junto a ele, de pé, estava um rapaz que aparentava ter vinte e poucos anos e que olhou para mim com cara de poucos amigos assim que entrei.

— Ainda bem que apareceu, menina Beatriz. *Começou Nicolau.* Aproveito para lhe apresentar o meu neto Leonardo.

— Olá, como está? *Cumprimentei, esticando a mão na direção do neto de Nicolau.*

— Bem, obrigado. *Disse o rapaz com uma voz áspera.* Por que é que o meu avô está aqui sozinho, pode me dizer?

— Este é o quarto dele... *Expliquei, na expectativa de perceber aonde ele queria chegar com aquela pergunta e aquele tom.*

— Está bem, mas eu passei no corredor e vi todo mundo ali numa sala e depois encontro o meu avô aqui sozinho como se ninguém quisesse saber dele. Parece que foi esquecido aqui!

— Não, claro que não foi esquecido. Apenas vai ser realizada uma atividade em grupo daqui a pouco e os idosos estão sendo acompanhados até lá. Em breve o seu avô também vai.

— E este ar-condicionado? Tudo bem que ainda está um tempo quente, mas esta temperatura é um exagero e o meu avô está aqui sofrendo com este ar frio. Não reparou?

O que eu começava a reparar era que ele queria implicar com tudo e mais alguma coisa. Nunca o tinha visto por ali. Não sabia se era por ele aparecer poucas vezes ou se por casualidade os nossos horários nunca terem coincidido. Mas sabia que não estava gostando nada daquela arrogância e tinha de fazer um esforço para manter a calma e o profissionalismo.

— A temperatura é a mesma em todo o edifício. É regulada automaticamente. Penso que isso seja apenas impressão sua porque chegou de lá de fora e a diferença de temperaturas...

— E porque é que ele está com os pés descalços, se os sapatos dele estão ali ao lado? *Interrompeu com o mesmo tom.* Será que ninguém aqui é capaz de calçar o meu avô?

— Vai me desculpar, mas isso só demonstra que você vem visitar o seu avô poucas vezes. Caso contrário saberia que ele se sente mais confortável assim porque os pés dele tendem a inchar facilmente.

— Já chega, Leonardo. *Ordenou Nicolau*. A senhora doutora tem toda a razão, peça desculpas a ela.

— Senhora doutora? *Olhou-me de cima a baixo*. E o jaleco?

O jaleco. Percebi nesse momento que me tinha esquecido dele. Respirei fundo e olhei para Nicolau para absorver um pouco da tranquilidade que me lançava através do olhar como se estivesse me dizendo em silêncio para não dar importância.

— Não estou de jaleco porque comecei o expediente há poucos minutos e simplesmente ainda não o vesti. Mas não se preocupe que não perco a competência por causa disso. Aliás, eu não sou doutora; o seu avô é que me trata carinhosamente assim.

— Então é o quê? *Perguntou ele, mantendo o tom de voz altivo*.

— Sou terapeuta ocupacional e estou aqui...

— Tem razão. *Interrompeu*. Isso de doutora não tem nada.

Voltei a respirar fundo e fiz uma pausa para analisar se a minha postura estava sendo a mais adequada para com ele. Tentei perceber se não estava sendo eu a causa daquela rispidez toda.

— Me diga, eu fiz alguma coisa errada com você?

— Apenas quero o meu avô bem tratado por quem trabalha aqui. E pago bem para isso. Pode não parecer, mas sou eu que estou pagando o seu salário também. Por isso exijo o melhor.

— Eu compreendo, mas garanto a você que todos os que aqui trabalham são competentes, cuidadosos, atenciosos e profissionais. Não há razão nenhuma para me tratar dessa maneira e muito menos para duvidar da qualidade dos nossos serviços.

— Ouço tantas histórias de maus-tratos aos idosos nos lares que eu desconfio de tudo que é lar. É só gente contrariada trabalhando nesses locais, parece que estão lá obrigados e depois quem sofre são os idosos, que não recebem o tratamento devido.

— Também já ouvi essas histórias e entendo o seu receio, mas isso não acontece aqui. Respeitamos muito os nossos pacientes.

— Oh! Todos dizem o mesmo! *Retrucou.*

— Mais uma vez isso demonstra que você não vem com frequência, porque se viesse conheceria melhor o nosso trabalho e...

— Está insinuando que não me preocupo com o meu avô?

— Pronto, já chega. *Pediu Nicolau.*

— Eu peço imensas desculpas, senhor Nicolau. Eu tentei explicar, mas parece que não há muito mais que eu possa dizer.

— Tem razão, menina Beatriz. Eu é que lhe peço desculpas pelo meu neto, infelizmente ele é mesmo assim. *Lançou-lhe um olhar com ar de censura.* Eu vou explicar, o meu neto sempre foi contra eu vir aqui para o lar...

— Avô, vai falar de mim aqui na minha frente?

— Leonardo, sente-se e ouça.

Até as ordens de Nicolau pareciam conselhos, tamanhas eram a calma e orientação que dava às suas palavras. Leonardo acatou a ordem e sentou o seu mais de um metro e oitenta de corpo nos pés da cama e desviou o rosto de nós dois numa tentativa de sacudir o foco da nossa atenção na sua figura quase infantil.

— Como eu estava dizendo. *Continuou Nicolau.* Ele sempre foi contra. Tanto ele como a mãe. Mas eu decidi vir para o lar mesmo assim porque não queria ser um estorvo lá em casa. Não queria que houvesse sempre pessoas entrando e saindo porque vinham fazer isto e depois aquilo comigo. E agora o meu neto sempre que vem aqui, que não são muitas vezes, porque estou de castigo, não é? *Olhou para ele.* Implica por tudo e por nada para ver se me tira daqui.

— E vou tirar, avô. E por mim é já amanhã! *Disse Leonardo, erguendo-se da cama.* Já lhe disse que em nossa casa está muito melhor do que aqui, não lhe faltará nada. E isso de ter muitas pessoas entrando e saindo a gente se habitua.

— Ouça! *Exclamei na direção do rapaz.* Isto não é algo que se faz assim sem mais nem menos. Estas mudanças repentinas têm grande influência na vida de uma pessoa com a idade do seu avô. Ele está sendo acompanhado por uma equipe especializada que o tem tratado muito bem. E também estou falando de mim. Como terapeuta ocupacional, eu tive de criar proximidade com ele e conhecê-lo bem para saber as metodologias a serem aplicadas na situação dele. Isto não pode ser feito de uma forma leviana. Além disso, e acima de tudo, você tem de respeitar a vontade do seu avô.

— Eu vou. *Falou Nicolau.*

Fez-se silêncio no quarto pela imprevisibilidade daquela afirmação. Nem eu nem Leonardo estávamos à espera de que fosse tão fácil convencer aquele homem. No entanto, logo após a surpresa veio a desconfiança. Não podia ser assim tão simples.

— O senhor tem certeza do que está fazendo?

— Eu vou. *Reafirmou ele.* Mas só com uma condição.

— Qual é? *Quis saber Leonardo.*

— A menina Beatriz vai continuar a ser a minha terapeuta e fará as sessões em domicílio lá em nossa casa.

— Não se preocupe com isso agora, avô. Eu mesmo vou assegurar que a equipe que vai tratar do senhor é a melhor possível. E é óbvio que não vamos arrastar a incompetência deste lar para casa.

Controlei a vontade de lhe responder por respeito ao seu avô.

— Se o senhor fizer muita questão disso, eu faço o que me pede. *Disse eu a Nicolau.* Compreendo que prefira estar em sua casa, mas tenho certeza de que reconhece o profissionalismo de todas as pessoas desta instituição e sei que se sente bem tratado. Mas não vou negar que preferiria continuar a tratá-lo aqui.

— Está vendo, avô? Com certeza o senhor não quer colocar aqui a senhora doutora numa posição desconfortável. Não se preocupe que eu cuido de tudo. Garanto que não vai lhe faltar nada e será muito bem cuidado em nossa casa. É lá o seu lugar.

— Leonardo, você já sabe qual é a minha condição. Eu só vou se continuar a ser acompanhado pela doutora. Estou habituado a ela, confio nela e não vou prescindir dos seus serviços. Menina Beatriz. *Disse, virando-se na minha direção.* Aproveite, porque com o atendimento em domicílio que fará comigo vai poder ganhar mais algum dinheiro e até vai ficar com menos trabalho aqui no lar.

Eu não conseguia entender aquela mudança de discurso por parte de Nicolau, chegando ao ponto de ele mesmo tentar me convencer a aceitar aquela proposta. Não entendia o que o tinha feito mudar de ideia, mas não ia fazer daquela questão um bicho de sete cabeças. A impressão que tinha ficado do neto dele não era a melhor, mas nunca seria motivo para deixar de acompanhá-lo

— Como eu disse, senhor Nicolau, se é essa a sua vontade eu aceito, sem qualquer problema. É o meu trabalho.

Olhamos os dois para Leonardo à espera da sua confirmação e ele encolheu os ombros, demonstrando que era indiferente.

— Por mim, tudo bem. O avô é que sabe. Se quiser levar a mobília daqui do quarto, isso também se resolve.

Nicolau sorriu como se lhe tivesse saído o ás de trunfo. Eu tinha ido para o trabalho pensando numa coisa e regressava a casa pensando noutra completamente diferente. Não conseguia descrever nem distinguir o que eu estava sentindo naquele final de tarde quente, dentro do meu carro, no para e arranca a que me obrigava a intermitência dos semáforos. Sabia que estava triste com o fim do meu relacionamento e sabia que estava intrigada com aquele episódio com Nicolau e o neto. No entanto, não sabia qual o sentimento que resultava daquela junção de sensações. O que me deixava ainda mais desconfortável. Lembrei-me do que havia dito a Gabriel em nossa derradeira conversa, em que lhe havia pedido a dureza da verdade, ainda que doesse, do que a incerteza de uma meia verdade, ainda que fosse mais agradável. Por momentos desejei sentir-me apenas triste, pois pelo menos sabia o que estava sentindo, e esse conhecimento me ajudava. Não conseguimos vencer um mal que não conhecemos. Por isso primeiro é preciso conhecê-lo, admiti-lo e depois então vencê-lo. Nicolau me dizia isso muitas vezes nas nossas muitas conversas. Se por vezes eu tinha pouco controle sobre o que a minha boca dizia, tinha ainda menos controle sobre o que a minha cabeça pensava. Chegava a implorar a mim mesma para pensar devagar e uma coisa de cada vez, mas, quando se quer uma resposta e uma explicação para tudo, mesmo quando nem precisamos delas ou mesmo quando nem sequer existem, torna-se difícil. A única certeza que eu tinha naquele regresso a casa, e depois do que se tinha passado no lar, era que Nicolau tinha algum plano na manga.

 Estava passando creme no corpo no meu quarto depois de ter sido expulsa do banheiro pela minha irmã Leonor assim que terminei de tomar banho. Ela se trancou lá dentro e tão cedo não sairia. Estava na flor da adolescência, com os seus dezesseis anos, e quase poderia jurar que metade do tempo que ela passava naquele banheiro era se olhando no espelho para apreciar as suas curvas cada vez mais definidas. Já eu, com onze anos a mais sobre os ombros, olhava cada vez mais de relance para o espelho e saía de lá bem mais depressa. Ao passar o creme nas pernas, percebi que estava na hora de fazer uma depilação. A verdade é que não tinha tempo e muito menos paciência. Naqueles dias até estava no modo calça, e isso contribuiu para o meu pequeno desleixo. Ou então estava usando calça porque andava desleixada. Das duas uma, mas sinceramente tinha mais com que me preocupar. Assim que terminei de passar o creme, vesti uma calça, uma blusa e calcei tênis. Olhei-me no espelho e não adorei a roupa. Virei-me para um lado e depois para o outro e não fiquei gostando mais. Contudo, reparei no meu cabelo e estava com boa saúde. E, se o cabelo estava bem, eu podia ir vestida com um saco que não me ia sentir menos bonita. Entretanto, ouvi a minha mãe gritar da cozinha para a minha irmã apressar o banho. Um pormenor que estranhei, pois não era costume ela implicar com a minha irmã tendo em conta que já sabia como era. No entanto, fez-me lembrar que também tinha de me apressar. Nicolau já tinha ido para casa e eu ficara de ir lá nesse dia fazer uma pequena sessão de terapia com ele e verificar se a casa precisava de alguma adaptação às limitações naturais de uma pessoa idosa. Fui até a cozinha e encontrei a minha mãe sentada à mesa acabando de tomar o café da manhã, o meu pai já tinha saído para trabalhar. Peguei uma caneca, enchi de água e coloquei no micro-ondas para fazer o meu chá sob o olhar atento da minha mãe, que não demorou a tecer um comentário.

— Por que é que vai aquecer a água? Não está frio. *Disse ela.*

— Mãe, eu preciso aquecer a água para fazer o chá. Além disso, você sabe bem que, independentemente da estação do ano e da temperatura que faça lá fora, eu só consigo beber chá quente.

— Pois é, tem razão...

Fiquei encostada à bancada da cozinha olhando para ela, que se concentrou em acabar a torrada que tinha diante de si, e senti que alguma coisa não estava bem. No entanto, decidi não tocar no assunto, até porque podia ser apenas sono. Entretanto, ela voltou a erguer o rosto e intercalou o olhar entre mim e o micro-ondas, que ainda estava trabalhando às minhas costas.

— Beatriz, filha, já está quente a água, desliga isso.

Naquele momento percebi que alguma coisa não estava mesmo bem. Abri a porta do aparelho, fazendo-o desligar abruptamente, peguei um saquinho de chá, mergulhei na água e sentei-me na outra ponta da mesa diante da minha mãe.

— O que é que se passa com você para estar tão irritadiça?

— Não se passa nada, filha. Come. *Disse, apontando com o queixo na direção das torradas que eu pousara junto à caneca.*

— Em primeiro lugar, se não estivesse se passando nada mesmo você teria perguntado por que é que eu tinha perguntado. E, em segundo lugar, nós já vivemos juntas há vinte e sete anos. Por isso comece a falar porque eu às nove e meia tenho um domicílio para fazer.

Ela baixou o olhar, pousou a torrada, soltou um suspiro, ergueu novamente o rosto para mim e respondeu por fim.

— Desculpa, talvez eu tenha exagerado um pouco. É a fábrica... *Fez uma pausa.* Está com dificuldades. Vão despedir grande parte da equipe. Já me avisaram de que só trabalho lá até o final deste mês.

Fiquei em silêncio olhando para ela e por momentos não sabia o que dizer. Afinal, ela trabalhara toda a sua vida naquela fábrica. Tinha sido apanhada completamente desprevenida e era uma situação inédita para mim. Tal como para a minha mãe. Naquele momento comecei a perceber o porquê de ela ter implicado com a demora da minha irmã no banheiro e até mesmo com a utilização do micro-ondas, algo que nunca tinha feito. Já estava em modo de contenção de despesas. Contornei a mesa na sua direção, agachei-me ao lado dela e peguei sua mão.

— Calma, não se preocupe. Vai ficar tudo bem.

Por vezes tudo o que precisamos é de alguém que nos pegue na mão e nos diga baixinho que vai ficar tudo bem. Nunca será o suficiente, nem nunca será uma garantia, mas nos dá a tranquilidade e a confiança necessárias para que, pelo menos, estejamos mais perto de conseguir. No entanto, mais do que ter alguém que nos diga que vai ficar tudo bem, precisamos de alguém que nos diga que lutará conosco como se fosse também uma luta sua. Era isso que eu queria que ela sentisse naquele momento, mas mal lhe disse aquela frase as lágrimas começaram a correr pelo seu rosto. Ergui-me e segurei a cabeça dela contra a minha barriga como ela fazia quando eu era pequenina, dizendo-me através daquele gesto que nenhuma dor no mundo vencia a força de uma mãe.

— Oh, meu amor, eu trabalhei lá uma vida inteira, não sei fazer mais nada. E com a minha idade quem é que me vai dar emprego? *Disse por entre os soluços de um choro contido.*

Voltei a abaixar-me para olhá-la nos olhos e passei os polegares no seu rosto para enxugar as lágrimas.

— Você está dando importância demais para isso. É claro que vão te dar emprego. Quem não quer uma mulher competente e trabalhadora como você? Além disso, o pai trabalha, eu também trabalho, nunca vai faltar nada aqui em casa.

— Não, nem pensar. *Respondeu ao mesmo tempo que se levantava.* Você não vai trabalhar para nós. Tem uma vida para começar, precisa do dinheiro para você. Eu encontro uma solução.

— Mas eu também dou despesa, e além disso...

— Há alguma coisa que eu deva saber? *Interrompeu a minha irmã Leonor, que nos olhava receosa na entrada da cozinha.*

— Não há nada para saber, termine de se arrumar para tomar o café e ir para o colégio. *Despachou a minha mãe.* E você também, Beatriz. Mexa-se que está ficando atrasada.

Lancei um último olhar à minha mãe e ela devolveu outro como se desta vez fosse ela me dizendo que ia ficar tudo bem. Tomei o meu chá e peguei a estrada até o endereço que o neto de Nicolau havia me dado. Quando cheguei, rapidamente percebi de onde vinha pelo menos parte da arrogância daquele rapaz. Era uma casa gigantesca, com uns jardins bem cuidados, e as portas da garagem abertas permitiam vislumbrar dois bons carros estacionados. Só do lado de fora dava para perceber bem o pequeno império que Nicolau tinha conseguido construir, fruto do seu trabalho e com certeza muita humildade. Algo que aparentemente o seu neto não tinha herdado. Estacionei o carro, peguei a bolsa com os meus instrumentos de trabalho e toquei a campainha. Pouco depois uma senhora veio abrir porta. Com certeza uma das empregadas. Assim que me apresentei e disse o que tinha ido fazer, ela recolheu-se para o interior da casa e foi chamar a filha de Nicolau. Fiquei na entrada olhando para o interior da casa até que surgiu alguém descendo uma grande escadaria em frente. Não demorei muito até perceber que era Leonardo. Assim que me viu, olhou-me com desprezo e dirigiu-se para a saída onde eu estava. Afastei-me para o deixar passar, mas ele parou junto à porta e encostou-se ao batente.

— Como está a doutora? *Perguntou em tom de provocação, mas respondi com o meu silêncio.* Quer autorização para entrar?

— Quero. *Respondi prontamente.* Por isso é que estou aqui à espera de que a sua mãe chegue para fazer isso.

Ele sorriu com ar de satisfação para disfarçar o incômodo que lhe causei com a minha pronta resposta. Mas o ego dele era grande demais para me dar a honra de ficar com a última palavra.

— Veja lá, não estrague nada aqui em casa, é tudo muito caro.

Antes de conseguir lhe dar uma resposta, percebi que alguém se aproximava de nós. Era Lurdes, filha de Nicolau e mãe de Leonardo. Reconheci seu rosto de ter cruzado com ela no lar quando das suas visitas ao pai, mas praticamente nunca tínhamos falado além dos habituais cumprimentos.

— Bom dia, seja bem-vinda. *Saudou ela, com um largo sorriso.* Lembro-me do seu rosto. É a Beatriz, correto?

— Não... Doutora Beatriz. *Corrigiu Leonardo, com sarcasmo, antes de abandonar a entrada em direção à garagem.*

Lurdes revirou os olhos para mim como se me desse a entender que conhecia bem a personalidade do filho e me fez sinal com a cabeça para acompanhá-la.

— Peço desculpas pelo meu filho. É uma história muito complicada. O meu pai me disse que ele foi um pouco desagradável com você no lar. Infelizmente não é só com você. Dê um desconto.

— Dona Lurdes, dou todo o desconto, por mim pode ficar com ele de graça. *Atirei com humor, fazendo-a soltar um riso tímido.*

— Esse senso de humor é uma bênção nesta casa, estávamos mesmo precisando! Nunca o perca, por favor. Venha, vamos por aqui. *Disse, apontando para um corredor.* Vou mostrar a casa a você primeiro e já a levo ao quarto onde está o meu pai.

Lurdes era uma mulher muito bonita e para a idade que eu imaginava que tinha estava muito bem conservada. Eu podia ver que era uma pessoa que gostava de se cuidar e se arrumar, mas, à semelhança do pai, era desprovida de qualquer arrogância e notava-se que tinha um bom coração. Depois de me mostrar algumas divisões importantes do andar térreo da casa e de eu ter feito as minhas sugestões de alteração, como a remoção dos tapetes e a substituição de alguns desníveis por rampas suaves, Lurdes me levou até o quarto do pai e me deixou a sós com Nicolau.

— Como está, senhor Nicolau? Melhor aqui em casa?

— Pelo menos pior não estou. Confesso que sempre quis morrer em casa. Vamos ver se terei essa sorte. O tempo também já é curto, não me faz grande diferença onde estou melhor.

— Não diga essas coisas. Sabe que não gosto. Daqui até os cento e vinte ainda faltam muitos anos.

— E a menina Beatriz, como é que está?

— As coisas não estão nada fáceis para este lado. Ainda não resolvi um problema e já me apareceu outro para completar. As pessoas não sabem a chuva que cai dentro de mim porque, a julgar pelo meu sorriso, os dias sempre são de sol. Mas eu tenho esta mania de me levantar sempre que caio, que posso fazer?

— Que problema foi esse que lhe apareceu?

— Não foi para mim, foi para a minha mãe, mas é a mesma coisa. Ela me disse hoje que a fábrica onde trabalha vai reduzir o pessoal e ela foi dispensada. Vai sair no final do mês.

— Eu pensei que fosse alguma coisa grave. Isso é fácil de resolver. Diga para ela, no dia primeiro do próximo mês, se apresentar na minha fábrica. Se ela gostar de fazer doces, tem emprego garantido.

Eu fiquei em choque durante breves segundos e depois o abracei e sem querer comecei a chorar. Naquele momento tive a certeza de que Nicolau era um anjo. Mas também me lembrei de que um anjo só aparece se tiver um grande motivo. Qual seria o dele?

Quando dei a notícia à minha mãe, ela me abraçou e começou a chorar como se de alguma forma quisesse repor as lágrimas que eu deixei nas roupas de Nicolau quando ele me deu a mesma notícia. Ficou desejosa de conhecê-lo e agradecer pessoalmente a sua generosidade. Era uma mulher de choro fácil, nisso éramos iguais. Aliás, eu choro ao ver filmes e ao ouvir músicas. Choro ao ver vídeos de cãezinhos abandonados e de pessoas que participam de concursos com histórias de vida incríveis e que fazem sucesso. Choro até se vir alguém chorando. Sou uma espécie de esponja sentimental que me faz sofrer quase tanto quanto a pessoa que tem verdadeiramente motivos para isso. Choro facilmente, mas choro ainda mais para mim. Por dentro, em silêncio e em segredo. Mas sempre com a certeza de que logo a seguir vem um sorriso. Talvez por isso choro muito, para logo depois ter ainda mais vontade e motivos para sorrir. E sorrio tal como choro, ou seja, por tudo e por nada. Dirão, porventura, que sou louca, mas não, nada disso, apenas vivo tudo intensamente. Quem dera fôssemos todos assim.

Nos dias que se seguiram comecei a acompanhar Nicolau regularmente ao final do dia, ao longo de duas horas, no conforto da sua casa. Era quase sempre recebida por uma das empregadas, mas as despedidas ficavam sempre por minha conta. Por vezes cruzava com Lurdes, mas as conversas não eram diferentes das poucas que tínhamos tido no lar, ou seja, pouco mais que cumprimentos. Não por falta de simpatia de parte a parte e muito menos por falta de tema de conversa, mas eu sentia em Lurdes uma timidez que nada mais era do que um mecanismo para camuflar algo muito mais pesado. Tinha um sorriso meigo e calmo, como o do pai, mas eu sentia dor no seu olhar. E a mágoa era nítida. Ela sorria como se achasse que não tinha direito de o fazer, como se não fosse merecedora ou como se o tivesse reprimido por tanto tempo que já não sabia fazê-lo com naturalidade. Eu desconfiava que poderia estar relacionado com o pai do Leonardo, até porque era uma figura que nunca tinha visto naquela casa e de quem nem sequer tinha ouvido qualquer referência. Nem mesmo da boca de Nicolau. Como se fosse um tema proibido. O que estava me intrigando cada vez mais. Eu andava há dias tentando controlar a minha curiosidade para não passar pela humilhação de me dizerem para me meter na minha vida, mas eu já me conhecia e sabia que não aguentaria muito mais. Relativamente a Leonardo, tinha cruzado com ele algumas vezes, mas sempre que nos víamos virávamos o rosto para o lado. Nunca mais tivemos um diálogo desde aquele dia na entrada da sua casa, mas, apesar de não sentir falta, tinha de admitir que aquela situação me deixava desconfortável. Contudo, além de ser uma chorona, uma esponja sentimental, curiosa ao ponto de fazer inveja a qualquer gato, eu também era muito orgulhosa. E isso me impedia de dar um passo em direção à trégua com aquele rapaz. Algo que eu tentei mudar naquele dia quando, por engano, ele entrou na cozinha no momento em que eu estava com Nicolau preparando petit gâteaux para servirem de sobremesa no jantar. Como terapeuta ocupacional, uma das minhas missões é estimular e motivar os idosos recuperando muitas das atividades que desenvolveram ao longo da sua vida profissional. E no caso de Nicolau eram, sem dúvida, os doces.

— Uuuups. Peço desculpas. *Disse Leonardo assim que entrou na cozinha e nos encontrou às voltas com os ingredientes.*

— Não. Pode ficar. *Atirei por impulso, e até surpreendida comigo mesma, quando Leonardo se preparava para recuar.*

— Não, nem pensar. Faça o que tem a fazer com o meu avô, eu não estaria aqui fazendo nada e tenho mais o que fazer.

— Essa é uma ideia errada que o menino tem. É extremamente importante que os familiares se envolvam neste tipo de atividade com os seus idosos para motivá-los ainda mais. Senão vai parecer que estão fazendo uma tarefa qualquer porque eu estou sendo paga para colocá-los para fazer isso. E não gosto nada desse conceito.

— Não me chame de menino, por favor. Até porque não devo ser muito mais novo do que a doutora.

— Então façamos assim. Eu não o chamo de menino e o Leonardo não me chama de doutora. E já que as nossas idades não são assim tão diferentes, e tendo em conta que vamos ter de cruzar muitas vezes, eu sugeriria que nos começássemos a tratar por você. O que me... diz? *Perguntei, reticente.*

Leonardo olhou para Nicolau e depois para mim como se quisesse dar a entender que só daria aquela resposta pelo seu avô.

— Tudo bem. Mas não gosto muito destas confianças. Para todos os efeitos, eu continuo a ser o seu patrão.

— Se se sente melhor assim, que seja. Junte-se a nós, com certeza o seu avô vai gostar muito. Não é, senhor Nicolau?

— Eu também não gosto dessas coisas. Não tenho jeito e muito menos paciência para fazer bolos.

— Não diga isso, Leonardo. *Pediu Nicolau.* Quando você era criança ficava sempre perto de mim enquanto eu fazia as minhas experiências e criava as minhas receitas.

— Eu já não sou uma criança, avô. Essa época está morta e enterrada. *Soltou um suspiro como se estivesse prestes a aceitar um enorme favor.* Está bem... o que eu preciso fazer?

— Antes de tudo, precisa colocar um avental.

— Também acho melhor. Onde é que eles estão?

— Está perguntando para mim? Nunca usou um?

— Não! *Encolheu os ombros.* Só venho à cozinha para comer.

Revirei os olhos e respirei fundo. Me confundia muito aquela atitude de menino rico, mas talvez fosse porque toda a vida eu tive de trabalhar e me esforçar para ter as minhas coisas. Não sentia raiva nem inveja de quem nascia com o rabo virado para a Lua. Na verdade, sentia até uma certa pena. Quem tem sempre tudo dado e aceita essa realidade deixa de receber uma infinidade de ensinamentos que só a luta diária e o esforço que sai do corpo pode nos dar. A tentação de seguir pelo caminho mais fácil vai sempre nos acompanhar; o que nos diferencia uns dos outros é a capacidade de cada um de resistir a ela. Nicolau me dizia, e com razão, que a sociedade rotula a pobreza como uma espécie de punição por termos fracassado ou falhado de alguma forma na nossa vida profissional. E por isso todos temem a pobreza. Mas acima da sociedade existe a humanidade e o que a humanidade teme não é a pobreza, mas sim a infelicidade. Por isso, em vez de trabalhar para sermos ricos, devíamos trabalhar para sermos felizes. Temos um carro sempre disponível, mas não temos um abraço sempre pronto. Temos uma conta recheada, mas um coração vazio. Trabalhamos oito horas por dia, mas não vivemos duas. Somos quem não gostamos de ser para podermos ter o que gostamos de ter. Fazemos tudo, mas não somos nada. Enquanto temermos mais a pobreza do que a infelicidade seremos sempre uma sociedade apenas e nunca uma humanidade. Talvez por isso aquele homem fosse tão desapegado dos seus bens materiais e valorizasse tanto o conhecimento e o bem-estar da alma. Já sabemos que é fácil dizer que o amor e o afeto são mais importantes quando a nossa vida profissional está mais do que bem resolvida. No entanto, no caso de Nicolau era simples de perceber que ele sempre fora assim. E talvez esse tenha sido o passo mais importante para ter sucesso e mais tarde montar o seu império.

Assim que Leonardo colocou o avental e se juntou a nós, sempre de rosto fechado, eu continuei com o nosso exercício. Coloquei todos os ingredientes necessários para os petit gâteaux sobre a mesa à exceção de um. O objetivo era Nicolau descobrir qual era.

— Manteiga. *Ele respondeu depois de uma atenta análise da mesa.*

— Muito bem! *Congratulei.* Pode pegar? *Disse eu a Leonardo, apontando com a mão na direção da geladeira. Ele anuiu e foi buscar o ingrediente em falta.* Agora o senhor Nicolau vai distribuir as tarefas para cada um de nós.

— Sendo assim, o meu neto pode começar untando as formas com a manteiga e a menina Beatriz parte o chocolate para depois colocá-lo para derreter em banho-maria.

Comecei a partir o chocolate, enquanto Leonardo, do outro lado da mesa, untava as formas. Assim que terminei, virei-me para trás para pegar um recipiente e eis que a Beatriz desajeitada deu o ar de sua graça e o recipiente escorregou-me das mãos para cair dentro da pia com estrondo. Apesar de não ter quebrado, Leonardo não deixou de comentar o meu descuido.

— Sou eu que tenho as mãos cheias de manteiga e é você que deixa as coisas escorregarem das mãos. Tente não matar o meu avô de susto, senão, como deve imaginar, você ficaria sem emprego.

— Antes desajeitada do que carrancuda. Concorda?

— Plenamente. Agora abra esse pacote de farinha para mim porque eu não posso. *Disse, expondo as palmas das mãos.*

Pousei o recipiente com cuidado sobre a mesa e peguei o pacote de farinha para abrir, mas, talvez pelo fato de as minhas mãos ainda estarem trêmulas, não estava conseguindo. Fiz um pouco mais de força e acabei arrancando toda a parte de cima do pacote, fazendo cair uma grande porção do conteúdo sobre a mesa. Nicolau soltou uma gargalhada e eu senti do outro lado da mesa um revirar de olhos.

— Meu Deus! *Sussurrou Leonardo.* Só não levo as mãos à cabeça porque estão cheias de gordura.

As coisas se acalmaram, entretanto, e retomamos a nossa atividade, agora com o dobro da minha atenção para não voltar a me descuidar. No entanto, senti que por um lado até foi bom aquilo ter acontecido, pois de certa forma atraiu a atenção de Leonardo e permitiu que ele agisse de uma forma mais descontraída. A dada altura estava tão entretido na tarefa que vislumbrei um sorriso nele. Algo que nunca tinha visto. Pelo menos um que não fosse cínico.

— Afinal você também sabe sorrir. *Comentei.*

Ele ergueu o rosto para mim e num ápice a sua face transformou-se como se eu o tivesse ofendido com aquela observação.

— Acho que a minha parte está feita. *Disse ele, tirando imediatamente o avental e abandonando a cozinha.*

— O que foi que eu disse de errado, senhor Nicolau?

O homem fez um momento de silêncio, soltou um suspiro, levantou o rosto para mim e fez sinal para que me sentasse.

— Menina Beatriz... *Fez uma pausa.* Acho que chegou a hora de lhe explicar o porquê de eu ter aceitado o convite do meu neto e o porquê de ter pedido para você me acompanhar aqui em casa.

Parei com o que estava fazendo, afastei os utensílios e os ingredientes de nós dois, sentei-me e olhei para Nicolau, curiosa para saber o que ele tinha para me contar.

— A menina sabe que os meus dias estão acabando...

— Outra vez essa conversa, senhor Nicolau? Não estão acabando nada, eu vou tratar bem do senhor. E agora até está aqui em sua casa, do que é que precisa mais para durar até os cento e vinte?

Ele desviou o olhar por breves segundos e quando retomou era como se tivesse deixado cair a máscara da jovialidade que o caracterizava. Os olhos tinham-se esvaziado de esperança, os lábios dobraram-se perante a força da gravidade e de repente parecia que Nicolau tinha os tão falados cento e vinte anos.

— Não sei explicar. Não o digo por ter a idade que tenho, digo-o porque sinto que a minha passagem nesta vida está chegando ao fim. Mais dia, menos dia, ela vai bater na porta e eu vou ter de ir...

Engoli em seco e olhei para o teto para conter as lágrimas.

— O senhor quer me fazer chorar. Não acho que as lágrimas sejam um dos ingredientes da nossa receita de hoje.

— Não, não chore. Nem tenha pena. Porque eu também não tenho pena de morrer. Teria se nunca tivesse vivido. Mas vivi tudo aquilo que podia quando podia. Por isso nunca poderia sentir pena. Mas sinto uma mágoa que insiste em não me abandonar.

— E que mágoa é essa? Posso saber?

— A Beatriz acredita no destino?

— Acho que já acreditei mais. Ou talvez não saiba o significado exato dessa palavra. Mas por que me pergunta isso?

— Quando falo em destino é no sentido de nada acontecer por acaso. Sabe, o universo, a vida ou o destino, como quiser chamar, nos faz cruzar com determinadas pessoas e situações para que nós possamos criar conhecimento, experiência, forças e defesas para corrigir falhas, preencher lacunas e ultrapassar obstáculos. Isto acontece com todos, quer queiram quer não, quer acreditem ou não. Aquilo que nos diferencia uns dos outros é a capacidade de cada um aprender, perceber, aceitar e evoluir. E só há uma direção para a qual podemos evoluir, que é na direção do amor. Tudo o que não seja nesta direção é regressão. E a negação só atrasa o nosso crescimento pessoal e espiritual. O universo está constantemente nos dando pistas, indicações, empurrões. *Fez uma pausa e me olhou com atenção.* Está conseguindo me acompanhar?

— Sim, estou acompanhando. Mas não sei aonde é que o senhor Nicolau quer chegar com esta conversa. Nem estou percebendo o que isso possa ter a ver com o fato de eu estar aqui. Tendo em conta que, para todos os efeitos, este é o meu trabalho e eu apenas o estou fazendo da forma mais competente possível.

— Você já vai perceber aonde quero chegar, mas eu tenho mesmo de lhe dizer isto para que possa entender o que vou dizer a seguir. Por isso peço que me ouça com atenção.

Eu estava ficando cada vez mais impaciente. Começava a crescer em mim um sentimento que era uma mistura de curiosidade com um certo receio do que é que viria dali. Até porque Nicolau estava falando num tom demasiado sério, como se estivesse prestes a me pedir algo muito importante. Tentei abstrair das suposições e da infinidade de cenários que a minha mente já estava começando a criar para não perder nenhuma informação que ele queria me transmitir.

— O universo funciona como um dedo que aponta ou uma mão que nos dá um empurrãozinho nas costas como que a nos dizer para irmos por ali ou por acolá. No entanto, nós somos e seremos sempre donos da nossa vontade. Aliás, esse é e será sempre o nosso maior poder, o de escolher. Imagine que a vida é uma estrada e nós vamos no carro por essa estrada. E o universo é como se fossem os sinais de trânsito que nos dão indicações para irmos por determinado caminho. E essas indicações, esses sinais, muitas vezes são aquilo que nós chamamos de coincidências. Acasos. Mas repare, há um sinal que diz, por exemplo, sentido proibido. No entanto, ele não nos impede de ir por aquele caminho se nós quisermos, correto? Ou seja, nós podemos perfeitamente ignorar os sinais do universo, temos é de saber suportar as consequências. Pois por algum motivo estava ali aquele sinal de proibição. E também não podemos nos queixar se nunca chegarmos aonde tínhamos de chegar. O que acontece muitas vezes também é essas indicações nos levarem por um determinado caminho e nós nesse caminho passarmos em um buraco que fura o pneu do nosso carro. Por exemplo. E nós ficamos muito chateados com a vida porque ela nos deu as indicações erradas. E nós só percebemos que eram as indicações certas quando mais à frente aparece um buraco ainda maior e nós já conseguimos desviar dele. Se nós tivéssemos ignorado os sinais e tivéssemos ido por outro caminho, talvez tivéssemos passado pelo buraco maior primeiro e os estragos, no fim das contas, iam ser maiores. E agora para terminar, porque também não quero estar chateando a menina...

— Fique à vontade. O senhor sabe que eu gosto muito de ouvi-lo. Estou sempre aprendendo com o senhor. Quero aproveitar ao máximo tudo o que tiver para me ensinar sobre a vida. Além disso, enquanto está me dizendo essas coisas, está com a mente trabalhando e com certeza se sente útil e motivado. Ou seja, é bom para os dois. Não deixe nada sem dizer por acreditar que está me chateando. Além disso, se tiver de ir embora mais tarde, eu vou. Não será pelo tempo. Só quero é que me diga tudo o que tem para me dizer.

— Assim farei. O que eu quero dizer com isto é que por vezes aparecem grandes desafios que nos são impostos pela vida e que nos fazem nos revoltar contra ela. Seja porque os consideramos demasiado difíceis ou então porque nem sequer entendemos o porquê deles. Mas temos de ter humildade para aprender e lucidez para perceber que esses desafios têm o propósito de nos tornar mais fortes, mais capazes e mais humanos. E ter esta humildade e lucidez é o primeiro passo para conseguirmos ultrapassá-los. E o nosso primeiro instinto é nos deixarmos cair no choro e lamentar tudo o que de mal nos acontece na esperança de que a vida tenha pena de nós e se arrependa de nos ter dado um desafio tão grande. Isso não vai acontecer. Tudo isto para lhe dizer que não foi por acaso que viemos a cruzar naquele lar. E não foi por acaso que a Beatriz cruzou com o meu neto exatamente naquele dia. Até porque ele já tinha ido me visitar antes e vocês nunca haviam se encontrado. Naquele momento sorri por dentro ao perceber o universo mexer as cordinhas para fazer cruzar as pessoas certas nos momentos certos.

Aquele final de discurso apanhou-me desprevenida. Abanei a cabeça na tentativa de que as ideias fossem para o lugar, mas não adiantou. Era como se eu estivesse acompanhando atentamente um artista pintando um quadro com todo o detalhe e cuidado e no final ele se lembrasse de fazer um borrão na tela. Aquilo que eu sabia era que aquele borrão tinha um significado, só não sabia qual.

— Espere. Deixe-me ver se entendi. Está me dizendo que eu e o seu neto tínhamos de nos conhecer?

— Estou dizendo que aquele encontro tinha de acontecer, mas mais do que isso, ele tinha de acontecer na minha frente para eu poder ver aquilo que tinha de ver. E eu vi aquilo que podia ser feito para resolver o problema do Leonardo, o seu problema... e consequentemente resolver esta minha mágoa.

— Explique isso tudo antes que a minha cabeça comece a procurar explicações disparatadas. E olhe que imaginação e capacidade para criar as realidades mais descabidas não me faltam.

— Quando conheceu o meu neto no lar, a menina Beatriz tinha dias antes terminado um relacionamento, e nesse dia, você vai se lembrar até melhor do que eu, esteve desabafando comigo. Disse que acreditava que não tinha sido feita para ser feliz no amor e me pediu até a receita para consegui-la. Minutos depois encontra-se com o meu neto e, nesse momento, percebi que os dois podiam ajudar-se um ao outro e com isso se ajudarem também. Quando ele disse que queria me trazer para casa, eu aceitei com a condição de a Beatriz me acompanhar, pois sabia que você vindo aqui todos os dias seria mais fácil encontrar com ele.

— É impressão minha ou o senhor Nicolau está se fazendo de casamenteiro e quer me juntar com o seu neto?

— Não. Nada disso. Não é nesse sentido. Peço desculpas se não me fiz entender. Eu apenas quero que a Beatriz ajude o meu neto.

— Mas de que tipo de ajuda precisa o Leonardo?

— A Beatriz percebeu logo desde o primeiro minuto que o meu neto não é uma pessoa muito afável. Na verdade, ele tem uma infinidade de defeitos que nada mais são do que o efeito que o tempo fez sobre acontecimentos mal resolvidos do passado. Tudo isto começou com a separação dos pais e tornou-se uma bola de neve. Hoje em dia é como se o Leonardo estivesse completamente fechado de qualquer sentimento positivo. É um jovem arrogante, materialista, prepotente, exibicionista, egoísta, antipático, enfim, nem adianta continuar, mas ele no fundo é bom rapaz, apenas enterrou esse seu lado bom dentro dele mesmo. E a Beatriz é precisamente o oposto dele. Tem uma alma lindíssima. Tem também uma personalidade forte, mas que nada subtrai ao bom coração que a acompanha. No lar percebi que a Beatriz podia ajudá-lo e hoje tive a certeza. Porque hoje ele sorriu. E eu não me lembrava da última vez que o tinha visto sorrir. Não me admira aquela reação que ele teve quando a menina falou isso, porque a sua observação o fez regressar ao estado consciente. Fez com que ele ativasse a razão e voltasse a desligar as emoções. Mas elas estão lá. O lado bom dele está lá. Apenas está debaixo de um monte de entulho de sentimentos reprimidos. E esta é uma guerra que eu já não tenho tempo de vencer. E, sim, esta é a minha mágoa, partir sem conseguir tornar o meu neto uma boa pessoa. Comigo e com a mãe ele até demonstra algum afeto. Me respeita muito e me obedece como se eu fosse um pai para ele, e na realidade tive de ser em muitos momentos, mas o meu tempo está chegando ao fim e por isso lhe peço que termine esta missão por mim.

A minha cabeça estava em água. Tinha sido demasiada informação ao mesmo tempo e eu não estava conseguindo dar vazão a tanto pensamento. Nicolau percebeu e tentou ajudar.

— Como é óbvio, não é um favor que estou lhe pedindo. *Continuou*. Eu vou recompensá-la dando a você aquilo que a menina Beatriz mais quer e que inclusive já me pediu.

— Está falando daquilo em que estou pensando?

— Sim, se a Beatriz ajudar o meu neto a despertar o lado bom que existe nele e a tornar-se boa pessoa... eu lhe dou a receita para ser feliz no amor.

Saí do trabalho e entrei no carro para seguir viagem até a casa de Nicolau, como passara a ser rotina desde que ele abandonara o lar. Era o primeiro dia de trabalho da minha mãe na fábrica de doces e pedi para que quando saísse do trabalho passasse na casa de Nicolau, já que ficava do outro lado da rua, para eu apresentar a ela o homem que lhe havia dado aquela oportunidade e ela poder agradecê-lo pessoalmente. Depois iríamos juntas embora. Liguei o rádio do carro para me entreter enquanto lutava contra a impaciência que o trânsito e os semáforos me causavam e quando terminou a música que estava tocando começou "Photograph", do Ed Sheeran. Naquele momento foi como se aquela mão gigante voltasse a pegar em mim, mas em vez de me apertar para me espremer os pulmões atirou-me para trás no tempo. Era a música do meu namoro com Gabriel. O nome dele estava gravado em cada verso e nota daquela música. Eu podia ouvi-la cinquenta anos mais tarde que seria inevitável lembrar-me dele. O meu coração acelerou e a minha cabeça mergulhou num mar de recordações. Queria desligar o rádio, mas não conseguia. Era como se estivesse gostando daquela dor ou como se de alguma forma pudesse estar mais próxima dele naquele momento. Pensei que já estivesse superando o nosso fim e afinal apenas tinha andado com a cabeça ocupada demais. A falta dele estava toda lá. Começou a me faltar o ar e abri o vidro do carro. Senti raiva da minha fraqueza naquele momento, mas num instante essa sensação foi substituída por uma vontade enorme de procurá-lo. Agarrei o celular e comecei a escrever uma mensagem para ele. Já não era eu que controlava os meus movimentos, era a saudade mexendo nos meus dedos. Contudo, assim que terminei de escrever a mensagem e me preparava para clicar em *enviar*, não fui capaz. Apaguei tudo, meti o celular na bolsa, corri o fecho para ter mais um obstáculo para se opor à tentação, caso voltasse, sintonizei outra rádio e voltei a me concentrar na estrada. Quando entrei no quarto de Nicolau foi como se me sentisse protegida, pois sabia que durante os minutos seguintes ia ter a minha cabeça ocupada fazendo aquilo de que gostava e, pelo menos durante esse período, não havia desilusão amorosa que me tirasse o foco.

— Já tem uma resposta para mim? *Perguntou Nicolau assim que trocamos cumprimentos.*

Tinha ficado de lhe dar uma resposta sobre a proposta que ele me colocara em relação ao seu neto. Tinha pensado muito sobre o assunto, mas quanto mais pensava mais questões me surgiam. Parecia que Nicolau havia criado um plano minucioso para não me dar outra alternativa que não fosse aceitar a sua proposta. Afinal de contas, ele já tinha me ajudado muito. Além dos inúmeros desabafos que ouviu e dos muitos conselhos que havia me dado, dias antes oferecera um emprego à minha mãe e ainda me oferecia, segundo ele, a receita para ser feliz no amor. Tinha tocado exatamente nos meus pontos fracos, família e amor. E logo por isso me deixava sem muitas desculpas para recusar. Até porque tinha me pegado numa altura da minha vida em que se me dessem um frasco com uma poção mágica para passar a minha agonia e ser de uma vez por todas feliz eu tomaria sem pensar nas consequências. Eu não era nenhuma criança para acreditar que havia de fato uma receita, mas também sabia que Nicolau não estava me enganando, pois, se havia alguém no mundo que fosse portador de uma fórmula para ser feliz no amor, era sem dúvida aquele homem. Mas, antes de lhe dar o meu veredicto final, coloquei algumas questões.

— Como é que você espera que eu ajude o seu neto? O que eu devo fazer? E por que ele haveria de fazer o que eu peço ou seguir qualquer orientação minha?

Antes que ele me começasse a responder, coloquei uma bola entre suas mãos e fiz um sinal para que a levantasse o mais alto que conseguisse e a baixasse depois, repetindo o movimento. Um exercício que costumávamos fazer para trabalhar os membros superiores e que ele já conhecia muito bem. Assim, enquanto falávamos trabalhávamos e se aproveitava melhor o tempo.

— No fundo é o que a menina Beatriz faz comigo e com os outros idosos que estão ao seu encargo. Você nos conhece a todos muito bem e em função das necessidades de cada um determina um plano de exercícios para nos manter ativos, motivados e bem-dispostos. Estou falando bem, não estou? *Acenei afirmativamente com a cabeça.* Com o meu neto não será muito diferente. Em função daquilo que achar que ele precisa para despertar o seu lado bom, a Beatriz coloca desafios para ele e lhe dá tarefas. Tenho certeza de que se sairá muito bem. Só quero que lhe transmita os valores que também regem a sua vida. Como a bondade, o altruísmo, a generosidade, a humildade e por aí em diante. Quanto a ele aceitar fazer o que a Beatriz lhe pedir, é muito simples. Como eu lhe disse, ele me respeita muito e me obedece, se eu lhe disser para seguir as suas orientações eu acredito que ele o fará. E como se não bastasse ele tem um outro problema que o desmotiva um pouco deste desafio...

— Que problema é esse?

— Se o Leonardo achar que deve, um dia vai lhe contar. O que eu posso dizer é que isso em nada justifica a desmotivação dele. Mas eu já não consigo convencê-lo do contrário. Nem eu nem a mãe. A Beatriz é a nossa melhor esperança.

Eu odiava que me fizessem aquilo. Era melhor não ter me falado de problema nenhum. A curiosidade começou logo a fervilhar dentro de mim e a cabeça já estava à procura de um cenário plausível para preencher aquela lacuna no meu conhecimento. Afinal, que problema é que o desmotivava a desenvolver o seu lado bom?

— O senhor Nicolau sabe que está me colocando muita responsabilidade. Parece que eu caí aqui na sua família de paraquedas e agora tenho um conjunto de problemas para resolver que não são meus. Entende o que eu estou dizendo?

— Entendo. Perfeitamente. Acredite que sim. Mas acredite também que tudo acontece por uma razão e não foi por acaso que a Beatriz chegou a esta família. Há uma frase muito conhecida que diz que nenhum floco de neve cai no local errado. E eu acredito que a menina não estaria aqui se não fosse aqui mesmo que tivesse de estar. E para lhe agradecer o esforço quero lhe dar essa receita para ser feliz no amor que eu fui construindo ao longo da minha vida e com base em tudo o que eu vivi e aprendi.

— O senhor Nicolau sabe que eu seria incapaz de ser ingrata depois de tudo o que me ensinou e ajudou, especialmente com a minha mãe. Naquele momento em que me disse que tinha um emprego para ela eu tive a certeza de que quando uma pessoa cai há sempre uma que estende uma mão. Nós é que nem sempre estamos olhando para o lado certo. E de fato não acredito que isto tenha acontecido por acaso. Só ainda não sei qual foi o motivo. Por isso sim, eu vou fazer isso pelo senhor e por mim como forma de gratidão. Posto isto, e como o senhor Nicolau sabe que eu sou uma curiosa de primeira, me diga de uma vez qual é essa receita, porque ainda hoje no caminho para cá eu a desejei com todas as forças.

— Na verdade, eu ainda não posso lhe dizer. A Beatriz só deverá conhecer a receita depois de cumprido o desafio que lhe coloquei. Quando perceber que o comportamento e a postura de Leonardo perante o mundo e as pessoas que o rodeiam mudaram e que ele está de fato diferente ou então quando perceber que fez tudo o que podia por ele, mesmo que sem sucesso. Para lhe provar que eu não estou enganando você só para incentivá-la a cumprir esta missão, vamos fazer o seguinte: eu vou escrever a receita num papel, vou colocá-lo dentro de um envelope fechado e vou entregá-lo a você. Assim a Beatriz terá sempre a receita consigo desde o primeiro minuto. Esta é a melhor forma de lhe mostrar que existe de fato algo concreto para lhe dizer e que está ao seu alcance. O que demonstra que não é uma imposição da minha parte, pois a qualquer momento você pode desistir e abrir o envelope.

— Mas por que motivo só deverei abri-lo quando cumprir essa missão ou quando achar que fiz tudo o que podia?

— Um dia vai entender, menina Beatriz. O que posso lhe dizer é que uma resposta antes da pergunta vira pergunta.

Fiquei imóvel e colada no olhar infinito de Nicolau como se quisesse fazer uma pergunta para esclarecer aquela afirmação, mas ao mesmo tempo gostava daquela sensação de mistério que envolvia as suas palavras. Entretanto, Leonardo surgiu na entrada do quarto e interrompeu a minha reflexão.

— Avô, isto de andar distribuindo empregos por favor não pode ser. *Disse Leonardo da entrada, como se eu não estivesse ali, e logo depois virou costas para voltar a desaparecer.*

— O que foi que ele quis dizer com aquilo? *Perguntei.*

— Também não entendi, mas aproveito para lhe dizer algo importante para não se desmotivar nesta caminhada. Penso que já viu com o que pode contar, por isso lhe peço que não espere nada da parte do Leonardo. Não espere que ele reconheça, retribua ou recompense o que quer que seja que tenha feito por ele. Faça o que tiver de fazer com gosto, por gosto, para fazer bem e para se sentir bem. Se puder cresça, aprenda e divirta-se, mas não espere nada e, mais importante que isso, não se sinta frustrada se não der certo. Apenas dê o melhor de si e desista quando achar que deve fazê-lo.

Aquela última observação tinha me deixado muito mais tranquila, retirando muito da pressão que todo aquele discurso exercera sobre mim, e em silêncio agradeci pelo adendo final. Antes que eu pudesse tecer algum comentário, tocou a campainha. Olhei para o relógio e presumi que fosse a minha mãe. Fui buscá-la na entrada, apresentei-lhe o seu novo patrão, a quem agradeceu muito a oportunidade de trabalhar na fábrica, e ficou assistindo à sessão de terapia até o final enquanto ouvia os infindáveis elogios que Nicolau fazia a meu respeito. No final deixamos a casa, entramos no meu carro e pegamos a estrada.

— Como correu o seu primeiro dia lá na fábrica?

— Mais ou menos. Me atrapalhei lá com os botões de uma máquina, fiz asneira e, quando o chefe soube, aquele rapaz... o filho da patroa, não sei o nome dele, arrasou comigo. Só faltou me xingar.

Mas tinha a sua razão, eu me enganei e acabei empatando uma das linhas de produção. Foi uma chatice.

— O quê? O Leonardo te tratou mal? E está dizendo que tinha razão tendo em conta que era o seu primeiro dia?

Saber daquilo me deixou furiosa. Mexer com a minha família era pior do que mexer comigo. No dia seguinte, logo de manhã, eu iria à casa tirar satisfações e anular o desafio que Nicolau tinha proposto. Já não queria saber de receita nenhuma, não ia aturar aquele presunçoso que tratava todo mundo mal. No entanto, o destino tramou para mim no dia seguinte...

A minha mãe ainda insistiu comigo para que não desse importância ao que tinha acontecido e que não dissesse nada, pois podia lhe trazer problemas, mas eu não conseguia ficar calada. Estava decidida a cancelar o desafio que Nicolau havia proposto, mas antes de fazê-lo ia chamar a atenção daquele rapaz e pelo menos isso ele tinha de mudar, até porque, se não o fizesse, a minha mãe e sabe-se lá quantos funcionários iam continuar a sofrer. Ainda estava na esperança de que uma noite de sono me fizesse acalmar, e fez, contudo a vontade e a confiança permaneciam as mesmas quando acordei. Percebi que tinha mesmo de resolver esta questão senão ficaria com aquilo remoendo dentro de mim. E a minha mãe que me perdoasse. Levei-a até a entrada da fábrica logo pela manhã e antes que ela deixasse o carro me pediu para lhe prometer que não ia dizer nada ao Leonardo. Dei um jeito de fugir àquela promessa garantindo que ia correr tudo bem e que não se preocupasse. Ela confiou em mim, saiu do carro e eu arranquei, parando poucos metros à frente. Fiz um compasso de espera para a minha mãe não me ver, depois voltei para trás a pé e entrei no recinto da casa de Nicolau, que ficava em frente ao portão da fábrica. Parecendo de propósito, Leonardo estava saindo de casa nesse preciso momento.

— Então você tratou mal a minha mãe ontem? *Perguntei assim que cheguei junto dele*. Ainda por cima no primeiro dia de trabalho, sabendo muito bem que ela ainda estava aprendendo?

— Parece que ela está brava hoje. *Disse, com zombaria*. Parece que a sua mamãe andou reclamando para a minha nova mamãe.

— A sua nova quê? *Franzi a sobrancelha*.

— O meu avô já me falou do desafio que te propôs. Parece que você vai acumular cargos. Além de cuidar dele, vai ter de cuidar de mim, supostamente, não é? Vai ser a minha babá.

— Está muito enganado, não vou ser coisa nenhuma porque você não merece nada, principalmente depois do que fez à minha mãe. Aliás, minto, merece, sim. Merece continuar sendo aquilo que é. Só lamento pela sua mãe e pelo seu avô, que são excelentes pessoas. E vou agora mesmo falar com o senhor Nicolau para dizer que não vou fazer rigorosamente nada por você. *Atirei antes de me dirigir para a entrada da casa, mas no meio do percurso parei para acrescentar mais uma coisa ao que tinha dito.* Ah! E vai ter de pedir desculpas à minha mãe!

— Já vi que você interiorizou o espírito de babá. Parabéns. *Bateu três palmas cheias de ironia.* Só que você não manda em mim.

Cerrei os dentes e virei as costas para ele para entrar na casa. Cumprimentei a auxiliar do turno da noite e ela devolveu o cumprimento, mas com preocupação na voz.

— Ainda bem que a doutora veio hoje de manhã. Parece que é tudo por Deus. Veja, por favor, o senhor Nicolau, que ele não está bem e eu não sei o que está acontecendo.

Os meus alarmes dispararam e eu acelerei o passo em direção ao quarto de Nicolau. Quando cheguei encontrei-o sentado na sua poltrona, como era habitual, e à primeira vista não parecia haver nada de errado com ele. Aproximei-me, agachei-me ao seu lado para olhá-lo de baixo e falei.

— Bom dia, senhor Nicolau. Como é que passou a noite?

— Sim... estou... *Respondeu ele.*

O meu coração disparou ao perceber o que estava acontecendo. Quando me respondeu, além de não fazer sentido a resposta que tinha dado, percebi que o canto da boca de Nicolau estava descaído, assim como o seu olho esquerdo, que não abria totalmente. Virei-me para a auxiliar que aguardava na expectativa junto à porta e disse a ela para ligar rapidamente para Lurdes e pedir que viesse para casa.

— Mas o que é que se passa, doutora?

— O senhor Nicolau está tendo um AVC.

A auxiliar saiu correndo do quarto e eu agarrei o celular para chamar uma ambulância. Feita a chamada, voltei para junto de Nicolau e continuei a falar com ele, explicando que tínhamos de ir para o hospital, mas que ia correr tudo bem. As expressões faciais dele demonstravam que ainda estava consciente. Não demorou muito tempo até Lurdes e Leonardo entrarem correndo pelo quarto adentro. Pouco tempo depois chegou a ambulância e, apesar dos avisos para que se afastasse, Lurdes se atrapalhava tentando ajudar os paramédicos. Leonardo, mais distante, e de mãos na cabeça, caminhava desorientado de um lado para o outro. Quando introduziram a maca com Nicolau na ambulância, Lurdes pediu para ir junto com ele e Leonardo apressou-se para o seu carro para segui-los até o hospital.

— Eu também vou! *Disse, seguindo Leonardo até o carro.*

— Vai fazer o quê lá?? Nem da família você é.

— Não sou, mas é como se fosse. Vamos!

Arrancamos atrás da ambulância e durante a viagem Leonardo mantinha o olhar fixo nela para não perdê-la de vista. Os lábios se mexiam freneticamente como se ele estivesse murmurando qualquer coisa que eu não conseguia ouvir. Pensei em dizer para ele se sentir à vontade para desabafar comigo, mas sabia que ele não iria fazer isso. Apesar da pequena discussão que tivéramos antes, ele percebeu que o que estava acontecendo era mais importante do que qualquer atrito entre nós. Até mesmo eu não tinha espaço no meu coração para sentir raiva dele. Tudo o que eu sentia naquele momento era compaixão, como se não fosse digna daquela dor e por isso tudo o que me restava fazer era dividir um pouco da sua comigo. Pelo menos estando ali, perto dele, em silêncio. Há situações em que tudo o que nós precisamos é de alguém que esteja ao nosso lado e não diga nada, nem faça nada. Só esteja. E já faz tanto. Assim que chegamos ao hospital nos encaminharam para uma sala de espera. Leonardo tentou várias vezes entrar em contato com a mãe por telefone, mas sem resultado. Ele mal falava comigo e agia praticamente como se eu não estivesse ali. o Eu compreendia e nem sequer exigia a sua atenção. Apenas queria estar por perto para o caso de ele precisar. Cerca de uma hora depois surgiu Lurdes na entrada da sala de espera, Leonardo se apressou a ir ao seu encontro e eu o segui. Quando chegou junto dela, abraçou-a e fez quase desaparecer o corpo franzino da mãe no meio dos seus longos braços. Eu, dois passos atrás, limitei-me a observar aquele cenário de ternura.

— O seu avô perdeu os sentidos a caminho do hospital. *Disse ela, por entre lágrimas e soluços, com o rosto colado ao peito do filho.* Levaram-no para dentro para fazer uns exames e eu nunca mais soube dele. Disseram que eu teria notícias durante a tarde, mas eu vi a cara dos médicos e não era boa.

Lurdes voltou a explodir num choro e nesse momento, pela primeira vez, Leonardo chorou, de queixo pousado sobre a cabeça da mãe e os braços envolvendo seus ombros. Eram como dois corpos abatidos que encontravam na fraqueza um do outro a força para se ampararem mutuamente. Com lágrimas molhando meu rosto, eu me recolhi para o lugar onde estava sentada e deixei-os um com o outro. Algum tempo depois, os dois, já mais recompostos, dirigiram-se para junto de mim e Lurdes quis me dar um abraço antes de se sentar do meu lado, ficando entre mim e Leonardo. Pousou a cabeça sobre o ombro do filho e colou o olhar inerte numa cadeira vazia diante de si. Eu me ofereci para ir buscar qualquer coisa para comer e beber, mas ambos recusaram. Ainda assim fui à máquina junto do elevador buscar duas garrafas de água. Entreguei uma a Lurdes, que me sorriu de um jeito doce, e o silêncio voltou a imperar entre nós durante as horas que se seguiram. Eram quase cinco da tarde quando o médico surgiu na entrada da sala, acompanhado de uma enfermeira. Os dois se precipitaram na direção do médico e eu segui logo atrás com o coração tentando fugir do meu peito.

— É a família do senhor Nicolau? *Lurdes acenou afirmativamente à pergunta do médico.* Acompanhem-nos por favor.

Seguimos os passos deles até uma sala que eu julgava ser onde estava Nicolau, mas quando lá chegamos não havia cama nenhuma e não era difícil perceber que não vinham boas notícias. Convidou-nos a sentar, fez uma pequena pausa e começou a falar de uma maneira tão calma que me deixou ainda mais ansiosa.

— O senhor Nicolau sofreu um AVC isquêmico que afetou gravemente o seu cérebro. *Explicou o médico.* Foi submetido aos habituais exames, fizemos o melhor tratamento possível e agora ele está num quarto em repouso com um prognóstico muito reservado. Neste momento não podemos fazer mais nada que não seja permitir que vocês estejam junto dele durante o tempo que lhe resta.

Assim que o médico terminou de falar, Lurdes voltou a se agarrar ao filho em prantos e eu não contive as lágrimas. Passado algum tempo, o médico voltou a usar a palavra, sempre com um olhar calmo, muita ternura e cuidado no que dizia.

— Qualquer dúvida que queiram colocar, sintam-se à vontade. Estamos aqui para ajudar no que for possível.

— Eu só quero ver o meu pai. *Balbuciou Lurdes.*

— A minha colega irá acompanhá-los até junto dele. *Disse por fim o médico, pousando uma das mãos sobre o ombro dela e lançando a mim e a Leonardo um sorriso enternecedor.*

A enfermeira segurou no braço de Lurdes, ajudou a levantá-la e nós acompanhamos seus passos até a porta do quarto onde estava o pai. Assim que a enfermeira a abriu, consegui vislumbrar um conjunto de camas vazias e só uma estava ocupada. Entretanto, ela nos informou de que só duas pessoas podiam entrar.

— Depois vamos trocando. *Sugeriu Lurdes* para mim— Não. Nem pensar. Este momento é seu. Aproveitem cada minuto. Eu estarei deste lado para o que for preciso.

A porta se fechou e as paredes daquele corredor foram a minha companhia nas horas seguintes. Não estava ali fazendo nada, mas não conseguia sair dali. Pisei em cada centímetro do chão daquele corredor na infinidade de voltas que dei à espera de notícias do lado de dentro do quarto. Percebia vozes no interior, mas presumi que fossem monólogos que Lurdes mantinha com a inconsciência do pai. Em momento algum reconheci a voz de Leonardo. Pouco passava das nove da noite quando ouvi um grito seguido de um choro do outro lado da porta. Encostei-me à parede e escorreguei até me sentar no chão, completamente exausta. O céu acabava de ganhar uma nova estrela.

Beatriz

    Estava um mar de gente no funeral de Nicolau, mas pelo que pude perceber muito poucos eram familiares. A maioria eram amigos e funcionários da fábrica, certamente agradecidos pelos empregos que lhes dera, mas com certeza também pela pessoa que ele fora para eles. Um desses funcionários era a minha mãe, que fez questão de me acompanhar no funeral. Eu não podia deixar de me lembrar do que ele dito para mim quando o visitei pela primeira vez em casa, que desejava ter a sorte de morrer ali. Não chegara a conseguir, ainda que fisicamente, mas partiu junto das duas pessoas mais importantes da sua vida. E eu sabia que esse, sim, era o seu desejo. Na verdade, a nossa família é a nossa casa e quem não sabe valorizá-la é um eterno sem-teto Pode fazer chuva, vento e trovoada, mas enquanto tivermos alguém que pergunte por nós, que nos procure sem ser preciso e nos abrace sem termos pedido, não há tempestade que nos atormente. E pelo menos nisso eu sabia que Nicolau tinha partido realizado, o que me dava um certo alívio. No entanto, eu não conseguia me sentir confortável naquele velório, pois a minha cabeça não parava de pensar nas respostas que ficaram por dar. Eu me sentia até mal por estar sendo egoísta, mas era mais forte do que eu e isso estava me deixando num estado tremendo de ansiedade. Embora não fosse preciso muito para isso acontecer. Fiquei com a minha mãe na entrada do cemitério, pois, além de me sentir muito desconfortável naqueles cenários, não quis me fazer de mais importante do que aquilo que era e mantive distância. No final, quando todos se dispersaram, Lurdes dirigiu-se para a saída acompanhada pelo filho. Leonardo, ao me ver, afastou-se da mãe e ignorou a minha presença, dirigindo-se para o carro. Lurdes me deu um abraço, de rosto apagado e desgastado após tanto choro. Notava-se que já não tinha mais nada para chorar.

— Antes de mais nada, muito obrigada por tudo o que fez pelo meu pai. *Começou dizendo.* Ele só tinha elogios a seu respeito e foi muito graças a você que ele pôde chegar até o fim da sua vida lúcido, perfeitamente capaz mentalmente e até mesmo com algum ânimo. Quero muito lhe agradecer por isso. *Ela me disse de olhos colados nos meus enquanto segurava minhas mãos.*

— Ora essa, apenas estava fazendo o meu trabalho e com muito gosto. O senhor Nicolau será sempre uma pessoa especial.

— É difícil admitir isto, mas talvez tenha sido melhor assim. Eu não ia conseguir ver o meu pai preso a uma cama. E muito menos ele ia querer chegar a um estado desses só para continuar neste mundo mais tempo. Logo ele que queria estar sempre criando e ensinando. Pode ser que eu esteja dizendo uma asneira, mas pensar desta forma está me ajudando a suportar melhor esta minha perda.

— Eu entendo perfeitamente. Não se sinta mal com isso.

— Sabe, Beatriz... *Fez uma pausa e voltou a olhar na direção do filho, que estava encostado ao carro.* Uma das maiores mágoas do meu pai era já não ter forças para contrariar esta tendência do meu menino. O meu medo é que, agora que o avô dele se foi, ele se feche ainda mais. É que eu já não sei o que fazer com ele.

Naquele momento foi inevitável lembrar do desafio que Nicolau tinha deixado para mim e a que eu não tive tempo de renunciar. Com certeza ela não tinha conhecimento daquele compromisso e eu também fiquei sem saber se devia ou não tocar no assunto. Mas cada palavra que me dizia era como estivesse me pedindo, indiretamente, para ajudá-la.

— Não pense nisso, dona Lurdes, talvez isso o faça perceber que há coisas mais importantes do que essa necessidade de alimentar constantemente o ego. Quem sabe talvez sirva para abrir os olhos dele. *Tentei tranquilizá-la, mas não estava funcionando.*

— Não sei, não sei. A minha esperança era que a sabedoria do meu pai e o amor que ele tinha pelo neto conseguissem... não sei... abrir o coração dele. Mas, se eu já estava perdendo a esperança, agora que perdi o meu pai estou ainda mais desacreditada. Eu já não consigo, não tenho forças. Eu sei que ele gosta de mim, mas não dá importância ao que digo. Sabe, é como quando um filho vai sair de carro e pedimos para ele ter cuidado. Ele ouve e sabe, mas não liga, nem dá atenção. No entanto, nós, mães, dizemos sempre como se fosse a primeira vez e a preocupação é sempre a mesma. *Soltou um suspiro antes de finalizar.* Já não sei o que fazer...

Não aguentei mais esconder aquilo que ela também tinha o direito de saber. Além disso, sentia que tinha de ajudá-la naquele momento e sabia que se lhe contasse que podia contar comigo ela iria com certeza se sentir um pouco melhor.

— Dona Lurdes... *Fiz uma pausa.* O senhor Nicolau me pediu para ajudar o seu filho a despertar o lado bom dele. Desenvolvendo atividades com ele ou lhe impondo desafios que de certa forma o ajudassem a recuperar e alimentar esse lado que existe nele, mas que foi recalcado ao longo do tempo. O seu pai me ajudou muito e como a senhora sabe até deu emprego à minha mãe e por isso eu nunca poderia lhe dizer não. *Optei por omitir a parte da receita que ele me prometera até porque não ia fazer aquilo por interesse e muito menos era essa a imagem que queria passar.* Ainda não sei o que vou fazer, mas queria que soubesse que vou tentar ajudá-lo.

— Está falando sério? *Os olhos dela começaram a brilhar.* Muito, muito obrigada! *Voltou a me abraçar.* Eu até já pensei em levá-lo a um psicólogo, mas dificilmente ele aceitaria ir. Mas por que motivo ele haveria de aceitar a sua ajuda? A menina sabe melhor do que ninguém que é muito difícil ajudar alguém que não quer ser ajudado. E esse é exatamente o caso do meu filho.

— O seu pai me disse que ia pedir ao seu filho para aceitar as minhas orientações. No dia em que ele teve o AVC, encontrei seu filho na porta da casa e percebi que já tinha conversado com o avô sobre o assunto. Ele me disse que o Leonardo o respeitava muito e que ele sabia dessa mágoa do avô e que por isso não ia dizer não para ele. Sendo assim, a princípio essa questão está resolvida.

— Muito, muito obrigada. Você nem sabe o alívio que esta notícia me traz. No meio de toda a dor que me enche o coração, saber isto foi como se um feixe de luz entrasse no meu peito. Depois só precisamos combinar os valores e tudo o que a menina...

— Não! Nem pensar! *Interrompi.* Eu não vou fazer isto por dinheiro. Naquilo que eu puder ajudar, vou ajudar. Vocês ajudaram a minha mãe quando ela mais precisava e foi como se tivessem ajudado a mim. Vou dar o meu melhor e quando sentir que fiz tudo o que podia vou cuidar da minha vida. A senhora não vai ficar me devendo nada.

— Você pode achar que não fico lhe devendo nada, mas qualquer coisa que precisar de mim não hesite. Tem o meu número, sabe onde nós moramos e por isso fique completamente à vontade.

Acenei com a cabeça e ela pegou minhas mãos e as beijou como forma de agradecimento. Naquele momento senti que não podia desamparar aquela mãe que, tal como o seu pai, depositava todas as esperanças em mim. Tentava relaxar com a ideia de que não era obrigada a nada e que quando tivesse de desistir desistiria, no entanto isso parecia não aliviar a pressão que caíra sobre mim. Principalmente agora que já não tinha Nicolau para me ajudar, nem que fosse apenas para chamar a atenção do neto caso eu viesse a precisar de uma ajuda extra. Deixamos o cemitério e seguimos em direções opostas. A minha mãe me esperava no carro e mal entrei partimos na direção de casa. Permaneci em silêncio durante a parte inicial da viagem e só percebi isso quando a minha mãe decidiu quebrá-lo para saciar a sua curiosidade.

— Estavam falando de quê?

— Do pai e do filho dela. *Soltei um suspiro*. Nem me diga nada. É uma longa história, mas basicamente o senhor Nicolau me pediu que ajudasse o neto a ser uma pessoa melhor e como forma de recompensa ele me daria a receita para ser feliz no amor.

— Uma receita para ser feliz no amor? E que receita é essa?

— Pois eu não sei e pelo visto nunca vou saber porque o senhor Nicolau disse que ia escrevê-la num papel, guardar num envelope e entregá-lo para mim. Mas no dia seguinte sofreu o AVC e não teve tempo.

— E você acreditou nessa história?

— Certamente que não há uma fórmula mágica, como é óbvio, mas confio suficientemente nele para saber que alguma coisa de verdadeiramente importante e transformadora ele diria naquela receita. Até porque ele me disse que eu podia abrir o envelope a qualquer momento, mas que não deveria fazer isso. Que só deveria abri-lo depois de cumprida a minha parte do acordo ou então depois de sentir que tinha feito tudo o que estava ao meu alcance.

— Quer dizer que você não vai mais fazer o que ele te pediu?

— Acabei de dizer à dona Lurdes que ia ajudar o filho dela, não posso ser ingrata com estas pessoas. Tenho de ajudá-la.

Quando chegamos em casa nos dedicamos as duas a preparar o jantar, e, como a minha irmã Leonor estava enfiada no quarto, decidi chamá-la para contribuir com alguma mão de obra para aquele jantar. Pouco tempo depois ela surgiu na entrada da cozinha com os olhos ligeiramente inchados.

— Estava chorando? *Interroguei assim que a vi.*

— Não. Estava deitada, meio dormindo. Deve ser por isso.

— Não sei se está me dizendo toda a verdade...

— Estava meio dormindo, claro que fiquei assim. Não invente coisas. Diga logo o que é que eu tenho de fazer.

Estranhei aquela resposta, mas também não estava com disposição para esmiuçar o assunto e pedi que ela pusesse a mesa.

— Onde é que estão os suportes para os pratos? *Perguntou ela.*

— Agora você me fez lembrar uma certa pessoa. *Eu disse a ela, referindo-me a Leonardo, que ela não fazia ideia de quem era.* Se ajudasse mais vezes a mãe na cozinha, saberia muito bem onde estão. Vê se começa a fazer alguma coisa aqui em casa, pois já é uma mulher. *Aproveitei para dar aquele sermão típico de irmã mais velha antes de responder.* Estão na última gaveta.

Assim que o jantar ficou pronto e eu me preparava para pôr a caçarola na mesa, o meu celular começou a vibrar no bolso. Tirei-o para ver quem era e vi que era uma chamada de Lurdes. Estranhei que ela estivesse me ligando àquela hora.

— Sim, dona Lurdes, aconteceu alguma coisa?

— Peço desculpas se esta chamada não é oportuna. Mas eu estava aqui no quarto do meu pai arrumando umas coisas e numa das gavetas da mesinha de cabeceira estava um envelope fechado com o seu nome escrito.

Acordei com o coração acelerado. Olhei para o relógio e ainda não eram cinco da manhã. Mais uma vez a ansiedade me interrompera o sono. Coloquei as palmas das mãos na cabeça e gritei em silêncio para mim mesma para parar de pensar tanto. Era desnecessária e inútil tanta preocupação, pois de uma forma ou de outra ia ficar tudo bem. Mas era muito difícil explicar aquilo a mim mesma, e ainda pior durante mais uma das minhas crises de ansiedade. O fim do meu relacionamento, a morte de Nicolau, o desafio que me deixara para com Leonardo, o envelope que Lurdes tinha encontrado e que tinha supostamente lá dentro a receita para eu ser feliz no amor e ainda todas as preocupações com os pacientes que tinha ao meu encargo estavam acabando comigo. Durante a semana que se seguira ao funeral de Nicolau eu não tinha conseguido dormir uma noite inteira e percebi que, se continuasse à espera de algo que nem eu sabia o que era, nunca ia resolver o meu estado. Às vezes a vida venda os nossos olhos, coloca-nos na beira de um penhasco e nos manda saltar. Mas, como nos falta a coragem, adiamos e adiamos, esperamos e esperamos. Como se a espera fosse nos vencer pelo cansaço ou quem sabe até fazer a vida mudar de ideia. Mas não vai. A espera nunca nos traz coragem para fazer o que quer que seja, apenas nos rouba tempo de fazê-lo a tempo. E também não é a falta de tempo que nos dá coragem, mas nos dá um forte motivo para fazermos alguma coisa. No fundo não é de coragem que precisamos para saltar para o desconhecido, mas sim de um empurrão. Sentada na beira da cama no meio da noite, era assim que eu me sentia. Queria sair dali e apanhar ar, mas para onde quer que eu fosse ia com certeza acordar alguém. Tinha de aguentar. Tentei controlar a respiração, me deitei e me deixei levar pelo sono, que tardou mas chegou. Quando voltei a acordar, e desta vez por causa do despertador, levantei-me decidida a fazer alguma coisa com a situação de Leonardo. Ponderei convidá-lo a fazer voluntariado comigo, fosse nas rondas noturnas a entregar comida ou na associação de acolhimento de menores interagindo com as crianças. Contudo, além de não me sentir à vontade para fazer isso com ele, não me parecia que fosse a melhor maneira de começar, uma vez que convinha ser de uma forma suave. Depois me lembrei que talvez Lurdes pudesse dar alguma sugestão, já que conhecia o filho melhor do que ninguém. E, como tinha de passar lá na casa para buscar o envelope, aproveitaria a viagem. Tinha dito a Lurdes, quando me ligou dando conhecimento do achado, que dentro do envelope deveria estar uma das receitas de Nicolau, que ele tinha prometido me dar, mas não tinha chegado a me entregar. Decidi esperar alguns dias, não só para não dar a ideia de que era urgente ter aquela receita, mas também por respeito ao momento de luto. Mas tinha chegado o momento e nesse dia, no regresso do trabalho, fiz um desvio pela casa de Lurdes e bati na porta, tendo sido recebida pela própria.

— Achei que não quisesse a receita que o meu pai lhe deixou. *Disse com um sorriso, em forma de cumprimento.*

— Nada disso. Nem imagina o quanto eu quero essa receita, mas achei que devia respeitar o seu momento de luto.

— Agradeço muito a intenção, mas sinta-se à vontade conosco. É sempre bem-vinda aqui em casa e estou certa de que este luto também foi partilhado pela Beatriz. Entre, por favor, eu vou buscar o envelope que encontrei para lhe entregar.

Assim que ela se afastou e deixei de ouvir o som dos seus saltos, a casa mergulhou num silêncio assustador. Senti uma estranha sensação de solidão que rapidamente se transformou em pena. Pena por saber que aquela mãe e aquele filho viviam juntos, mas sozinhos. Cada um embrulhado nas suas próprias angústias. Pouco depois, Lurdes voltou com o seu sempre simpático sorriso, embora sem brilho, e entregou-me o envelope. Olhou para ele com curiosidade enquanto o entregava, mas, antes que ela fizesse alguma pergunta sobre o conteúdo dele, mudei de assunto.

— Como está o Leonardo?

— Muito fechado. Como sempre. Mas agora ainda mais. Tal como eu imaginava. Por mais que eu lhe pergunte e peça para falar comigo, ele não consegue, nem quer. Esta semana mal saiu de casa.

No instante em que me preparava para pedir sua ajuda, me ocorreu uma ideia que podia ser um bom início. Se eu precisava de um empurrão, ali estava ele. Você arrisca e depois vê. Pensei. Era, de certa forma, uma boa filosofia de vida e não custava nada tentar.

— Então e se eu o convidar para ir ao cinema?

— Está falando a sério? Mas essa é uma ótima ideia.

— Está passando um filme no cinema que é um daqueles que apelam ao sentimento, sabe? Eu já queria ir ver e lembrei agora de que se ele o visse também talvez se emocionasse um pouco e quem sabe descongelasse qualquer coisinha do coração dele.

— Me parece um excelente começo. Aliás, neste momento estou de mãos atadas. Qualquer ajuda é bem-vinda.

Leonardo surgiu atrás de nós descendo a escadaria em direção à cozinha. A mãe o viu e o chamou. Apesar da cara de má vontade que fez, acatou o pedido da mãe e se aproximou de nós.

— Não ia cumprimentar a doutora Beatriz por quê? Ela é alguma desconhecida, por acaso? *Repreendeu a mãe.* Às vezes parece um adolescente que ainda não sabe como se comportar.

— Olá, doutora! *Cumprimentou, imitando uma criança.*

— Não seja ridículo, Leonardo. Respeito! A Beatriz já me disse o que o avô pediu a ela e pelo que sei ele também falou contigo. Você sabe o quanto ele gostaria que você abrisses o seu coração e a Beatriz vai ajudar com isso e você vai colaborar. Inclusive até estávamos falando na possibilidade de vocês irem ver um filme juntos.

— Mas eu sou algum doente que precisa de acompanhamento médico? *Protestou Leonardo.* Ver um filme? Aposto que é um daqueles românticos e piegas. E por que não tomar um sorvete no

McDonald's depois? Poupem-me! Tenho mais o que fazer. *Disse com desprezo.*

A pena que eu sentia dele desapareceu em segundos depois de perceber que nem a perda do avô o tinha feito mudar de postura. Perdi a paciência e fui direta na abordagem.

— Não se esqueça de que deu sua palavra ao seu avô. *Eu disse a Leonardo.* E se não for por você mesmo nem por mim que seja pelo respeito que você deve a ele e à sua mãe. Por isso vá buscar as suas coisas e venha comigo ver este filme. E agora nós também vamos tomar um sorvete.

Ele me lançou um olhar amargo, e sem dizer uma palavra nos deu as costas e subiu a escadaria. Mas eu tinha a certeza de que ele regressaria para ir cumprir a minha indicação.

— Isto vai mesmo acontecer? *Perguntou Lurdes, tranquila.*

— Vai sim, dona Lurdes. Às vezes nos falta a coragem de voar, mas quando alguém nos empurra de um penhasco que remédio temos senão aprender a voar? Se não vai por bem, vai por mal. Uma coisa é certa: na segurança do chão não se aprende a voar.

Não demorou muito até Leonardo regressar com um casaco em cima do braço e umas chaves na mão. Passou pelo meio de nós as duas e me lançou um olhar de lado. Assim que alcançou a porta de saída, virou para trás na nossa direção.

— Já estou esperando. *Disse e Lurdes sorriu para mim.*

Eu me despedi dela, adiantei o passo e me dirigi ao meu carro, fazendo-lhe sinal para que me seguisse até ele.

— Você acha mesmo que vou nesse ferro-velho? *Perguntou, apontando com o queixo na direção do meu carro.* Eu não entro nessa espelunca. Se é para ir, vamos no meu.

— Não é ferro-velho nenhum! *Rebati.* Pode ser fraquinho, mas eu o comprei com o meu dinheiro.

Havia batalhas que não valia a pena travar, e aquela era uma delas. Entrei no carro dele e seguimos viagem até o shopping que sugeri. Comprei os bilhetes e escondi dele o filme que íamos ver até que estivéssemos dentro da sala. Senão ele iria desistir antes mesmo de entrar. A expressão de aborrecimento teimava em não abandonar seu rosto, mas ignorei esse fato e me concentrei no filme.

— Ele vai morrer. *Murmurou Leonardo no meio do filme.*

— Não me diga que já viu o filme!

— Eu não vejo filmes românticos, mas não é preciso ver para saber que um deles vai morrer no auge da história. É sempre assim nas grandes histórias de amor. Todas são fiéis a este clichê. Eles se apaixonam, ele ou ela morre por um motivo qualquer e *voilà*, choradeira garantida. Esta receita é mais antiga que as do meu avô.

— Não diga bobagem. Concentre-se no filme.

A verdade é que Leonardo não se enganara e na parte final do filme um dos personagens principais morre e eu, como não podia deixar de ser, me desfiz em lágrimas. Mas, a julgar pelos lenços que consegui ver no escuro da sala de cinema, não fui a única. Quem não entrou na onda do choro foi Leonardo, que me olhava abanando a cabeça com ar de reprovação. Eu já sabia que ele não ia chorar, mas tinha esperança de que ficasse minimamente sensibilizado, pelo menos no momento em que o personagem morria aos poucos nos braços do amor da sua vida. Mas nem isso. Percebi então que para vencer aquela resistência ao calor do afeto e dos sentimentos seria preciso muito mais do que um filme romântico. Saímos da sala e Leonardo não parava de olhar para as pessoas ao redor, que, assim como nós, abandonavam o cinema.

— Que nojo. Só casaizinhos apaixonados. *Comentou.*

— Que nojo? Bem bonito. Eu não me importaria... *Suspirei.*

— Se não estivesse dando uma de babá e de boa samaritana e tivesse saído com alguém de quem gostasse e que gostasse de você, talvez também estivesse fazendo as mesmas cenas ridículas que essa gente. E eu estaria sossegado em casa e teria sido poupado destes cenários deploráveis. Viu? Todo mundo estaria contente.

— Não fale do que não sabe e muito menos daquilo que acha que sabe. *Assim que acabei de dizer aquilo estanquei atrás dele, fa-*

zendo-o se virar para trás e olhar para mim. Então é esse o problema que o seu avô me falou que estava desmotivando você...

— O quê? Do que é que você está falando?

— O seu avô me disse que você tinha um problema qualquer que o estava *desmotivando*, foi esta a palavra que usou, no processo de ser uma pessoa melhor. Não me disse qual era, mas eu já sei o que foi. Você teve uma desilusão amorosa que o fez sofrer muito e decidiu se fechar e anular os seus sentimentos com medo de voltar a sofrer. Por isso é que não gosta de ver estes casais felizes.

— Isso é ridículo. E, se quer saber, eu nunca gostei de ninguém. Quanto ao problema que o meu avô te falou, se tudo correr bem, você nunca vai chegar a saber. E, se me quer bem, reze para que nunca se manifeste. Vamos tomar o sorvete, pois estou com fome e quero ir embora daqui.

Leonardo estava de tal forma concentrado no seu copo de sorvete que mal erguia a cabeça. Eu, sentada do outro lado da mesa, colocava a cabeça para funcionar tentando lhe fazer a pergunta certa, de modo a conseguir desvendar um pouco da sua personalidade. Eu precisava de conteúdo sobre Leonardo para ter ideia do que poderia vir a fazer com ele, mas para isso tinha de arranjar estratégias para obter informação sem ele perceber. Era fácil perceber que, apesar de todos os defeitos, era um rapaz muito inteligente. Uma qualidade que ele conseguia transformar em defeito ao usá-la para se fazer de superior aos demais, tornando-se arrogante. Era uma qualidade que eu tinha de saber contornar, pois facilmente ele me apanhava na curva.

— Se estamos aqui agora e se continuarmos a nos encontrar, você sabe que estaremos fazendo isso por ele, correto? Se eu proponho um desafio, se te dou uma tarefa ou uma orientação e se você aceita, você e eu estamos fazendo isso por ele. Não pense que eu fui contratada pelo seu avô para fazer um serviço de acompanhamento qualquer. Não estou sendo paga por ninguém, por isso use a sua inteligência de forma útil para perceber que essa inércia é injusta para comigo, para com a sua mãe e o seu avô.

Ele ergueu o rosto e me lançou um olhar desconfiado.

— Então por que é que você está fazendo isto? O que é que tem a ganhar com isto se podia estar fazendo outra coisa qualquer?

Naquele instante foi inevitável lembrar do envelope que eu tinha dentro da bolsa. Mas esse era e continuaria a ser um segredo só meu. Não iria mentir para ele, mas também não tinha de lhe contar a verdade completa. Até porque não olhava para a receita que supostamente estava dentro daquele envelope como uma recompensa, mas sim como um estímulo extra. A cereja em cima do bolo.

— Gratidão. Sabe o que é? Estou fazendo porque me sinto em dívida para com o seu avô. Ele me ajudou muito, a mim e à minha família. Além disso, é um desafio que pode me dar ferramentas importantes para a minha profissão.

— Sim, claro. *Ele disse, em tom irônico*. Está fazendo isto por gratidão e porque é um desafio profissional. Só vou acreditar porque pelo que já percebi você é tão boazinha que não sabe dizer não. Por isso não me admira que tivesse aceitado fazer isto só porque o meu avô pediu. Quer dizer... boazinha entre aspas. Também sabe mostrar as garras.

— Eu não sou boa nem má, sou justa. Não faço mal a ninguém, mas não deixo de me defender quando é necessário. Se em algum momento mostrei as garras para você, com certeza não foi porque você me tratou bem.

— Me diga, então, e se eu nunca chegar a mudar? Esse é o cenário mais provável. Você vai tentar para sempre ou até quando sentir que a sua dívida de gratidão está paga pelo esforço que fez?

— Eu posso desistir a qualquer momento. Não tenho obrigação de nada. Mas, se eu perceber que você está dificultando o processo só para me fazer desistir antecipadamente, isso só vai me fazer querer continuar. Por isso nem pense em jogar sujo. Por outro lado, não adianta nada fazer de conta que já está bonzinho só para eu me afastar porque eu percebo essas coisas a distância.

Lembre-se de que eu sou mulher, aquilo que você acha que eu sei de você vai ser sempre a pontinha do iceberg daquilo que eu realmente já percebi.

Tentei colocar todos os cenários em cima da mesa para ele não começar a ter ideias, além de lhe dar a entender que eu estaria um passo à sua frente. A expressão dele tornou-se indecifrável, deixando-me sem perceber se queria fazer uma pergunta ou me atacar. Com Leonardo eu nunca sabia o que vinha a seguir.

— Tudo bem. Eu não vou dificultar o teu trabalho. Não vou fazer nada propositadamente para atrapalhar você, nem vou enganá-la. Mas não espere ser bem-sucedida. Para ser sincero, não é algo que eu controle propriamente. Eu sou assim. Ponto. Já sei que não gostam, mas, em primeiro lugar, estou pouco ligando para o fato de gostarem ou não, e, em segundo, ao ser assim pelo menos ninguém me chateia. O socialmente correto era ser como você, mas que vantagens é que isso me traria? Já pensou nisso?

Boa pergunta, pensei. E logo percebi que teria de encontrar rapidamente uma resposta, senão que legitimidade teria eu para convencer alguém a ter uma postura como a minha perante a vida e o mundo se nem sequer conseguia indicar as vantagens de ser assim?

— E quem disse que tinha de haver vantagens? *Comecei dizendo.* Talvez o mal da humanidade seja fazer tudo por interesse, na expectativa de algum retorno ou recompensa. Contra mim eu falo também, mas é a verdade. Qual é a vantagem que eu tenho em ajudar alguém? O simples conforto de ter contribuído para o bem-estar de alguém. Isto para mim é uma excelente recompensa. Se alguém está melhor porque eu contribuí para isso, perfeito.

— Sim, mas se eu fosse tão sensível quanto você, que, convenhamos, é o que você pretende, eu estaria me tornando mais suscetível à dor e ao sofrimento. Correto? Ou seja, o que você está fazendo comigo é o equivalente a tirar o escudo de um soldado na guerra e dizer que o está ajudando. Eu, ainda que não tenha sido de forma intencional, desenvolvi um escudo, que me protege, e você quer tirá-lo.

Aquela observação era mais uma prova da inteligência dele e um desafio extra para mim. Sim, tinha sentido o que ele estava me dizendo, mas só era verdade em parte.

— Um soldado na guerra deve proteger-se do inimigo, que só quer machucá-lo. No entanto, no caso da vida, ela não é nossa inimiga e não envia apenas coisas más, mas também coisas boas. E esse escudo que você criou à sua volta tanto impede as coisas más de chegarem a você como as boas. E é com esta parte que eu me preocupo. Eu acredito que o risco de viver uma vida sem esse escudo compensa, pois também acredito que o sofrimento não é uma imposição da vida. Ela pode não nos dar as melhores condições, mas isso é apenas para nos fazer lutar mais, não para nos fazer sofrer à toa. É um erro acreditarmos que só se aprende através da dor.

— Você não percebe que a sensibilidade é uma fraqueza? Amar é uma fraqueza. Os namorados, amigos, pais e filhos são tudo fraquezas. Você vai ter sempre medos associados a essas pessoas. Medo de que se magoem, medo de que eles magoem você. O amor é a maior fraqueza de todas. Felizmente estou imune. E não me venha com essa conversa piegas sobre a história de que a vida não faz sentido sem o amor e sem alguém que nos ame e não sei o quê...

— Talvez você diga isso porque nunca se permitiu amar e ser amado, porque nunca se permitiu ter amigos verdadeiros, porque nunca teve irmãos, nem filhos. É o afeto que dá sentido à vida. Já reparou que você tem tudo? Tem uma vida de luxo, casa, trabalho, carro, dinheiro, juventude, boa aparência e se eu te perguntar se é feliz vai me dizer que não. E se agora você ficasse sem nada disso, mas em troca pudesse ter ao seu lado a pessoa que mais ama e viver com ela numa cabana, você iria se sentir o homem mais feliz do mundo. Esse amor seria a sua maior fraqueza, é certo, mas também seria a sua maior fonte de felicidade. Mas isso você nunca vai alcançar enquanto mantiver essa postura que prefere valorizar o poder, a supremacia e a materialidade. Tudo coisas úteis, mas fúteis. Tudo coisas que só alimentam o ego, e o ego quanto mais come mais quer comer. É um poço sem fundo, nunca enche, nunca está saciado. Por isso é que as pessoas nunca estão satisfeitas e não sabem por quê. E é precisamente porque andam alimentando a boca errada. É o amor que precisa de alimento. Estas pessoas vivem uma vida inteira enganadas tentando ter o emprego, o carro, a casa, o dinheiro e o companheiro que sempre sonharam e, quando alcançam tudo isto, já querem um emprego melhor, um carro melhor, uma casa melhor, um companheiro melhor e mais dinheiro, sempre mais e sempre sem nada porque lhes falta o mais importante, a felicidade.

— Eu pensando que vinha tomar um gelado e afinal vim assistir a uma palestra sobre felicidade. *Suspirou.* Então vou te fazer uma pergunta muito simples. Tendo em conta que você não é nada dessas coisas e valoriza o mais importante, então você é feliz, certo?

— As coisas não são assim tão lineares. Dentro daquilo que é o mais importante, as coisas também têm de correr bem. E nem sempre isso acontece. Eu que o diga! Mas isso é outra longa conversa. Agora, uma certeza eu tenho, alguém que vê as coisas como eu estará sempre mais próximo da felicidade do que alguém que valoriza o ego e as suas necessidades superficiais. Se eu sofro mais? Sim, mas sem dúvida que também vivo mais.

— E viver mais é chorar numa sala de cinema?

— Viver mais é sentir mais, e isso vai desde chorar numa sala de cinema até querer uma pessoa para sempre ao meu lado. Mas isso é algo que você não sabe o que é porque nunca teve coragem de abrir o seu coração.

— Não fale do que não sabe e muito menos do que acha que sabe. *Disse ele, repetindo a frase que eu havia dito momentos antes.* Vamos embora. Já estou farto desta conversa.

Percebi que tinha tocado em algum ponto que o deixara desconfortável e quem tinha ficado desconfortável com isso era eu. Ele disparou em direção ao carro e eu fui atrás dele.

— O que foi que eu disse de errado?

— Nada! Isto tudo é que é um grande erro.

— O erro é você achar que a solução é fechar o coração. É certo que assim você não chora, mas também não sorri. Não se desilude, mas também não sonha. Não sentir nada é pior do que sentir dor, porque se dói significa que pelo menos ainda está vivo. Quer queira quer não, fugir da dor fechando o coração é um ato de covardia.

Leonardo parou, esfregou o rosto e olhou para mim.

— Já disse para você não falar do que não sabe!

Assim que entramos no carro ele não me dirigiu mais a palavra. Tive vontade de me desculpar, mas o orgulho por saber que não tinha dito mentira nenhuma me fez recuar. Pouco depois admiti a mim mesma que fiz mal em ter falado em covardia. Sim, podia ter sido por covardia, mas essa covardia tinha uma razão de ser que eu desconhecia e por isso não era justo julgá-lo. Cada um tem os seus medos, traumas e bloqueios, e o meu papel na vida de Leonardo era ajudá-lo a aprender a ultrapassá-los ou simplesmente viver com eles da maneira mais pacífica possível. Decidi então pôr o orgulho de lado e, no momento em que ia falar, um animal atravessou na frente do carro na estrada. Soltei um grito, Leonardo freou bruscamente e ouviu-se um estrondo.

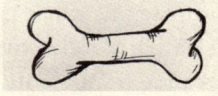

— Oh, meu Deus! *Exclamei de olhos arregalados na direção de Leonardo assim que o carro parou.* Será que morreu?

— Não sei, nem nunca vamos saber. *Respondeu friamente.*

Leonardo retomou a marcha e eu gritei que ele parasse até que poucos metros à frente ele me obedeceu. Saí do carro sem me dar ao trabalho de fechar a porta e corri na direção do local onde tinha ocorrido o choque. Assim que lá cheguei, encontrei uma cadelinha deitada no meio da estrada ganindo muito baixinho como se não quisesse me incomodar com o seu sofrimento. Esperneava as patas dianteiras e me olhava de lado com desconfiança. As patas traseiras não se moviam e eu percebi que tinha sido atingida naquela região.

— Vai ficar tudo bem! *Eu disse a ela, como se me entendesse.*

Pouco tempo depois, Leonardo abandonou o carro, dirigiu-se muito calmamente até junto de mim e colocou as mãos na cintura.

— Procura no celular um hospital veterinário, rápido! *Gritei para Leonardo.* Temos de salvar esta cadelinha!

— O quê? Vamos sair agora atrás de um hospital a esta hora da noite para salvar um bicho? Deixe-a aí na sarjeta para a valeta.

Eu não conseguia acreditar no que tinha acabado de ouvir.

— O que foi que você disse? Mas ficou louco? Pegue logo esse telefone e procure o hospital veterinário mais próximo. Rápido! Mexa-se, pelo amor de Deus!

Ele acabou obedecendo e eu peguei a cadela com o máximo de cuidado nos meus braços e entrei no carro, deitando-a no meu colo. Leonardo partiu seguindo as indicações do GPS e menos de dez minutos depois estávamos entrando hospital adentro com a cadela nos meus braços. Expliquei o que tinha acontecido, fizemos a ficha e ela foi submetida a alguns exames enquanto aguardávamos na sala de espera. Eu não conseguia olhar para a cara de Leonardo. Senti algum desconforto da parte dele com toda aquela situação, mas ainda assim não era grande o suficiente para lhe vencer o orgulho e admitir que tinha agido mal. Algum tempo depois, o veterinário nos explicou que a cadelinha ia precisar de fazer mais alguns exames na manhã seguinte e que teria de ficar em observação durante as próximas horas. Aparentemente não tinha quebrado nada e estava apenas em choque com a dor da colisão. Dentro de um ou dois dias teria alta. Ele nos aconselhou a voltar para casa e pediu que eu ligasse para lá no dia seguinte para ter novidades. Leonardo se prontificou a pagar as despesas e logo em seguida estávamos na estrada. Mantiveme fiel ao meu silêncio, mas Leonardo, talvez imbuído por um sutil sentimento de culpa, quebrou-o.

— De todos os nossos locais em comum, a maioria não tem bom agouro. Um lar, que para todos os efeitos representa a proximidade de um fim. Um hospital, que é muitas vezes o fim. Um cemitério, que é literalmente o fim, e agora de novo um hospital. Para mim parece um sinal de que esta sua missão não vai longe.

Era curiosa demais aquela observação para eu ficar calada, mas não consegui perceber bem qual a intenção dele ao fazê-la, se era para quebrar o silêncio constrangedor que eu fazia questão de alimentar ou se era apenas uma indireta para justificar e até incentivar uma desistência precoce.

— Há fins finais, há fins que são intervalos e há fins que são grandes começos. Tudo dependerá da sua coragem e habilidade de se agarrar ao lado bom das coisas más. Em vez de olhar para esses cenários como um sinal de mau agouro, devia olhar para eles como um estímulo para despertar o seu lado mais sensível. Se você reparar, todos eles apelam para uma grande sensibilidade.

— Claro. Você tinha que puxar a brasa para tua sardinha.

— Ninguém está assando sardinhas aqui! Aquilo que aconteceu há pouco foi assustador, tem noção disso? Foi monstruoso e de uma desumanidade gritante. Cheguei mesmo a sentir medo de você.

— Medo? Que exagero! *Disse ele, olhando para mim visivelmente surpreendido com aquela observação.*

Percebi naquele momento de que ele não tinha noção da imagem que as pessoas faziam dele. Ouvir aquilo era, por isso, uma surpresa. A sua indiferença para com os outros era tão grande que o impedia de perceber seu próprio comportamento para com eles. Talvez aquela minha reação involuntária fosse um grande passo para a transformação de Leonardo. Como dizia Nicolau, para vencer um mal primeiro é preciso conhecê-lo, mas imediatamente antes é preciso reconhecê-lo, e eu acreditava que era o que tinha acabado de acontecer com Leonardo.

— Qual é a sensação de saber que as pessoas chegam a ter medo de você como se fosse um monstro abominável?

— Você está fazendo uma caricatura distorcida de mim. *Disse ele, sem tirar os olhos da estrada. Estávamos quase chegando.*

— A caricatura é um exagero da realidade, mas não é uma mentira. Imagine-se caminhando na rua e as pessoas começarem a fugir assim que o vissem. As crianças fugiriam assustadas e os moradores fechariam as portas e janelas para não serem vistos por você. Imagine-se numa situação destas. Parece uma imagem agradável? Sim, é um exagero, mas você está trabalhando bem para isso.

— Já chega dessa conversa, não? Uma mãe já é o suficiente.

— Eu não quero me comportar como sua mãe ou professora. Também não vou ficar sempre te aconselhando a ser desta ou daquela forma, até porque a sua mudança nunca vai ser bem-sucedida se for incutida como uma obrigação. Você mesmo tem de se motivar a ser diferente e começar por ter uma projetar a sua vida daqui a alguns anos através destes exercícios de visualização como o exemplo que te dei. Não é isso que você quer, certo? Então trate de aprender a querer a mudança e não apenas aceitar a ideia de que tem de mudar. Sem vontade, o esforço vai ser sempre dobrado.

Leonardo entrou no jardim de casa, estacionou o carro na garagem e desligou-o, fazendo-nos mergulhar no escuro.

— Que estranho. *Comentou ele, intrigado*. O carro da minha mãe não está aqui. Para onde ela foi?

— Não é assim tão tarde, deve ter assuntos para tratar. Ou ter saído com alguém. O namorado ou companheiro, talvez...

— Cale-se! Não diga asneiras. *Ele rugiu.*

— Asneiras? Mas você ficou idiota? Eu nem sei por que faço tantas vezes esta pergunta retórica. Já é o hábito. Você não ficou, você é idiota. Então a sua mãe não pode muito bem ter um namorado?

— A minha mãe já tem idade para ter juízo.

— A sua mãe ainda tem muita vida para viver, Leonardo! Não diga besteira, ela é uma mulher jovem e muito bonita. Por dentro e por fora. Há quanto tempo ela se separou do seu pai?

— Não sei... eu tinha dez anos. Há uns treze anos, talvez.

— E você supõe que ela não voltaria a ter ninguém? Ficar sozinha para sempre e contar só com a sua companhia? E logo a sua companhia. Ela já se sente sozinha o suficiente.

— Essa possibilidade é muito estranha para mim. Não quero pensar nisso. Está terminado o dia, você já fez a sua parte. Já deu as suas palestras, sermões, já se emocionou e irritou, e até já fez a sua boa ação do dia. Já pode dormir sossegada.

— É melhor eu ir embora antes de voltar a ouvir mais alguma barbaridade dessa boca.

Levei a mão ao puxador da porta para sair e nesse momento entrou um carro na garagem e estacionou ao lado do de Leonardo. Era a mãe dele. Olhei para ele, que me pediu silêncio com o dedo para que não fizesse barulho. Fiquei na expectativa olhando para ela à espera que me visse, mas ela saiu e nem percebeu que nós estávamos ainda dentro do carro. O escuro ajudou.

— Por que não queria que ela nos visse?

— Para filmes já bastou o de hoje. É melhor assim. Vá embora.

Dirigi até em casa e no sossego da viagem recordei aquele dia, como se fosse um resumo. Tinha sido um turbilhão de emoções. Mas as peripécias que aconteceram nesse dia não eram as únicas culpadas, havia um fator externo que intensificava tudo aquilo: eu estava para ficar menstruada. Soltei um suspiro profundo só de imaginar a semana de tortura que vinha por aí. Assim que cheguei em casa, sentei-me na minha cama, abri a bolsa e tirei de lá o envelope que Nicolau havia deixado para mim. Senti uma enorme curiosidade em saber o que continha, mas ao mesmo tempo sabia que não era o momento de fazer isso. Coloquei o envelope diante da luz do candeeiro e apertei o papel para tentar discernir alguma palavra. Deu para perceber que tinha muita coisa escrita, mas, como o papel estava dobrado, as palavras estavam sobrepostas e tornava-se praticamente impossível decifrar. Contudo, num dos cantos da folha pareceu estar escrito *propósito no mundo*. O que, naturalmente, não fazia muito sentido na minha cabeça. Parei com aquele comportamento ridículo, guardei o envelope na gaveta da mesinha de cabeceira e fui me trocar para me deitar.

Embora me sentisse exausta, o sono teimava em não aparecer. Os constantes flashes que me vinham à memória da figura de Leonardo e de tudo o que tinha acontecido naquele dia insistiam em espantar o sono, mas ele acabaria por vencer. No dia seguinte liguei para o hospital para saber da cadela e me informaram que ela estava se recuperando bem, mas ainda era cedo para ter alta. Pediram que eu passasse lá no dia seguinte e assim fiz. Mal terminei o serviço, passei no hospital para buscar a cadela, que assim que me viu começou a abanar o rabo, como se tivesse me reconhecido. Prescreveram uns comprimidos analgésicos e antiinflamatórios para ela e, como já conseguia andar, foi apenas preciso colocar a guia nela e indicar o caminho até o carro. Na viagem parei numa petshop e comprei algumas coisas para ela. Continuei a viagem e só parei na casa da família Vilar. Agarrei a sacola com as coisas que comprara e convidei a cadelinha para descer do carro. Bati na porta e pedi à empregada que chamasse o Leonardo.

Assim que ele desceu, aproximou-se de mim com um olhar receoso. Numa das mãos coloquei a sacola de compras e na outra a guia da cadela, deixando-o quase em estado de choque.

— Ela tem de tomar o remédio uma vez por dia durante quatro dias. *Expliquei-lhe*. Coloque o comprimido no meio de uma bolinha de patê, queijo ou presunto e dê para ela. Não é difícil. Comprei também umas coisinhas simples para ela que estão nessa sacola.

— O que é que você está fazendo? *Perguntou, aterrorizado.*

— Comporte-se, pequenina. *Eu disse para a cadelinha antes de olhar para ele*. É o seu novo desafio. Trate-a como uma filha.

Virei as costas e me encaminhei para o carro como se nada fosse.

— Aonde é que você vai? Volte aqui, Beatriz! *Gritou, com a coleira na mão.*

Não consegui conter um sorriso enquanto me afastava.

Por mais voltas que desse no cabelo, não havia forma de ele ficar bem. Eu estava, sem dúvida, num *bad hair day*. Aliás, estava num *bad tudo,* porque me sentia superdesconfortável naquele dia. Me sentia inchada a ponto de fazer inveja a qualquer hipopótamo e as dores de cabeça imploravam por um ibuprofeno. Eu invejava profundamente aquelas mulheres a quem a menstruação passava quase despercebida, pois eu devia ser tão especial que no meu caso era como se tivesse sido atropelada por um trem. O único lado bom daquilo tudo é que era fim de semana e eu não tinha de sair de casa. Tranquilizava-me saber que ninguém além da minha família ia me ver naquele estado lastimável. Prendi o cabelo, fiquei de pijama e enfrentei o dia. A minha mãe tinha uns exames médicos para fazer e por isso quem cuidou do almoço fui eu com o apoio do meu pai. Quando ela chegou em casa nos sentamos para almoçar. A minha irmã Leonor foi a última a chegar à mesa, mas a cara com que vinha fazia parecer que eu estava num dia bom. Alguma coisa não estava bem, e eu me sentia culpada por andar ocupada demais com coisas que não eram mais importantes do que o seu bem-estar. Eu me sentia falando como irmã.

— Depois reclama de estar gorda. *Disse o meu pai da outra ponta da mesa com o seu tom de gozação natural.*

Se eu tinha algum senso de humor, sem dúvida tinha herdado dele. Ele não perdia uma oportunidade de se meter comigo e eu não perdia uma oportunidade de contra-atacar. Só depois de ele ter dito aquilo é que reparei no meu prato e vi que só não tinha mais comida porque não cabia. Senti uma certa vergonha ao perceber aquele pormenor e de repente estavam todos olhando para o meu prato. Era, com certeza, mais vontade de comer do que fome.

— Você devia se sentir orgulhoso por ter uma filha que está se esforçando para ser como você. *Devolvi a tacada.*

— Espero que não esteja pensando em deixar crescer o bigode.

Só mesmo o meu pai para nos fazer soltar uma gargalhada coletiva, no entanto foi um riso passageiro para Leonor, que rapidamente se voltou para o prato para continuar a remexer na comida, que insistia em não levar à boca. Olhei para ela e depois para a minha mãe, que me devolvia um olhar intrigado como estivesse me pedindo para investigar o assunto.

— Aliás, como é que o filho da dona Lurdes tem se comportado contigo lá na empresa?

— Não o vejo muitas vezes. *Disse a minha mãe.* Não voltou a ser desagradável comigo, mas também não voltei a fazer nenhuma asneira. Aliás, quando cruza comigo até me cumprimenta.

— E ele chegou a pedir desculpas por causa daquele episódio?

— Não, nunca mais falou sobre isso. Só bom-dia ou boa-tarde. Tinha desobedecido à ordem que eu dei, mas não ia ficar assim. Eu não descansaria enquanto ele não fizesse o que tinha de fazer. Podia ser um simples pedido de desculpas, mas para ele seria uma grande lição e eu não poderia desperdiçar aquela oportunidade. Contudo, não tive tempo, sequer, de refletir muito sobre isso, pois o meu celular vibrou no bolso e eu o tirei para olhar de lado para a pré-visualização da mensagem que acabava de receber. Era do Gabriel e perguntava apenas se podíamos falar. O meu coração disparou de tal maneira que o senti no pescoço. Uma enxurrada de perguntas e de cenários ocorreu na minha mente e o meu olhar colou no suporte de guardanapos sobre a mesa.

— Eu estava brincando, filha. Coma à vontade. *Disse o meu pai, sentindo-se culpado por eu ter parado de comer.*

Assim que consegui, respondi a mensagem dizendo que sim, que podíamos falar, e ele respondeu me pedindo para passar na casa dele. Tentei conter o entusiasmo, para não me iludir com a possibilidade de um reatamento da nossa relação. Não podia negar que desejava muito receber aquela mensagem, e era difícil descobrir algum motivo para este encontro se não fosse para falarmos da nossa relação. Infelizmente aquele parecia não ser o melhor dia, dada a minha instabilidade emocional. Mas, como nem sequer colocava a hipótese de não aceitar o convite, tomei um bom banho, me arrumei bem bonita e segui até sua casa. Bati na porta do apartamento dele e naquela fração de segundo em que ele rodou a chave a minha mente ficou num vazio total. Assim que abriu a porta e olhei para ele, foi como se uma rajada de memórias e de sensações vindas dele e daquele apartamento me atirasse com toda a força contra a parede atrás de mim. Tentei manter a postura, dei um beijo em seu rosto e fui para a sala. Cada passo que dei me custou muito. Sentei-me no sofá e assim que ele se sentou ao meu lado eu o questionei.

— Você queria falar comigo. O que tem para me dizer?

— Na verdade, não sei. Senti a sua falta. Queria te ver.

Senti uma pequena desilusão com aquela resposta. Talvez fosse por eu não ter conseguido controlar as expectativas do que esperava daquele encontro, mas ainda era cedo para tirar conclusões. Embora me ajudasse pouco saber isso.

— Do que é que você sentiu falta?

— Da sua presença, do seu calor, das suas mãos, do seu corpo, da sua boca... *Disse, sem tirar os olhos de mim.*

O meu corpo reagiu de imediato àquelas palavras. Soube tão bem ouvir aquelas palavras. O sangue começou a fervilhar nas minhas veias. Comecei a perceber que, ao contrário do que eu pensava, ele tinha acertado em cheio no dia certo para conversar comigo, pois eu estava mais sensível do que nunca e qualquer coisa me estimulava.

— Como é que você passou estes últimos tempos? *Perguntei.*

— Não foram fáceis. Como eu já sabia que não iam ser. Tenho pensado muito em você e em mim. E você, como está?

Reparei que ele não usara a palavra *nós*, o que era muito diferente de dizer em *você e em mim*, mas não quis explorar isso.

— Tenho andado muito ocupada. Muito trabalho e muitas preocupações. Confesso que às vezes até esqueço que você me dispensou. O que é bom e me ajuda, mas muito longe de significar que não sofro mais e muito menos que não gosto mais de você.

Ele preferiu não comentar as minhas palavras, fez uma pausa e olhou à sua volta, esfregando a mão no sofá.

— Você lembra dos momentos que passamos aqui?

Eu julgava que era impossível o meu coração acelerar mais, mas afinal não. Assim que ele fez aquela pergunta, a minha mente rebobinou a fita atrás e em vários flashes vi resumidos os momentos intensos que vivemos os dois naquele sofá. Ainda estava procurando me acalmar quando ele colocou a mão na minha coxa. Quase por instinto, como se não fosse dona do meu corpo, virei-me para ele, sentei-me no seu colo e nos beijamos intensamente.

— Você vai voltar para mim? *Perguntei por entre os beijos.*

Como se eu tivesse desligado algum botão, o rosto dele esmoreceu num instante, desviou o rosto do meu e suspirou.

— Beatriz... *Ele fez uma pausa.* A situação é muito complicada.

— Meu Deus! Já percebi... você me chamou aqui para isto, não foi? Foi para me levar para a cama, para se satisfazer e no final me dizer que não sabe o que quer e me dispensar.

— Não é nada disso. Eu te chamei porque senti a sua falta.

— Mentira! *Gritei, saindo do colo dele.* Você sentiu apenas falta do meu corpo, mas se não quer a minha alma não tem o meu corpo. Você ia me usar para matar a fome e ficaria por isso mesmo? Era isso?

— Você está interpretando tudo errado, Beatriz. Não íamos fazer nada que você não quisesse. Não precisa fazer essa cena.

— A questão não é aquilo que nós queremos hoje, mas aquilo que ainda vamos querer amanhã. Se queremos algo só para hoje, escolhemos aquilo que nos satisfaz, mas, se queremos algo para a vida, temos de escolher aquilo que nos realiza. E o sexo até pode satisfazer, mas só o amor realiza. E é isso que eu quero. De que me vale passar aqui o dia e a noite a fazer tudo e mais alguma coisa se amanhã, quando acordarmos, você vai me decepcionar de novo? De que me vale o sábado à noite se você não me dá o domingo de manhã?

Fiz uma pausa para ver se ele respondia, mas não disse nada. Não conseguia. Não tinha como me dizer alguma coisa que fosse verdade e ao mesmo tempo não me magoasse e por isso escolheu ficar calado. E eu aproveitei para acrescentar mais alguma coisa.

— Eu não consigo pensar no momento. Ou me deprimo pelo que aconteceu ontem ou estou ansiosa para saber o que vai acontecer amanhã. *Disse-lhe ainda.* Hoje estou aqui, mas já estou pensando no que pode ou não acontecer daqui a uma semana e daqui a um ano. Você sabe que uma mulher precisa saber aquilo que a espera e aquilo com que pode contar no dia seguinte. O hoje nunca é suficiente para ela. É o único dia em que se pode viver, de fato, mas é precisamente o dia em que mais dificuldade temos em fazê-lo. Mas obrigada. Obrigada por me ter feito perceber hoje que, se amanhã eu ainda estivesse aqui, seriam dois dias perdidos!

Peguei a bolsa e me precipitei para a porta. Gabriel ainda veio atrás de mim, mas não a tempo de me fazer mudar de ideia. Saí do prédio, entrei no carro e desapareci dali sem olhar para trás. Sentia vontade de chorar enquanto dirigia, mas a raiva misturada com o nojo que estava sentindo por ele naquele momento bloqueavam minhas lágrimas. Uma certeza pelo menos eu trazia comigo, a certeza de que ali já não havia nada a fazer, não havia volta a dar. O celular começou a tocar na bolsa e eu o peguei para ver quem era. Encostei o carro depois de ver que era uma chamada de Lurdes e atendi.

— Olá, Beatriz! Estou ligando para saber da sua cadela.

Já está melhor? Gostei muito dela. É muito meiga.

Eu ia explicar que a cadela não era propriamente minha, mas era uma longa história e além disso algo mais importante me intrigava.

— Por que está me perguntando isso? Ela não está na sua casa?

— Não. O Leonardo tinha dito que a Beatriz a tinha deixado lá em casa, mas que era provisório. Depois me disse que já havia devolvido e eu liguei para saber...

— Eu deixei a cadela na sua casa para ele tomar conta dela. Como uma daquelas tarefas de que eu tinha falado. Mas pelo visto o seu filho se livrou dela. Falta saber como. A dona Lurdes vai me desculpar, mas isto para mim não dá.

— Oh, meu Deus...

Desliguei a chamada e desliguei as minhas forças. Aquilo tinha sido demais para mim. Se tinha acabado de deixar Gabriel para trás definitivamente, tinha de fazer o mesmo com Leonardo. Olhei para o céu, pedi desculpas a Nicolau e segui para casa convicta de que não havia solução para o seu neto. Fui para o meu quarto, tranquei a porta, abri a gaveta, tirei o envelope e pensei, *é agora*.

Já tinha rasgado a parte de cima do envelope quando bateram na porta do meu quarto. Voltei a guardá-lo na gaveta da mesinha de cabeceira e fui abrir. Era a minha irmã.

— Ouvi você chegar e queria falar contigo... *Disse, muito calmamente e sem me olhar no rosto, assim que abri a porta.*

Convidei-a a entrar, fechei a porta e nos sentamos as duas na cama com a certeza de que dali não vinha coisa boa.

— Me conte o que aconteceu.

— É assim, eu tenho um *crush* por um rapaz do colégio...

— Tem um o quê? Não entendi.

— Uma queda, uma paixonite. *Explicou.* Enfim, eu gosto de um rapaz, lá do colégio, já faz algum tempo. E nós começamos a falar e tal e coisa... e começamos tipo a namorar.

— Tipo a namorar? O que é tipo namorar?

— Ó Beatriz, você sabe. Tipo a curtir e assim, mas uma coisa só nossa. Ninguém sabia. Mas eu gostava muito dele, e gosto. E então a coisa foi evoluindo e aconteceu...

— Leonor! Diga as coisas de uma vez. Aconteceu o quê?

— O que é que havia de ser? Perdi a virgindade com ele...

Passei as mãos pelo rosto, me ajeitei na cama e olhei para ela.

— Você tem dezesseis anos, Leonor! Você não tem idade para andar fazendo essas coisas. Ainda por cima se está me dizendo que vocês *tipo namoram*. Devia ser um momento especial para você e não uma coisa que você faz com um tipo por quem você tem um *crush*, ou seja lá o que for.

— Em que mundo você vive? Eu não conheço uma amiga minha que ainda seja virgem. Aliás, eu era a única que ainda não tinha feito nada. Eu as via falar sobre isso e ficava tipo burra olhando para elas porque eu era a mais ingênua de todas.

— Eu devo viver mesmo num mundo à parte. No meu tempo não era nada assim. Quer dizer, havia sempre uma ou outra, mas muito longe daquilo que você está me contando. Ou então eu é que era muito distraída. E só porque elas todas estavam por aí fazendo isso você não tinha nada de ir atrás delas. Cada um tem o seu tempo!

— Ó mana, isso agora não importa, eu fiz e está feito.

— Está feito, mas mal feito! Usaram proteção, pelo menos?

— Sim! Claro! Não sou nenhuma criança.

— E está triste por quê?

— Pois é por isso que estou falando com você. Depois que aconteceu, ele mudou de comportamento e se afastou de mim. Diz que não está acontecendo nada e que é coisa da minha cabeça, mas eu noto.

Naquele momento senti uma enorme raiva dos homens. Gabriel acabara de me maltratar, Leonardo era o que era e agora este rapaz de dezesseis anos... será que os homens são postos no mundo só para nos arranjar problemas, lágrimas e dores de cabeça?

— Ó meu bebê, eu lamento que tudo tenha começado dessa forma. Infelizmente eu acho que ele só te deu conversa para conseguir isso de você e agora que teve o que queria está caindo fora. Não te vou dizer que os homens são todos iguais, mas a verdade é que são poucos os que fogem à regra.

— Eu percebi logo. Já sabia! *Disse ela, antes de baixar a cabeça*. Eu não devia ter feito nada. Que idiota! Que estúpida!

Eu me aproximei dela, abracei-a e passei a mão pelo seu cabelo.

— Não se sinta culpada de nada. Está bem, Leonor? Todas nós, mais cedo ou mais tarde, acabamos encontrando um tipo desses. Olha eu, por exemplo. Já vivi muito mais do que você e esses canalhas continuam cruzando o meu caminho, só que hoje eu já consigo identificar melhor as situações e me proteger. Não se culpe, revolte, vingue ou arrependa. Tudo isso são pesos desnecessários que só te impedem de seguir em frente. Não precisa fazer disto um fim do mundo, você não fez nada de tão errado assim. Você confiou na pessoa de quem gostava. Só isso.

— Você disse há pouco que tinha de ser um momento especial e eu falhei. Não vou ter uma segunda chance.

— O importante é que seja sempre algo de acordo com o que você sente. É só por isso que você tem de se responsabilizar. Se era algo que você desejava e com alguém que desejava, então pronto, foi especial. Assunto encerrado. Você não deve dar assim tanta importância, mas também não pode ignorar o que aconteceu, para não voltar a passar por uma situação destas. E não se preocupes se esta ou aquela pessoa já fez isto ou aquilo e você ainda não. Cada um de nós tem o seu tempo. E enquanto você viver num tempo que não é o seu vai sentir que está sempre atrasada. Isso vai te deixar ansiosa e te levar a tomar decisões precipitadas. Lembre-se apenas de que o seu momento certo nunca é definido pelas outras pessoas, pela vida, pelo relógio, pelo calendário ou pelas circunstâncias, é sempre definido pelo seu coração, pois o coração nunca erra, mesmo que a sua escolha resulte em sofrimento. Por isso, escolher com o coração é a única forma de garantir que a sua escolha é acertada, mesmo que acabe doendo. E como foi isso que você fez não há razão para achar que falhou. Está entendendo o que eu quero dizer?

— Sim, mas não consigo não me sentir arrependida...

— Nada disso, meu amor! *Peguei no rosto dela e a fiz olhar nos meus olhos.* Nunca se arrependa de uma escolha feita com o coração, pois não há forma mais verdadeira de fazer isso. A questão é que não podemos deixá-lo escolher sozinho, porque também temos uma cabeça que pensa e tem uma palavra a dizer. A nossa grande dificuldade é encontrar a dose certa de cada um. O coração é bom quando é preciso desempatar, pois na dúvida devemos segui-lo. Se o medo de nos arrependermos também for muito, então mais uma vez a opção segura é seguir a vontade do coração, pois será aquela que corresponde à nossa verdade. Mas isto são coisas demais coisas para a sua cabeça e eu não quero te confundir. Eu mesma também ando todos os dias aprendendo a usar o coração e a razão nas doses certas. Vai! Não se preocupe porque eu estou aqui para o que precisar. Nada vai te faltar. Às vezes parece que qualquer pôr do sol é o fim do mundo, mas se tivermos fé e paciência vamos resistir à noite e quando o sol voltar a nascer percebemos que, afinal, foi só o terminar de mais um dia. Qualquer problema que você tenha me conte, OK? Se eu puder livrar você dos erros que eu cometi, ficarei feliz.

Ela me deu um último abraço e deixou o quarto pensativa. Não consegui perceber se tinha entendido as mensagens que eu tinha passado, mas também não acreditava que ela tivesse ido ao meu quarto à procura de orientação. Às vezes não precisamos de alguém que nos oriente, mas sim que nos ouça e compreenda. Alguém que, em vez de enxugar nossas lágrimas, chore conosco até que elas acabem sozinhas. Ela saiu pensativa e eu pensativa fiquei. Olhei para a gaveta fechada e imaginei o envelope dentro dela e ainda a receita que estaria dentro dele e decidi que assim ia continuar. A conversa com a minha irmã anulou a raiva que eu estava sentindo desde que saíra da casa de Gabriel. Se havia um problema com a minha irmã, os meus passavam automaticamente para segundo plano, e isso me ajudou a ter a lucidez necessária para perceber que talvez ainda não tivesse feito tudo o que podia pela missão que Nicolau me deixara. Olhei para o relógio e vi que ainda havia tempo. Como não tinha mais planos para esse dia, voltei a pegar a bolsa, saí e segui viagem até a casa de Leonardo. Quando cheguei fui recebida pela mãe dele, que me lançou um largo sorriso assim que me viu.

— Peço desculpas por agora pouco, dona Lurdes, mas quando me ligou eu estava tratando de outros assuntos pessoais e quando me contou aquilo do seu filho eu me senti sem forças. No entanto, eu quero saber o que ele fez com a cadelinha.

— Eu vou chamá-lo, acho mesmo que é melhor falar diretamente com ele. Já vi que a Beatriz tem muita influência nele.

Ela me convidou para entrar e eu esperei no hall enquanto ela subiu as escadas para chamar o filho. Fiquei pensando na última frase que ela tinha dito e não entendi se se referia à forma como eu o convencera a ir comigo ao cinema ou se ela já tinha notado alguma melhoria nele. Pouco tempo depois, Leonardo desceu ao meu encontro e vinha com a cara de quem sabia que ia levar uma bronca. Lurdes olhou-me de longe e recolheu-se.

— Pode começar, você já sabe o que eu vim fazer. O que você fez com ela?

— Está num lugar melhor do que este. *Respondeu, com frieza.*

— O que foi que você fez com ela? *Insisti com um tom mais duro.*

Entregueia a um canil aqui perto. Eu não tenho perfil, nem paciência, nem coisa nenhuma, para tomar conta de um animal, e se você se livrou dela, empurrandoa para mim, eu fiz o mesmo.

— Eu disse para você cuidar dela como se fosse a sua filha, Leonardo! Eu não a trouxe aqui para me ver livre dela. Quem dera eu tivesse um animal em casa, mas vivo num apartamento, não temos espaço. O que você fez com ela foi o equivalente a entregar um filho a um orfanato. Já pensou nisso? Imagine que você tem um filho, pega ele e o deixa numa casa com montes de outras crianças que foram abandonadas por pessoas iguais a você. Faça um pequeno exercício de imaginação e visualize isto. É horrível!

Ele fez um momento de silêncio, respirou fundo, começou a olhar em volta e colocou as mãos na cintura.

— Não tinha imaginado as coisas dessa maneira. *Admitiu.*

Aquela simples confissão tinha sido uma grande conquista. O fato de ele ter entendido que o que tinha feito tinha aquele significado era uma prova clara da expansão da sua consciência. Um pequeno passo para mim, um enorme passo para ele.

— Venha comigo. *Eu disse a ele, dirigindo-me para a saída.*

— O que você está pensando em fazer?

— Vamos pegar a cadelinha de volta!

Ele veio atrás de mim e fomos no meu carro. Segui as indicações dele até o canil onde a havia deixado e fomos falar com um funcionário que estava de mangueira na mão lavando o chão.

— Agora já é tarde de mais. *Ele nos disse assim que descrevemos a cadela que estávamos procurando*. Ela já foi adotada. O senhor Aguiar, que tem um armazém de frutas aqui na frente, veio aqui e olhe... encantou-se com a cadela e lá foi todo contente. Mas dê uma volta aqui pelo canil, todos estes cães estão à espera de uma família.

Fiquei olhando para Leonardo para ver a reação dele àquela sugestão do senhor, mas ele virou as costas e dirigiu-se para o carro. Segui seus passos e entrei depois dele. Ficamos os dois em silêncio e Leonardo olhava para o horizonte com um ar muito sério.

— Que isto te sirva de liç...

— Ligue esse carro! *Interrompeu Leonardo*. Eu sei onde é que mora esse tal Aguiar do armazém de frutas.

— O que está pensando em fazer? *Perguntei*. O senhor adotou a cadela, agora não há nada a fazer. Espero que aprenda a lição!

— Não se preocupe. Vou conversar com o homem e explicar a situação. Vai correr tudo bem. Vamos!

Confiei nele e fiz o que me pediu. Dirigi até o endereço que ele me indicou e estacionei na rua. Ele mesmo se prontificou a resolver aquele assunto sozinho e eu gostei daquela postura. Só o fato de querer a cadela de volta já era um sinal da sua mudança, e assumir aquela responsabilidade era uma atitude nobre da parte dele. Deixei-o ir e aguardei no carro. Nem cinco minutos depois eu o vi surgir na rua, pelo retrovisor, correndo em direção ao meu carro com a cadelinha nos braços.

— Acelera! *Gritou assim que se sentou no lugar ao lado.*

— O que foi que você fez, Leonardo? *Perguntei, assustada.*

— Sai de uma vez com este ferro-velho!

Atendi o pedido dele, sem perceber nada do que estava acontecendo, e saímos dali. Alguns metros à frente, quando consegui acalmar as ideias, é que me senti capaz de fazer uma interpretação lógica.

— Não me diga que roubou a cadela do senhor.

— Não roubei porque a cadela é minha, além do mais eu expliquei o que tinha acontecido. Ele é que não quis ser compreensivo.

— Explicou? E em que tom de voz você fez isso?

— Pronto, talvez tenha sido num tom pouco agradável e talvez isso tenha dificultado o processo, mas isso agora não importa.

Seguimos viagem de volta a casa, com a cadela, pequenina, que quase desaparecia no meio dos braços dele. Me lembrou a viagem que fizéramos em direção ao hospital veterinário, mas desta vez os papéis tinham-se invertido. Eu estava com pena do senhor que tão amavelmente tinha adotado a cadelinha e tinha ficado sem ela. Eu sabia que a atitude de Leonardo não era a mais correta, mas ao mesmo tempo não conseguia tirar o sorriso do rosto. Estava feliz por ele, que pela primeira vez tinha se importado e lutado por aquilo que queria. Quando parei o carro, Leonardo saiu, colocou a cadela no chão e caminhou até a entrada da casa, sentando-se na soleira da porta. A cadelinha seguiu-o com as suas pequenas patas até lá e eu fiz o mesmo percurso logo depois.

— Já pensou num nome para ela? *Perguntei.*

— Mika. *Ele respondeu muito rapidamente.* Vai se chamar Mika.

— Há algum motivo para ser esse nome e não outro qualquer?

— Sim, mas não te vou dizer.

— Tudo bem. O importante é que ela já tem nome, casa e finalmente uma família que não vai voltar a abandoná-la.

Lurdes surgiu na porta e ficou feliz com o retorno da cadelinha. Pegou-a para a acariciar e depois piscou para mim.

— E se a Beatriz ficasse para jantar conosco? *Sugeriu.*

— Eu, dona Lurdes? *Perguntei, surpreendida com o convite, mas ainda mais surpreendida fiquei depois de ter olhado para Leonardo como se esperasse dele algum tipo de aprovação.*

— Sim, jante conosco. Ficamos sempre os dois tão sozinhos aqui em casa, faça-nos companhia hoje. Já está aqui e tudo.

Leonardo olhou para o lado, dando a ideia de que se excluía da responsabilidade daquele convite, e eu acabei por aceitá-lo. Lurdes entusiasmou-se com a ideia, devolveu a Mika ao Leonardo, que continuava sentado na soleira da porta, e esticou a mão para mim.

— Venha, quero lhe mostrar uma coisa.

Eu a segui até o andar de cima, que ainda não conhecia, e fiquei impressionada com a limpeza e elegância da casa, que era ainda mais soberba do que o térreo. Com uma casa daquele tamanho, não me admirava a solidão que aquela mãe e aquele filho por vezes sentiam. Percorremos o corredor até o fundo, depois Lurdes tirou uma chave do bolso e destrancou a porta à nossa esquerda, convidando-me a entrar. Não era difícil de perceber que aquele cômodo era de acesso restrito e de alguma forma Lurdes estava prestes a partilhar algo muito pessoal comigo. Entrei e vi que era um quarto de criança. Havia pôsteres de super-heróis nas paredes, pelúcia, brinquedos e videogame. Era o quarto de sonho de qualquer criança, embora já um pouco desatualizado. Havia ainda muitas fotografias, todas elas com um rosto em comum, Leonardo. E um pormenor que me saltou logo à vista foi a figura da Torre Eiffel, que aparecia em diferentes formas naquele quarto, fosse como estátua, fotografia ou desenho. Além de inúmeras referências à cidade de Paris por todo lado. Inclusive a cortina de uma das janelas era a imagem, semitransparente, de uma janela com vista sobre Paris. Lurdes olhava para todo aquele cenário com o mesmo interesse que eu, mas não disse logo o motivo pelo qual me havia levado ali, como se estivesse à espera de me despertar a curiosidade primeiro. Não sabia ela que eu já estava curiosa desde o momento em que me esticara a mão e me dissera que me queria mostrar uma coisa.

— Não é difícil perceber a quem pertencia este quarto. *Disse-me Lurdes com um sorriso*. Sabe... a Beatriz é a primeira pessoa além de mim, em muito tempo, a entrar aqui.

— Nem mesmo o Leonardo? Presumo que seja o quarto dele quando era criança. É certo que ele já não é criança há muito tempo, mas por que é que ele não havia de ter voltado cá?

Lurdes fez um momento de silêncio, olhou mais uma vez em volta e depois convidou-me a sentar numa pequena cadeira azul de criança, sentando-se também ela numa outra. Apesar do meu curto quase metro e sessenta de altura, aquelas cadeiras me fizeram sentir um gigante numa casinha de bonecas.

— Eu decidi lhe mostrar o quarto dele, não só porque eu acredito que a Beatriz tem tudo para conseguir ajudá-lo, mas também porque, sabendo da sua história, que com certeza ele não lhe contou, você tem muito mais condições de o fazer com sucesso. E depois a menina Beatriz... *Respirou fundo.* Deixe lá. Coisas de mãe. *Sorriu.*

— Como assim? Coisas de mãe? Não entendo.

— Enfim, coisas minhas, não ligue. Não é relevante isso.

— Agora vai ter de contar, por favor. A pior coisa que podem fazer comigo é deixarem alguma coisa por me dizer.

— Não interprete mal, mas a Beatriz é a nora que qualquer sogra gostaria de ter... *Disse ela, com uma vergonha enternecedora.*

— Ah! Não! *Exclamei assim que percebi o que ela queria dizer.* Eu lamento muito, mas neste momento da minha vida é a última coisa de que preciso, contudo lhe agradeço demais o elogio.

— Claro! Claro! Eu já estava aqui sonhando alto, não me leve a mal. *Lurdes ficou ainda mais envergonhada e eu lamentei ter sido involuntariamente a causadora disso.* Vamos esquecer este assunto e falar do que realmente nos trouxe até este quarto. Vou lhe contar assim por alto um pouco da minha história e da do Leonardo e a Beatriz aproveita aquilo que achar relevante para depois trabalhar esses pontos com ele. Tudo começou quando eu me apaixonei por um rapaz chamado Raphael. Aquilo era supostamente uma paixão de verão, ele era luso-francês e estava cá em Portugal de férias com os pais, e talvez por saber que ele ia embora em breve foi tudo muito rápido e intenso. Era suposto ele regressar à França e ficar tudo por aí, a verdade é que eu não conseguia parar de pensar nele e ele em mim e cometi a loucura de deixar tudo e ir vê-lo na França. Sabe como é, Beatriz, nós mulheres sonhamos sempre em viver um amor destes e eu era jovem e não queria desperdiçar aquele que eu acreditava ser o amor da minha vida. A verdade é que correu tudo como eu sempre sonhei, nós vivíamos numa pequena casa, mas muito bonita, numa localidade nos arredores de Paris, e tudo corria tão bem que até deu frutos, o Leonardo. Contudo, quando o meu filho tinha mais ou menos nove, dez anos, o Raphael decidiu, simplesmente, me trocar por uma jovem e bela francesa. Não pode imaginar a dor que senti. *A voz dela começou a ficar embargada e fez uma pausa para evitar as lágrimas.* Aquilo me atirou ao chão com toda a força, como deve imaginar. Eu fui para Paris por causa dele e, quando isto me aconteceu, estar naquela cidade e naquele país, que não eram os meus, deixou de fazer sentido. Pior do que isso, doía-me estar lá sabendo que o amor da minha vida não estava muito longe de mim, mas vivendo com outra mulher. Tornou-se de tal forma insuportável que eu abandonei tudo e regressei para Portugal com o Leonardo nos braços e as minhas coisas às costas.

Ouvir aquele relato deu-me um aperto no peito como se tivesse sido eu a passar por aquilo. A dor no olhar dela era tão intensa que me trespassava a carne indo direto ao meu coração. Mas o que mais me doía era a bondade e a doçura nas palavras daquela mulher, que davam a toda aquela história o enorme peso da injustiça da vida.

— Só que eu cometi o erro de ser egoísta e não perceber que, apesar de aquele não ser o meu país, era o país do meu filho. *Continuou ela.* Porque ele nasceu e cresceu lá... Durante os primeiros tempos da minha separação do Raphael, ele ia visitar o Leonardo de vez em quando, mas era cada vez mais raro. Quando eu lhe disse que não conseguia mais e que tinha de regressar a Portugal, ele não colocou qualquer entrave. Depois de regressar, ele ligou umas duas ou três vezes apenas para falar com o filho e depois nunca mais. Até hoje não voltou a ligar nem voltou a procurar o Leonardo. E o que mais me custa é que o meu filho adorava o pai, mas ele nunca se importou com ele. E o Leonardo sofreu muito, muito com a ausência do pai. Isso revoltou-o de tal forma que se fechou dentro de si. Eu sempre tentei compensar e ser uma mãe e um pai para o meu filho, mas não consegui. Na fase mais importante para ele, eu não consegui porque eu mesma não tive o discernimento suficiente para esconder, ou pelo menos disfarçar, a dor e a mágoa que me consumiam a alma naquela fase. E sendo eu o seu aconchego, muitas vezes ele acabava absorvendo todas essas sensações vindas de mim. O meu pai me ajudou muito, mas não podia fazer muito mais porque era em mim que o meu filho procurava conforto e segurança. *Os olhos de Lurdes reluziam, denunciando as lágrimas que iam resistindo*. Tive o cuidado de preparar todo este quarto exatamente como o quarto que ele tinha lá na França, mas ele nunca se deixou iludir, sempre foi um menino muito inteligente. Dormiu aqui algum tempo, mas logo disse que queria sair e mudou-se para outro quarto. *Lurdes levantou-se, foi até a janela e pegou na cortina com a imagem de uma vista sobre Paris.* Veja. Até mandei fazer esta cortina especialmente para ele, como se algum dia ele fosse se iludir com isto.

Lurdes abanou a cabeça, virou-se para a janela para tentar esconder as lágrimas e ficou olhando para algum lugar no terraço. Ficou imóvel e em silêncio durante longos segundos.

— Está tudo bem? *Perguntei, preocupada.*

Ela se virou para trás e as lágrimas molhavam seu rosto.

— Venha ver com os seus próprios olhos. *Disse apenas.*

Aproximei-me da janela e olhei através dela para o terraço da casa. Lá em baixo Leonardo brincava alegremente com a Mika. Ora correndo na sua frente para que ela o apanhasse, ora atirando uma bola para que ela a recuperasse. Ela se virou para mim e me abraçou, apanhando-me desprevenida. Devolvi o abraço e não disse uma palavra. Percebi que era um momento dela, uma necessidade sua, e decidi esperar que fosse ela a quebrar o silêncio. Pouco depois soltou-me com um ar envergonhado e limpou as lágrimas como se não devesse ter feito aquilo.

— A Beatriz pode desistir a qualquer momento e seguir a sua vida como se nós não fôssemos nada para ela, mas eu já estou eternamente grata a você. *Começou dizendo.* Aquilo que você vê ali naquele terraço é uma imagem bastante comum em qualquer jovem, em qualquer filho, em qualquer família, mas não nesta. Julguei que nunca mais ia ver o meu filho sorrir, se divertir ou brincar com um animal de estimação e hoje a Beatriz me deu esta alegria. É você a responsável, acredite nisso. *Fiquei sem saber o que lhe responder, mas ela me ajudou continuando o seu desabafo.* Parece impossível, mas é a primeira vez que vejo o meu filho alegre desde que regressei a Portugal com ele. *Pegou minhas mãos.* Obrigada!

— Não me agradeça, pois não estou a fazer favor nenhum, dona Lurdes. Na verdade, toda esta questão da cadelinha nem foi intencional. Eu é que, dadas as circunstâncias, percebi que podia aproveitar este imprevisto para trabalhar o componente do afeto no seu filho. E ter um animal de estimação é muito bom para isso. No início tive de obrigá-lo, mas, como podemos ver... *Olhei de novo pela janela.* Não será mais necessário empregar essa metodologia.

— Sendo assim, além do agradecimento, permita-me congratular você pela sua perspicácia em perceber isso. *Começou a olhar em volta para os quadros espalhados pelas paredes.* Além do rosto do meu filho, consegue encontrar algo mais em comum nos quadros?

— São todos eles em Paris? *Perguntei no lugar da resposta.*

— Também, mas me refiro ao sorriso. *Assim que disse aquilo reparei que de fato ele aparecia sorrindo em todos eles.* Acho que é mais por isso que venho aqui ao quarto tantas vezes. Pois é a única forma de vê-lo sorrindo, ainda que sejam retratos com muitos anos. Este quarto é a única ponte que eu tenho para regressar aos últimos momentos em que o meu filho era feliz. Eu o deixo trancado porque tenho medo que ele entre aqui sem eu saber e tire estas coisas do lugar ou estrague alguma coisa. Eu perguntei várias vezes se ele queria vir aqui comigo e ele sempre me respondeu torto, por isso achei que era melhor trancá-lo. Meu medo é um dia a sua revolta extrapolar e ele destruir esta minha ponte. *Pegou um porta-retrato pousado sobre um móvel na entrada e entregou a mim.* É o Leonardo e o pai.

Ela se virou de costas e voltou para junto da janela como se não quisesse ver aquele porta-retrato comigo. Eram os dois muito parecidos e igualmente muito bonitos. A julgar pela beleza de Raphael, não me admirava a paixão que Lurdes sentira. Reparei ainda num globo de neve com uma Torre Eiffel dentro que estava pousado sobre o móvel na entrada e pensei que poderia usá-lo com Leonardo.

— A dona Lurdes me empresta este globo?

— É só um globo... *Murmurou intrigada, enquanto olhava para ele.* Acha que pode ser relevante para alguma coisa?

— Talvez... posso levá-lo emprestado? *Ela anuiu com a cabeça e eu guardei-o na bolsa.* Quer dizer que as últimas referências de felicidade que o Leonardo tem estão ligadas todas elas a Paris e aos locais onde ele passou a sua infância. Certo?

— Eu diria que sim. Mas você acha que isso pode ser a chave...

Foi interrompida, entretanto, pela voz de Leonardo, que chamava por ela do andar de baixo. Ela apressou-se a sair do quarto e eu saí na frente e esperei que trancasse a porta.

— É melhor ele não saber que estivemos aqui. Pode ficar um pouco incomodado. *Disse assim que deu a última volta na chave.* Descemos e Lurdes disfarçou quando o filho lhe perguntou o que tinha ido mostrar. Fomos para a sala, onde o jantar já estava servido pela empregada, o que me deu uma sensação ainda mais clara de que estava numa realidade paralela à minha. Estava tudo muito direitinho sobre a mesa e eu tentei manter a etiqueta adequada a todo aquele ambiente. Não era o meu hábitat natural. Começamos a comer e de repente instalou-se um silêncio constrangedor que eu queria quebrar, mas não sabia como, além de que eu era o elemento forasteiro daquela mesa e a princípio a última pessoa a ter a obrigação quebrá-lo. Leonardo, como seria de esperar, parecia não se preocupar com esse pormenor, sobrando assim para Lurdes, que acabou por cumprir essa função.

— Diga-me, Beatriz, gosta de ser terapeuta ocupacional e de ter esse papel tão importante naquela que é, para todos os efeitos, a parte final da vida dessas pessoas?

— Sério, mãe? *Adiantou-se Leonardo.* É assim tão difícil perceber qual é a sensação de limpar a bunda dos velhos?

— Leonardo! Olha a linguagem! *Advertiu a mãe.*

— Pensei que a fase das piadinhas já tinha acabado, mas parece que era só impressão minha. *Eu disse a ele, antes de me virar para Lurdes.* É muito gratificante. Às vezes a minha profissão é um pouco desprezada e até confundida com outras, mas é muito importante para os idosos. E sim, já se sabe que é a fase final das suas vidas, mas eu já vi tanta coisa... Às vezes somos novos e de um momento para o outro... acabou. Não é mesmo?

Instalou-se novamente um silêncio na mesa assim que terminei de falar e fiquei com a sensação de que tinha dito algo de errado ou então tocado em algum ponto sensível.

— Eu disse alguma coisa que não devia? *Tive de perguntar.*

— Não, não! *Respondeu Lurdes, atrapalhada.* E gosta do que faz? *Perguntou logo a seguir, para mudar de assunto, e eu agradeci.*

— Sim, muito! Quando somos e fazemos aquilo de que gostamos é como se criássemos um escudo protetor à nossa volta que nos defende dos ataques que nos enviam em forma de crítica. Às vezes me dizem que eu podia ser isto e aquilo, mas eu sou aquilo que me faz feliz, logo sou aquilo que tinha de ser. Se o Leonardo visse o que eu faço lá no lar, por exemplo, talvez começasse a respeitar mais a minha profissão. *Disse a ela, mas olhando de lado para ele.*

— Você tem de convidá-lo para ir lá um dia destes. *Sugeriu.*

— O que é que eu vou fazer em um lar? O avô não está lá, esqueceu? Você lembra de cada coisa, mãe.

— Boa ideia, dona Lurdes. *Parabenizei.* Os pacientes do lar adoram receber pessoas de fora e ouvi-las falar sobre aquilo que fazem. De vez em quando recebemos um ou outro convidado. São muito curiosos e recebem muito bem. Você pode ir lá e dar uma pequena palestra sobre a história da sua fábrica e explicar o processo de fabricação dos seus produtos. Quem sabe até levar umas unidades e fazer um pouco de publicidade. Por que não?

— Fantástico! *Exultou Lurdes.* Nós temos uma linha de produtos especialmente para diabéticos. Com certeza eles vão adorar. Fica combinado. Você vai lá a trabalho. Ordem da sua chefe! Lurdes estava praticamente empurrando-o para seguir a minha sugestão, e era bom sentir o apoio dela como se fôssemos duas aliadas naquela batalha. Leonardo via-se encurralado e não havia outra solução que não fosse aceitar aquela ordem.

— Vou lá fazer uma grande publicidade, vou. *Disse ele, com ironia.* Quando chegar a hora de comprarem os produtos que fui divulgar, os velhos já morreram há muito tempo.

— Leonardo! Algum respeito, por favor! *Repreendeu Lurdes.* Lembre-se do seu avô, que morreu idoso. Lembre-se de mim, que estou caminhando para isso, e lembre-se de você, que um dia vai lá chegar.

— Ó mãe! Me poupe. Você sabe bem que não. *Tirou o guardanapo do colo e colocou-o sobre a mesa.* Tenho de sair.

— Para onde vai, filho?

— Tenho a Rita à minha espera. Com licença.

Lurdes pousou os talheres e baixou a cabeça. Senti-me mal comigo mesma por ter aceitado o convite para jantar e sem querer acabar por ser um fator extra de desconforto para ela. Pois com certeza sentia-se envergonhada por aquela situação ter acontecido na minha frente. Contudo, não era difícil de perceber que o que estava sentindo era muito mais do que vergonha. Era também angústia.

— O que foi que ele quis dizer com aquilo? *Perguntei.*

— É mais um namorico dele. Nada de especial. Eu peço imensas desculpas por esta situação. Convidei-a para jantar conosco e só lhe proporcionei mais uma situação constrangedora. Perdoe-me!

Na verdade, a minha pergunta referia-se ao momento em que ele lhe disse *você sabe bem que não,* mas não quis me meter onde não era chamada e preferi deixá-la acreditar que estava interessada em saber com quem é que ele andava saindo. As perguntas eram tantas na minha cabeça que o resto do jantar foi mais esforço que apetite. Do lado de Lurdes eu sabia que não era diferente, mas resistimos até o fim e em seguida ela me acompanhou até a saída. Desculpou-se mais uma vez, embora sem necessidade, e despediu-se de mim. Percebi que ela precisava ficar urgentemente sozinha e também por isso não quis tocar mais no tema do filho. Entrei no carro e peguei a estrada até em casa, e uma viagem sozinha de carro à noite é a receita ideal para passar um pente fino nos erros de uma vida inteira. Percebi que não tinha lembrado mais de Gabriel durante o resto do dia e achei estranha aquela conclusão, mas logo cheguei a uma outra conclusão que me relaxou. Concluí que talvez não tenhamos assim tantas preocupações como parece, temos é poucas coisas mais importantes que nos ocupem o pensamento. Há, de fato, muitos problemas na nossa vida que se resumem a uma preocupação desnecessária, mas uma preocupação só é preocupação se houver tempo para pensar nela. Resumindo e concluindo, o meu mal não eram os problemas, mas o tempo livre que tinha para pensar neles. E naquele momento era o que tinha deixado de acontecer com a situação do Gabriel na minha vida. Além de ter muitas coisas mais importantes em que pensar, era como se de repente o caso dele tivesse sido arquivado por excesso de provas de que não valeria a pena continuar a lutar. Eu estava intrigada demais naquela viagem de regresso. Não só pelo que ouvira no antigo quarto de Leonardo e com o que podia fazer com essa informação, mas também com o que tinha ouvido e visto naquele jantar. Lembrei-me do que Lurdes havia dito sobre o fato de eu ser a nora que qualquer sogra gostaria de ter e logo depois do motivo que Leonardo apresentou para abandonar o jantar no meio. Olhei o relógio do carro e presumi que naquele momento ele estivesse com a tal Rita a quem Lurdes se tinha referido como *namorico* e percebi com admiração de que tinha ficado incomodada com aquilo. Abanei a cabeça e disse várias vezes para mim mesma, *nem pense, Beatriz!*

— Que letra é essa que tem na mão, senhora Teresa? *Perguntei a uma das minhas pacientes do lar durante um exercício de estimulação cognitiva com um brinquedo educativo.*

— É um... A. *Respondeu depois de uma curta reflexão.*

— Me diga um nome começado com essa letra.

— Um nome? *Perguntou, franzindo a testa, dando ainda mais relevo às rugas que cobriam seu rosto de noventa e dois anos.*

— Sim, um nome, senhora Teresa. Diga-me o nome de uma pessoa que começa com a letra A. Por exemplo, Amélia, Ana, Américo, Adelaide. Diga-me outro nome começado por essa letra.

— Adelaide. *Respondeu, reticente e de olhos colados em mim, à espera de receber a minha aprovação.*

Antes que a pudesse corrigir, fui interrompida pela dona Zélia, que surgiu na porta do quarto com o aviso de que alguém tinha vindo para me ver. Logo atrás surgiu a figura de Leonardo, que trazia uma mochila ao ombro e o seu habitual ar contrariado.

— Obrigada, dona Zélia. *A auxiliar afastou-se e fiz sinal a Leonardo para que se aproximasse de nós.* Já tinha começado a pensar que tinha desistido da ideia.

— Eu já tinha desistido da ideia antes mesmo de ter conhecimento dela, mas a minha mãe não parava de me chatear para vir cá. Não me diga que vou ter de fazer publicidade um a um?

Olhei para a senhora Teresa e depois para ele.

— Não, claro que não, mas sente-se aí e assista. Estou quase acabando e depois reunimos os pacientes todos na sala para te ouvirem falar. Espero que tenha trazido a matéria bem estudada porque eles são muito curiosos e gostam de fazer perguntas. Não é, senhora Teresa? Mas não pense que já vai se ver livre de mim, ainda tem uma resposta para me dar. Me diga um nome começado por A, mas não vale nenhum daqueles que eu disse. Me diga outro.

— Não sei, doutora. A minha memória já me falha tanto.

— Não adianta! Não saio daqui enquanto não me disser.

— A... dão. *Disse ela, por fim, depois de um grande esforço.*

— Está vendo como sabe? Isso é tudo preguiça. Ai, ai, ai, menina Teresa. Vamos lá pôr essa letra na casinha dela para irmos para a sala ouvir este rapaz que tem umas coisas bonitas para nos dizer. *Enquanto ela procurava o formato no tabuleiro onde encaixar aquela letra de borracha, virei-me para Leonardo.* No fim da apresentação, gostaria que você conversasse um pouco com uma senhora.

— Conversar com uma velha, por quê? Não sou psicólogo!

— Cale-se! *Sussurrei entre dentes.* Vai conversar, sim, porque ela tem uma história de vida muito bonita. Você vai gostar. *Reparei que Teresa já tinha encaixado a letra no local certo.* Vá, agora me ajude desse lado para levantarmos a senhora Teresa.

Ele arregalou os olhos para mim como se eu tivesse acabado de pedir algo extraordinário, além de fazer um sinal com a cabeça para que se apressasse. Peguei um dos braços dela e do outro lado Leonardo copiou o gesto. Os pés de Teresa escorregavam para a frente, deslocando seu centro de gravidade e impedindo-a de se levantar. Coloquei um dos meus pés à frente do pé direito dela, para ele não escorregar, e pedi a Leonardo que fizesse o mesmo com o seu pé esquerdo. Eu fazia inúmeras vezes aquilo sozinha e sem grande esforço, mas queria que ele colaborasse naquela atividade na tentativa de desenvolver nele alguma sensibilidade.

— Agora acompanhe a senhora Teresa pelo braço até a sala do outro lado do corredor. Tenha cuidado. *Eu disse para Leonardo.*

— O quê? Eu? Mas eu não tenho jeito nenhum! *Exclamou, desesperado, quando o deixei sozinho apoiando Teresa pelo braço.* Olha que a senhora pode cair e eu depois não me responsabilizo.

— Você acha mesmo? Um jovem grande e forte como você nunca deixaria cair uma senhora. *Peguei a mochila dele e me dirigi para a saída.* Nos encontramos na sala. Até já!

Deixei-o para trás e fui ajudar outros pacientes a irem até a sala de lazer. Leonardo e Teresa foram os últimos a chegar. Eu, da outra ponta da sala, sorria na direção dele enquanto ele me devolvia um ar furioso por tê-lo, mais uma vez, forçado a sair da sua zona de conforto. Apesar de tudo, ele estava sendo muito cuidadoso enquanto acompanhava a senhora Teresa. Ia no ritmo dela e sorria para ela sempre que ela dizia qualquer coisa. Estava tão deliciada olhando para ele e vendo o cuidado que ele tinha com a senhora que só percebi que tinha ficado plantada no meio da sala quando um dos pacientes chamou por mim para me pedir ajuda. Assim que todos se sentaram dispostos em U, puxei uma cadeira e fiz sinal a Leonardo para que se sentasse. Depois me sentei eu num lugar vago junto a uma janela na lateral e deixei-o brilhar. Ele começou fazendo um breve resumo da história da fábrica de doces, referindo o incontornável Nicolau, que era muito bem conhecido por todos os presentes, e depois explicou por alto o processo de fabricação dos seus produtos principais. Antes de cada uma dessas explicações, retirava da mochila uma caixa de amostra com o doce correspondente. Fiquei admirada com todo o primor com que ele estava a realizar aquela apresentação. Às vezes uma paciente não ouvia o que ele dizia e ele fazia questão de repetir mais alto e pausadamente. Como seria de prever, houve sempre muitas perguntas desde o início e ele respondeu a todas elas com muita paciência. No final pegou uma caixa com uns biscoitos específicos para diabéticos e levou-a a cada pessoa para que tirasse um biscoito. Terminada a sessão, pedi uma salva de palmas, e começou a agitação de movimentações de um lado para o outro. Aproveitei o fato de as minhas colegas estarem tomando conta dos trabalhos e me aproximei dele.

— Gostou da experiência? Você se saiu muito bem. *Elogiei.*

— Correu bem. Ninguém faleceu, ninguém teve um AVC, ninguém perdeu a dentadura. Por isso correu bem, sim.

Bati no seu braço como reprimenda.

— Idiota! Não diga essas coisas dos meus velhinhos.

O diretor do lar surgiu na entrada da sala e reparei que estava à procura de alguém com o olhar. Assim que me avistou no fundo, dirigiu-se para perto de nós ziguezagueando por entre os pacientes.

— Peço mil desculpas por não ter vindo assistir à sua intervenção. *Começou por se desculpar o diretor a Leonardo.* Mas eu tinha uma carga de trabalho lá em cima que não tive mesmo possibilidade. Mas correu muito bem, tenho certeza. Não foi, Beatriz?

— Sim, os pacientes gostaram muito. Leonardo, este é o doutor Brandão, diretor aqui do lar. Doutor, este é o Leonardo, o nosso palestrante de hoje, que aceitou o meu convite para vir. *Apertaram a mão um ao outro.* Olhe... é o neto do senhor Nicolau.

— Ai, é você o filho da Lurdes? *Perguntou com admiração.* Muito gosto em conhecê-lo. *Olhou-o com mais atenção.* Obrigado por ter aceitado o convite para vir.

O diretor dirigiu-se para a saída e assim que abandonou a sala Leonardo virou-se para mim e me olhou com azedume.

— Filho da Lurdes? Mas que confiança é essa? *Disse-me.*

— Não arranje problemas onde eles não existem. O doutor Brandão é uma pessoa muito afável. Ele é assim com todo mundo. Anda, quero apresentar você a dona Filomena. *Peguei-o pelo braço, conduzi-o até junto da poltrona da senhora e nos sentamos um de cada lado.* Dona Filomena, vou lhe pedir um favorzinho antes de irmos ao lanche. Conte aqui ao nosso convidado de hoje um pouco da sua história de vida. Acho-a tão, tão bonita e inspiradora que se eu tivesse jeito escrevia um livro contando. Não me canso de a ouvir.

— Claro que sim, doutora. *Sorriu, semicerrando os olhos escondidos atrás de duas grossas lentes.* Mas você tem de me dizer que parte quer porque senão não chega o resto do dia.

— Conte para nós a parte que envolve o seu pai.

Leonardo olhou sério para mim assim que eu disse aquilo.

— Muito bem. *Disse ela, animada por relembrar, mais uma vez, parte da sua história de vida.* Então foi assim, no dia em que eu nasci, a minha mãe morreu durante o parto e o meu pai, muito jovem, ficou comigo nos braços. Não sabia o que fazer e sem experiência nenhuma pediu ajuda a uns tios. Esse casal sempre quis ter filhos, mas nunca conseguiu, então, quando de repente o sobrinho pediu a ajuda deles para cuidar da filha recém-nascida, eles viram aquilo como uma espécie de dádiva de Deus. Tomaram conta de mim e o meu pai vinha me visitar de vez em quando. Só que quando eu comecei a crescer esses meus tios-avós começaram a falar mal do meu pai para mim, dizendo que ele não queria saber de mim pois raramente aparecia e nem perguntava pela filha. Mais tarde vim a perceber que não era bem assim. Lembrei-me, inclusive, de episódios em que esses tios-avós me pediam para não fazer barulho que a polícia estava na porta para me buscar. E eu os ouvia a dizer à polícia que eu estava dormindo e que não podiam me levar desse jeito. Bom, eu era criança e acreditei naquela história. Um dia percebi que essas visitas não eram da polícia, mas sim do meu pai, que tentava me visitar e não conseguia porque eles inventavam essas histórias para evitar que estivéssemos juntos. Enfim, eles plantaram de tal forma em mim um ódio pelo meu pai que lembro de um dia ele ter ido à escola tentar me ver e eu me trancar numa sala para ele não se aproximar de mim. Fui crescendo, saí de casa, casei-me e no dia do meu casamento o meu pai decide aparecer. Eu perdi a cabeça, xinguei-o e expulsei-o da cerimônia como se fosse um cão. *Leonardo ouvia aquela história com atenção, mas ao mesmo tempo algo incomodado.* Entretanto, nasce o meu primeiro filho e no final da infância ele começa a desenvolver um problema nos olhos, e o médico disse que não se podia fazer nada em Portugal, mas que havia um tratamento inovador em Cuba que podia salvar os olhos do meu menino. O problema é que era muito caro e o tempo era pouco. Nós não tínhamos esse dinheiro e começamos praticamente a pedir de porta em porta, a amigos e família, até que a certa altura, como por milagre, surge-nos uma mala na porta de casa, cheia de dinheiro, com a indicação de que se destinava a ajudar o meu filho. Nós nem pensamos duas vezes, agarramos a mala e tratamos de tudo. O meu filho passou uma temporada em Cuba e ficou curado graças à ajuda daquele benfeitor. Uns tempos mais tarde, vou eu na rua sossegada e me deparo com um mendigo pedindo esmola para comer. Era nada mais nada menos que o meu pai. Quando perguntei como é que ele chegou àquele estado, ele e disse simplesmente que tinha vendido a casa e tudo o que tinha para juntar dinheiro, que pôs dentro de uma mala e deixou à minha porta para eu salvar o meu filho. *Olhei novamente para Leonardo e os olhos dele estavam raiados, mas a expressão facial dele era uma mistura de raiva e dor.* Fiquei sem saber o que dizer. Esse foi o primeiro momento em toda a minha vida em que me permiti ouvir as justificações que ele tinha para me dar. E percebi que esses tios-avós, que, entretanto, já tinham morrido, tinham feito tudo para quebrar o elo que me unia a ele de forma a não me perderem. Trouxe o meu pai para casa e tentei compensar todo o tempo perdido, mas não consegui. Com a vida que ele levava na rua, desenvolveu um conjunto de doenças e debilidades que não o deixaram viver muito mais tempo. E pronto. Assim por alto foi isto que aconteceu, mas os verdadeiros culpados...

— Acho que já ouvi o suficiente. *Disse Leonardo para mim, com os olhos lacrimejantes.* Não sei o que você pretendia com isto!

Levantou-se, pegou a mochila e dirigiu-se para a saída.

— Espere! Me deixe explicar!

Corri até minha bolsa, peguei o globo de neve que havia pedido emprestado e que ainda trazia lá dentro e fui atrás dele.

Quando saí pela porta do edifício, Leonardo já tinha alcançado o passeio e preparava-se para entrar no carro ali estacionado.

— Espere! Não faz sentido você estar reagindo assim. *Disse enquanto corria na direção dele.* Até foi mal-educado com a dona Filomena. Ela só estava contando a história dela. Se o seu problema é comigo, devia ter deixado essa reação para quando estivéssemos a sós.

Ele parou no meio do passeio de costas para mim e eu estanquei junto ao portão. Depois deu meia-volta e olhou para mim.

— O que você pretendia ao me fazer ouvir aquela história?

Assim que terminou de formular a pergunta, coloquei o globo de neve nas suas mãos.

— Onde é que você foi buscar isto? *Perguntou.*

— Ao seu quarto de quando era criança. *Disse, sem medo de represálias da parte dele.* A sua mãe já me contou toda a sua história. Já não há nada a esconder. Só me falta saber a sua versão.

Leonardo baixou a cabeça, soltou um suspiro profundo, deixou cair os braços, com o globo numa das mãos, e ergueu a cabeça.

— A que horas você sai do seu trabalho?

— Dentro de uma hora, mais ou menos. Por quê?

Ele foi à mochila, tirou um dos cartões da fábrica, pegou uma caneta e escreveu qualquer coisa na parte de trás.

— Nós nos encontramos lá quando você sair. *Disse, ao mesmo tempo que me estendia o cartão.*

Ele contornou o carro, entrou nele e arrancou a toda a velocidade. Olhei para o cartão, que dizia apenas o nome de uma praça. Recolhi-me para o interior do lar, dei a Filomena uma justificação plausível para aquela situação e assim que terminei o serviço peguei a estrada. A praça que ele havia indicado ficava numa zona secundária da cidade, e quando lá cheguei percebi que não recebia muita atenção por parte dos seus responsáveis. Tinha muitas árvores altas e muito jardim em toda a extensão, mas o jardim era mais ervas do que flores. Tinha ainda umas máquinas para praticar desporto ao ar livre, que já não deviam funcionar por causa da ferrugem, e alguns divertimentos para crianças, que eram mais usados pelo sol e pela chuva do que pelas crianças. Olhei à minha volta para ver se o encontrava, mas sem sucesso. Continuei a caminhar praça adentro e ao longe avistei um vulto de costas, sentado num balanço. Só podia ser ele. Eu me aproximei e sentei no balanço do lado.

— Parece um lugar insignificante, não é? *Perguntou assim que me sentei sem necessidade de me olhar para confirmar quem era.*

— Sim, mas com certeza tem algum significado especial para você. Um significado que, presumo, você vai partilhar comigo agora.

— O meu pai, quando chegava em casa do trabalho, costumava me levar a uma espécie de trailer que havia numa praça perto de nossa casa nos arredores de Paris. E nós íamos lá comer um waffle, daqueles feitos na hora, bem quentinhos, com geleia de morango por cima. *Começou a me dar água na boca só de imaginar.* Parece que ainda tenho o sabor gravado na boca. A minha mãe ficava chateada porque preparava o jantar e eu às vezes quando regressava não tinha apetite. E nessa praça onde estava esse trailer havia durante o ano inteiro uns pequenos carrosséis para as crianças, mas eu não achava graça naquilo. Então, enquanto comíamos o waffle, eu e o meu pai caminhávamos até um pequeno jardim que havia ali perto e que tinha um balanço muito antigo. Lembro-me perfeitamente que o tempo que eu levava para comer o waffle era exatamente o mesmo que levava para ir daquela praça ao jardim. E o meu pai ficava me empurrando no balanço por tempos infinitos até que a minha mãe ligava para ele para voltarmos para casa para jantar.

— E este balanço é igual a esse tal em que você costumava andar com o seu pai e por isso é que você vem aqui, é isso?

— Não. Nem por isso. Este tem as pernas de madeira, o de lá era todo de ferro e tinha um desenho de um gato, também de ferro, em cima da trave. Lembro perfeitamente. Venho aqui porque este é o balanço mais próximo que eu conheço e que não tem pirralhos correndo de um lado para o outro e fazendo barulho. Eu não suporto crianças. Elas me irritam profundamente.

— Não diga isso. As crianças são o melhor do mundo!

— Claro! Por isso é que você trabalha com idosos. *Disparou.*

— Trabalho porque a vida assim me guiou, mas não é porque não goste de crianças, como é óbvio. Aliás, eu até faço voluntariado numa associação com crianças em perigo. E você diz isso porque na verdade você gostaria de voltar a ser criança, mas não pode. Pois é na sua infância que estão as últimas boas recordações que você tem da vida. E o fato de você vir aqui é a prova disso mesmo. Vamos ter de trabalhar essa história das crianças e da sua infância.

— Meu Deus! Quanto mais eu falo, mais me arrependo. Não comece a ter ideias para fazer isto e aquilo.

— Tarde demais, lembra que nós não estamos aqui porque somos os melhores amigos do mundo, mas sim porque você e eu temos um propósito a cumprir. Por isso, é claro que eu tenho de ter ideias para fazer *isto e aquilo*, mas depois falamos melhor sobre isso. Que outras recordações você tem da sua infância em Paris?

Ele fez um momento de silêncio, olhou para o céu, agarrou-se aos cabos do balanço e lhe deu um pequeno impulso.

— Lembro de um campo de futebol. Aqueles pequenos, de bairro, com o chão de alcatrão. Também costumava ir lá para jogar com os outros meninos da escola. Até porque o campo ficava mesmo em frente a ela. Eu queria jogar no gol, por isso havia sempre lugar para mim, porque mais ninguém queria essa posição. Mas foi um gosto que o meu pai me passou. Não sei como. Aliás, o meu sonho era ser goleiro no Paris Saint-Germain, o meu clube do coração. Eu sempre pedia ao meu pai para me levar ao estádio para ver um jogo, mas acabou por não chegar a acontecer. Entretanto, os meus pais se separaram, viemos para Portugal e o encanto passou, mas sim... eram coisas que me divertiam e faziam sonhar.

— E por que você reagiu daquela maneira no lar?

— Você acha que é fácil ouvir a história de um pai que fez o que aquele pai fez pela sua filha quando você tem um que não quer saber de você? Aliás, não sei o que passou pela sua cabeça para me fazer ouvir aquela história tendo em conta que já sabia a minha.

— Precisamente porque aquela senhora passou grande parte da sua vida acreditando que o pai não queria saber dela quando na verdade tudo não passava de um engano induzido pelos tios-avós.

— Está querendo me dizer que a minha mãe...

— Não! Claro que não! *Interrompi de imediato*. É óbvio que a sua mãe nunca faria uma coisa dessas, o que eu quero dizer é que deve haver uma razão forte para o seu pai não ter procurado você.

— A razão é simples, ele não quis saber mais de mim. Você acha que eu já não pensei que ele podia ter tido um acidente ou mesmo morrido? Claro que já pensei em todos os cenários possíveis, no entanto ele não deixou de falar comigo de um momento para o outro. Lembro que ainda estávamos em Paris e ele já tinha se separado da minha mãe e já não era a mesma coisa. Viemos para cá e ele ligou muito poucas vezes. A última delas com uma diferença de meses. Eu era muito novo, mas lembro bem disto tudo. E é óbvio que a mulher com quem ele ficou também fez sua cabeça para se desligar desta família, pois a que importava era a que iam construir juntos.

— Ele pode ter perdido o seu contato ou nem sabe onde é que vocês moram. Já pensou nisso? *Sugeri*.

— É claro que ele sabe onde nós moramos. Vivemos sempre na mesma casa desde que voltamos e ele não me visitou uma única vez. Ele sabe onde estou, eu é que não sei nada dele.

Por mais que quisesse contrapor as ideias dele para lhe devolver alguma esperança, não conseguia. Eu tinha chegado há semanas à vida dele e só há poucos dias tinha conhecido grande parte da sua história. É claro que ele já tinha pensado em tudo e posto todas as hipóteses em cima da mesa. As desconfianças já tinham dado lugar às certezas e estas por sua vez tinham se depositado como rochas no fundo da consciência de Leonardo. Eram elas que de certa forma vedavam o acesso ao lado bom dele, e destruir essa barreira iria ser um enorme desafio. Nada que uma boa dose de paciência, persistência e bom humor não conseguisse resolver.

— Já pensou em ir à procura do seu pai e resolver isso?

— Já, já pensei! *Respondeu prontamente, com acidez.* Mas não seria para resolver coisa nenhuma, era só para ter o prazer de jogar na cara dele tudo aquilo que ele me fez passar por me fazer viver sem um pai, mesmo tendo um. Está tudo aqui entalado na garganta, mas não sei se por vergonha ou falta de coragem ainda não fiz.

— Talvez você tenha se acomodado. Nós temos por natureza o mau hábito de adiar uma cura só porque ela dói. Não admitimos, mas a verdade é que preferimos ir sofrendo devagarinho com a possibilidade a sofrer muito de uma só vez com a certeza. E é por isso que adiamos tanto. Adiamos porque nos falta coragem para assumir aquilo que é melhor para nós. Então vamos sempre deixando para depois até ficarmos encurralados e o destino nos obrigar a tomar uma decisão. Nós nos acomodamos tão facilmente a uma meia tristeza que chegamos a acreditar que ela é uma meia felicidade, mas uma meia felicidade nada mais é que uma infelicidade disfarçada. Acredito que seja isso que está acontecendo com você. E quando disse procurar e resolver, é óbvio não foi no sentido de se vingar dele, nem jogar coisas na cara dele, mas sim de desabafar, o que é um pouco diferente, e depois perdoá-lo.

— Perdoar? *Ele olhou para mim como se eu o tivesse ofendido.*

Entretanto, surgiu um casal com uma criança pela mão, bem ao lado do local onde estava o balanço. Descemos do balanço e a família aproximou-se. Sorri para eles enquanto nos afastávamos para o lado para que eles pudessem usufruir do espaço.

— Agradeça aos meninos. *Disse a mãe à criança.*

O menino soltou um *obrigado* enrolado no pirulito que tinha na boca e eu estiquei a mão para cumprimentá-lo.

— Agora cumprimenta o namorado da menina. *Pediu a mãe.*

— Nós não somos namorados. *Dissemos em uníssono.*

— Vamos embora daqui. *Falou Leonardo, virando as costas.*

Lancei um sorriso envergonhado àquela família e segui-o.

— Custava muito ter cumprimentado o rapazinho? *Perguntei, enquanto tentava alcançá-lo com o passo acelerado.*

— Já disse que não gosto de crianças, não tenho paciência. Além disso, estou atrasado. Já perdi muito tempo aqui.

— E já reparou que sempre sai correndo e bravo de todo lugar? Foi no jantar na sua casa, foi agora pouco no lar, agora aqui. Também está atrasado para ir ver a sua amiga Rita, é?

Ele estacou no caminho e virou-se para trás na minha direção, quando parei diante dele já estava arrependida de ter dito aquilo.

— O que é que você tem a ver com isso? E se for? Pelo menos ela não se mete na minha vida e não está sempre me chateando nem dando palpites do que é ou deixa de ser. *Disparou ele com escárnio.*

Aquela frase me magoou tão profundamente e de várias maneiras que senti vontade de o insultar.

— Chatear? Tenho me esforçado tanto para tentar te ajudar e você vem me dizer que eu te chateio? Você não vale mesmo a pena. Eu é que sou estúpida por estar aqui perdendo o meu tempo.

Virei as costas para ele e saí sem olhar mais para trás.

Eu tinha ficado pensando no episódio do parque o resto do dia e ainda todo o dia seguinte. Quando eu começava a acreditar que havia alguma esperança, Leonardo me cortava logo as asas. A ingratidão e incompreensão da sua parte eram gritantes. Estava cada vez mais difícil não desanimar e arranjar forças para levar aquele desafio até o fim. O problema é que, quanto mais me envolvia naquela tarefa e mais conhecia a história dele e da mãe, mais difícil era me desligar e ficar indiferente. E logo eu que me preocupava com tudo e todos e sentia uma obrigação instintiva de ajudar todo mundo, mesmo quando não me pediam. Às vezes sinto que precisava ser mais egoísta. Não no sentido de me preocupar só comigo, mas no sentido de me preocupar primeiro comigo. Por mais que eu soubesse que havia uma espécie de recompensa por aquele esforço, eu também sabia que não deixaria de fazer tudo aquilo mesmo que não fosse receber ou tivesse recebido algo em troca. Lembrei-me então das palavras de Leonardo quando me disse que eu era tão boazinha que não conseguia dizer não. Talvez tivesse mesmo razão, e talvez aprender a dizer não fosse o primeiro passo para eu andar para a frente e ser finalmente feliz em todos os campos da minha vida. Eu já sabia que ser feliz exigia, inevitavelmente, uma dose de egoísmo. Por vezes implica que alguém fique triste ou que alguém passe para o segundo lugar na lista de prioridades, mas eu ainda não sabia como lidar com a culpa de escolher não colocar todo mundo em primeiro lugar por eu também ter direito a estar lá. Como se ao fazê-lo não tivesse mais direito a ser feliz por me considerar egoísta demais. Ponderei seriamente começar a fazê-lo com Leonardo. Dizer de uma vez que não precisava me cansar por alguém que não se esforça e não se interessa quando ele é que devia ser o mais interessado, depois me lembrei de algo que Nicolau me disse e que me fez repensar em tudo. Eu não devia, segundo ele, esperar nada de Leonardo. Não devia esperar que ele reconhecesse o meu esforço, que o retribuísse ou recompensasse. Ou seja, a ingratidão que eu poderia sentir da parte dele não deveria ser argumento para a minha desmotivação, pois não devia esperar nada. E se eu esperava então era erro meu. Aquilo não era um relacionamento em que se dá e recebe, aquele jogo tinha regras particulares e talvez eu é que estivesse jogando de forma errada ao esperar algum empenho da parte dele. Lembrei-me ainda de que Nicolau me pedira para não me sentir frustrada e por isso tentei me esforçar mais para não querer nada em troca, pois não tinha de querer. Iria fazer o que podia e se fosse bem-sucedida melhor, mas, se não fosse, ai de mim que me sentisse mal com isso. Mas no dia seguinte àquela recaída de Leonardo, e quando eu ainda digeria a descompostura que me dera, a minha mãe chegou em casa com uma novidade.

— Lembra daquela situação que se passou com o filho da senhora Lurdes, no meu primeiro dia lá na fábrica? Você até me perguntou um dia destes se ele me tinha pedido desculpas.

— Sim, claro que me lembro. Ele já se desculpou?

— Você disse alguma coisa a ele, Beatriz? *Perguntou com ar curioso, enquanto cruzava os braços.* Não minta para mim!

— Mãe, diga logo! Ele já se desculpou ou não?

— Então foi assim. Eu estava lá na minha seção fazendo o meu serviço e o rapaz apareceu sem eu esperar, estava um pouco atrapalhado até, e começou a me explicar que não tinha sido correto comigo no primeiro dia e que tinha exagerado. Notava-se que não era costume pedir desculpas. Nem sabia usar as palavras certas, mas foi um gesto muito bonito. Ele me pediu desculpas e... Ah! Já estava esquecendo. *Foi à bolsa e retirou uma pequena caixa que me passou para as mãos.* Me pediu para te entregar isto.

Franzi a testa, peguei devagarinho a caixa e lancei um olhar intrigado para minha mãe na esperança de que me dissesse o que era. Tinha o logotipo da empresa na tampa, por isso não era difícil perceber que era algo doce. Abri e eram bombons.

— Eu tenho de admitir que já sabia. *Disse a minha mãe.*
A minha curiosidade tinha de ter sido herdada de alguém.

— Eu morria se você não abrisse a caixa antes de me mostrar.

— Por acaso não abri. Ele é que me deu uma para mim também. *Disse, ao mesmo tempo que tirava uma segunda caixa da bolsa.* Imagino que ele também te deva um pedido de desculpas...

— Sim. Deve. Mas que não pense que me vai comprar com doces. Assim como fez contigo, também vai ter de me pedir desculpas pessoalmente. *Tirei um bombom da caixa e o coloquei boca.* O raio dos bombons são mesmo bons. Isto é recheio de framboesa?

— Só se forem os seus, eu provei um da minha caixa e o recheio era de caramelo. São deliciosos. Acho que iriam funcionar bem lá na fábrica. Bombons de fabricação tradicional são uma boa ideia.

— Espera... Então vocês não fazem isto na fábrica? Mas a caixa vem com o logotipo da empresa, deve ter sido feito lá.

— Não, não produzimos bombons. A não ser que tenha sido ele mesmo que confeccionou, mas não estou vendo isso acontecer.

— Eu também não. De qualquer forma, ele que não pense que me compra com isto. Vai ter de pedir desculpas cara a cara.

Peguei a caixa e fui guardá-la no quarto. Sim, tinha sido um gesto bonito e até tinha me surpreendido, mas ele tinha de ter coragem de admitir na minha frente que tinha errado. Talvez assim começasse a ganhar uma postura séria na vida. Podia ter dito aquilo da boca para fora, mas o que é certo é que tinha me magoado. Se havia uma coisa que me custava engolir era a injustiça e a ingratidão. Os bombons eram, de fato, deliciosos e, como se não bastasse, eram muito poucos. Dava para ver que nas mãos de uma gulosa como eu não iriam chegar a ver o nascer do sol. No dia seguinte, poucos minutos depois de a minha mãe ter chegado do trabalho, a campainha tocou e eu fui atender o interfone. Quando perguntei quem era, do outro lado uma voz respondeu somente *Leonardo*. Tapei o microfone com a palma da mão, dei um passo para o lado e olhei para a minha mãe, que estava junto à mesa da cozinha.

— O Leonardo está lá embaixo no prédio!

— Ah! Ele hoje quando cruzou comigo na fábrica perguntou se você tinha gostado dos bombons. Eu disse que sim e acabei confidenciando que você iria exigir dele um pedido de desculpas pessoalmente. Foi você que disse isso, não me culpe. Quando soube disso, ele perguntou se podia passar aqui e eu lhe dei o endereço.

— Por que você não disse para ele ir falar comigo no lar?

— Ó filha! Você não pode ficar conversando no seu local de trabalho.

Ela tinha razão e eu não podia deixá-lo à minha espera. Disse que já ia descer, peguei as chaves e entrei no elevador. Quando saí do prédio, encontrei-o encostado ao seu Mercedes.

Ele apertou os lábios assim que me viu e eu me aproximei.

— Parece que você já sabe onde eu moro. *Disse assim que cheguei junto dele.* Quando quiser entregar bombons em domicílio...

— Quarto esquerdo frente. Não me esqueço. A sua mãe me falou que você gostou deles, mas aparentemente não foram suficientes.

— Oito bombons não chegam para nada. Sou muito gulosa e o meu quase metro e sessenta precisa de muito mais para se manter.

— Eu estava me referindo às desculpas. Eles não foram suficientes para você me desculpar por aquilo que disse no outro dia no jardim.

— Ah bom! Sim, foi bonito, mas acho que você deve concordar que fica sempre bem dar a cara e assumir olhos nos olhos que não se comportou bem. Talvez outra pessoa não desse importância. Mas, em primeiro lugar, eu sou mulher, logo dou importância a tudo o que você diz, como diz e até o que pode estar a querendo dizer com o que diz. E, além de ser mulher, sou a Beatriz. E só eu sei o esforço que tenho feito para te ajudar, apesar de todos os problemas que tenho na minha vida pessoal, no trabalho e até em casa com a minha irmã adolescente, por exemplo. É claro que me faz muito mal te ouvir dizer que prefere a companhia de outra pessoa porque eu te chateio e me meto na sua vida, quando eu sempre fiz isso com a melhor das intenções.

Um ônibus parou no ponto que havia bem em frente ao meu prédio e pouco depois, como se tivesse me ouvido falar nela, surgiu a minha irmã, que regressava do colégio. Assim que me viu conversando com Leonardo, começou a sorrir de um jeito provocante e não perdoou na hora de passar atrás de mim.

— Namorado novo, maninha? *Perguntou com um riso.*

— Não é... Oh! *Desisti da ideia de corrigi-la e retomei a conversa.* Me diga o que tem para me dizer.

— É isso, quero te pedir desculpas por essa saída não muito boa da minha parte. *Ele disse, sem me olhar.* Eu tinha dito, quando fomos ao cinema, que eu não ia dificultar a tarefa que você tinha pela frente comigo e reparei que não estava cumprindo a minha palavra. E reconheço que fui injusto contigo nesse momento.

— Nesse e não só, mas tudo bem. Desculpas aceitas. No entanto, para eu arquivar o processo vou precisar de outra caixa dos bombons com recheio de framboesa, que estavam deliciosos. Mas a minha mãe me disse que não se fazem estes bombons lá na fábrica, não me diga que foi você que os fez? *Ele levantou a sobrancelha e acenou afirmativamente com a cabeça.* Isso é incrível! Então, sendo assim, vou reformular o meu pedido. Eu quero os bombons, mas também quero que você me ensine a fazê-los.

Ele fez uma pausa, pensativo, antes de me responder.

— Você está com tempo? *Levantei o polegar.* Então vem comigo.

Entramos no carro, iniciamos a viagem e eu reconheci o percurso todo que ele estava fazendo. Estávamos indo na direção da sua casa, mas quando chegamos lá, em vez de entrar na casa, entrou na fábrica, que ficava em frente e estava deserta, uma vez que já tinha terminado o horário de trabalho. Saiu, sem dizer uma palavra, e eu segui os seus passos. Entramos no edifício, percorremos um extenso corredor, dobramos uma esquina e seguimos por mais um corredor até ele parar diante de uma porta que era diferente de todas as outras. Destrancou-a, acendeu a luz e fez sinal com a cabeça para que eu entrasse na sua frente. Era um laboratório, não tinha janelas e as paredes estavam forradas com recortes e apontamentos escritos a mão. Havia armários por todo lado repletos de todo o tipo de especiarias e ingredientes e ainda uma bancada com os mais variados utensílios, um forno e uma geladeira. Era um espaço que tinha tanto de acolhedor como de misterioso.

— Foi aqui que o meu avô criou grande parte das suas receitas. A maior parte delas nunca chegou à linha de produção, mas é como qualquer artista, há sempre umas criações que se destacam mais do que outras. E posso dizer que são algumas centenas que estão por aqui guardadas e perdidas nestas gavetas. Ele dizia que não era um criador de doces, mas de sensações, que juntando os ingredientes certos conseguiria despertar qualquer tipo de sensação na pessoa que provasse a receita. E essa ambição o levou a conhecer a fundo não só a culinária de uma forma geral como o próprio ser humano. Por isso é que ele era tão sábio. Quando ele comentou na cozinha que quando eu era criança andava sempre perto dele quando estava criando as suas receitas, era nesta sala que isso acontecia. A dada altura, nós dois, embora eu fosse criança e não percebesse nada, decidimos criar bombons de recheio que ele batizou de *Linha Lacroix*. E esses bombons corresponderiam a um determinado sentimento, gesto ou atitude. Num sentido positivo, claro. E determinamos, por exemplo, que o recheio de caramelo correspondia ao grupo associado à culpa, arrependimento, perdão, absolvição etc.

— Espere... Se os da minha mãe eram de caramelo e você deu para ela como símbolo de arrependimento e pedido de desculpas, então os meus, que eram de framboesa, foi com que significado?

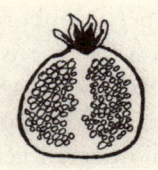

— Os que eu preparei para a sua mãe simbolizam a pacificação entre duas pessoas. Invocam o perdão e a reaproximação entre as duas, por exemplo. O seu invoca a gratidão. Ou seja, o seu não foi no sentido de um pedido de desculpas, mas sim de um agradecimento.

Ignorei a infinidade de perguntas que tinha para lhe fazer e saciar a curiosidade que despertou em mim e fui direto à pergunta que mais me interessava saber naquele momento.

— Você tem um obrigado para me dizer? Mas por quê?

Leonardo encostou-se a uma das bancadas, apoiou as mãos sobre a pedra de granito e olhou à sua volta antes de parar em mim.

— Tenho de te agradecer por todo o esforço, tempo, paciência e dedicação que você tem comigo. Mesmo sem eu fazer por merecer, você persiste, se empenha e se preocupa. Tenho sido um verdadeiro imbecil contigo e não só, mas é como se fosse mais forte do que eu. Não é algo que eu controle. Sou assim, me arrependo e engulo o arrependimento. Estou te dizendo isto agora, mas se daqui a pouco tiver um motivo para ser desagradável vou ser.

— Mas se você sabe que vai se arrepender e se sabe que é errado e desagradável, então simplesmente não o faça. Não custa nada pensar duas vezes antes de dizer as coisas. Eu também sou impulsiva, só que não no mesmo sentido que você. Enquanto eu digo verdades a mais e desnecessárias, você distorce a realidade só para magoar.

— Sim, talvez você tenha razão, mas quando naquele dia eu te disse aquilo no jardim e você decidiu ir embora de repente e eu fiquei lá, parado, vendo você ir embora e refletindo, tomei consciência do idiota que estava sendo e isso me levou a tomar duas decisões. Uma delas foi deixar de uma vez de resistir à mudança e começar a fazer o que tinha de ser feito, que era pedir desculpas à sua mãe por aquele episódio e agradecer você por tudo o que você tem feito.

— E qual foi a segunda decisão que você tomou?

— Isso agora não interessa. Não viemos aqui para falar, mas sim para eu te ensinar a fazer os bombons caseiros. Por isso, comece pegando na geladeira uma embalagem de framboesas, uma de mirtilos e um frasco de geleia de framboesa. Eu vou cuidando do chocolate. Ah! E cuidado com essas mãos de manteiga...

Eu começava a desconfiar que as pessoas faziam de propósito para me deixarem curiosa. Mas também não ia fazer muito esforço para tentar descobrir qual tinha sido a segunda decisão, pelo menos naquele momento. Fiz o que ele tinha me indicado e começamos a preparar a receita. Ele me entregou a responsabilidade de fazer o recheio, que era a parte mais importante, e durante o processo ia supervisionando tudo o que eu fazia e indicando cada passo seguinte. Eu sabia que ele não tinha mudado de um momento para o outro, mas enquanto estávamos envolvidos naquela tarefa era um Leonardo completamente diferente que estava ali. Um pormenor que eu já tinha reparado quando da primeira experiência em sua casa com Nicolau e ainda na sua demonstração no lar. Provas não faltavam de que, quando estava concentrado em determinada tarefa, era como se o guarda que estaria dentro do seu coração adormecesse e permitisse que o seu lado bom fugisse da prisão. Evitei tocar em qualquer assunto que não tivesse a ver com aquela atividade para permitir que ele estivesse naquele estado de concentração durante o maior intervalo de tempo possível. Depois de despejar em um recipiente todos os ingredientes que me indicou e de ter triturado e misturado todos com uma varinha mágica, ele me deu um saquinho de canela para que polvilhasse a mistura.

— Cuidado! *Alertou assim que eu me preparava para começar.* Não faça como com a farinha para os petit gâteaux. Se despejar demais, temos de recomeçar tudo de novo.

— Então é melhor você fazer esta parte.

— Não, não vou fazer. O que eu posso fazer é te dar uma ajuda.

Ele se colocou por trás de mim, pegou na minha mão que estava segurando o saquinho e começou a abaná-lo, fazendo a canela cair sobre a mistura. O seu corpo nunca esteve tão perto do meu como naqueles dois segundos em que agarrou minha mão. Senti um arrepio na nuca e depois uma sensação estranha a percorrer o meu corpo. Tudo aquilo era uma novidade e fiquei imobilizada a olhar para a mistura dentro do recipiente sobre a bancada. Leonardo estalou os dedos à minha frente e foi como se eu acordasse de um estado de hipnose.

— Está tudo bem? *Perguntou.* — Desculpe... Acho que parei no tempo. O que eu faço agora?

— Agora mexa isso, que eu vou tirar as formas da geladeira.

Leonardo já tinha despejado o chocolate nas formas, escorreu o excesso e colocou na geladeira para a camada exterior do bombom solidificar. Quando as retirou, colocamos o recheio em cada uma e por fim mais uma camada de chocolate para fazer a base do bombom. Levou uma última vez à geladeira e agora só nos restava esperar durante alguns minutos. Reparei depois numa pasta em cima da bancada que me despertou a curiosidade.

— São as outras receitas de bombons para os diferentes sentimentos. *Disse Leonardo, antecipando-se à minha pergunta.*

Ele voltou a se aproximar por trás de mim, abriu a pasta e começou a folhear as receitas uma a uma, fazendo uma breve exposição sobre cada uma delas. O meu corpo voltou a reagir àquela presença tão próxima e não conseguia perceber por quê. O ritmo cardíaco acelerou e estava ficando desconfortável só pelo fato de não conseguir encontrar uma explicação lógica para aquela sensação. Comecei a me sentir mal comigo mesma por me sentir bem e desejar que ele continuasse ali junto a mim. Leonardo continuava a folhear normalmente as inúmeras receitas que estavam dentro da pasta e parava em algumas que achava mais relevantes e desenvolvia um pouco mais acerca dos ingredientes utilizados no recheio e a simbologia que estaria implícita. Falava com a boca tão perto do meu ouvido que parecia que a sua voz estava ressoando dentro da minha cabeça. Um pormenor que não ajudava a me acalmar. Quando apontei para o nome de um ingrediente estranho que encontrei numa delas para que me explicasse o que era e para que servia, percebi que o meu dedo estava tremelicando e recolhi-o rapidamente. Se ele percebeu alguma coisa não demonstrou, porque deu a sua explicação como se nada fosse e continuou a folhear.

— Isto é tudo muito bonito, mas o que eu quero saber é se há alguma destas receitas de bombons que nos ajuda a despertar para o amor e a ser feliz nesse campo da vida. *Perguntei. numa tentativa de afastar aquela sensação.* Isso é o que me interessa saber. Aposto que o recheio deve ter qualquer coisa a ver com morango.

— Não me diga que quer que eu passe a comer uma caixa desses por dia para ver se fico curado. *Deu uma gargalhada.* Mas isto também não funciona assim. Não são bombons mágicos. São apenas experimentos do meu avô. É mais simbólico do que outra coisa. Mas sim, você tem aqui uma receita que está associada à amizade e ao companheirismo. Que também é amor, segundo o que ele me dizia. E depois tem outra que é mesmo sobre isso. Me deixe ver se a encontro. *Ele se afastou para o lado para folhear mais depressa e foi como se eu começasse a respirar melhor.* Mas não há nenhuma receita para ser feliz no amor, tira o cavalinho da chuva.

Naquele momento, os meus pensamentos viajaram instantaneamente até a primeira gaveta da minha mesinha de cabeceira, onde estaria a suposta receita para ser feliz no amor que Nicolau havia deixado, e me questionei se Leonardo tinha ou não razão naquilo que acabava de me dizer. Me senti ingênua durante uma fração de segundo e depois voltei a confiar em Nicolau e a acreditar que ele sabia o que estava fazendo. Como me disse o seu neto, assim que entramos naquele laboratório, ele era um grande estudioso do ser humano e por isso algo de relevante ele diria naquele envelope.

— Encontrei! *Exclamou Leonardo*. E não, lamento informar, mas o recheio não é de morango, é de romã.

Olhei para ela e me questionei se seria aquela que estaria dentro do envelope. Certamente não seria um doce milagroso que ele tinha deixado, mas isso começou a despertar algumas dúvidas.

— Só existem estes exemplares? Não há cópias?

— Não, por acaso eu preciso cuidar disso. Já pensou se isso pega fogo por algum motivo e nós perdemos tudo? Mas se quiser pode ficar com ela. Tira uma foto com o celular e pronto. *Segui a sugestão dele e tirei uma foto*. Mas, como disse, isto é simbólico. É apenas para oferecer às pessoas por quem você demonstra determinado sentimento. Seja arrependimento, gratidão, amizade, amor etc.

— Você já ofereceu algum destes com recheio de romã a alguém? *Não sei por que fiz aquela pergunta, mas agora já era tarde.*

— Não, claro que não. Os únicos que fiz foram para você e para a sua mãe. A quem é que havia de oferecer um destes?

— Não sei, a uma namorada sua, talvez. Estou apenas supondo...

— Eu estaria perdido se assim fosse. Tinha de fazer uma linha de montagem aqui na fábrica só para bombons de recheio de romã.

Eu não sabia se devia me sentir especial por ter sido uma das únicas a receber bombons feitos por ele ou me sentir mal por saber que tinha tido assim tantas namoradas, mas também não tinha nada a ver com isso e nem sequer percebia porque é que estava tendo aquela conversa. O que é que se passava comigo?

— Vou fazer de conta que você não acabou de te autoconsiderar um Don Juan. Adiante. Se agora finalmente você percebeu que estava sendo injusto comigo e tomou consciência, espero eu, de que tem mesmo de mudar e que isso vai ser bom para você e para quem te rodeia, acho que chegou a hora de começarmos a tratar desse complexo ou preconceito que você tem com as crianças.

— O que é que isso vai mudar em mim? Apenas não gosto de crianças. Eu também não gosto de feijões. Você acha que eu se passar a gostar de comer feijões vou ser uma pessoa melhor? Não vou.

— Quando digo crianças, digo pessoas. No fundo, você tem aversão a pessoas. E é das pessoas que vem o afeto. Quando evita as pessoas, você vira antissocial, se torna insensível, frio e distante. Mais uma prova disso é essa lista enorme de namoradas que você me deu a entender que já teve. Até pode passar uns bons momentos com elas, mas chega a um ponto em que elas esbarram num enorme cubo de gelo que você tem no teu peito. Quando começou a se a fechar, ainda na infância, por causa de tudo o que aconteceu com os seus pais, isso o fez se afastar das pessoas e consequentemente do afeto. Vamos ter de trabalhar isso e eu proponho que seja através de voluntariado.

— Voluntariado? Mas onde? Com quem? Fazendo o quê?

— Calma! Eu proponho que você faça isso porque eu também faço e sei que são experiências verdadeiramente transformadoras e inspiradoras. O voluntariado é a melhor forma de pôr você em contato direto com pessoas. Você vai comigo e não tem de se preocupar com nada. Qualquer dúvida eu te explico. Eu faço voluntariado com crianças e adultos, e como tudo isto já é imposição suficiente para você vou te deixar pelo menos escolher com quais deles você quer trabalhar.

— Tudo bem. Não vou colocar entraves, como te disse, mas, já que permite escolher, eu vou optar pelos adultos. Claro.

— Perfeito! Vamos lá tirar esses bombons da geladeira que eu quero comprovar se tenho ou não jeito para isto.

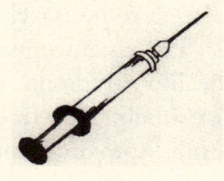

Fiquei verdadeiramente animada com aquela mudança de postura por parte de Leonardo. Tendo em conta o que me disse Nicolau de que o neto o respeitava muito e faria o que ele tinha pedido, eu imaginava que ele mais cedo ou mais tarde acabasse seguindo as minhas sugestões e orientações. Contudo, nunca senti abertura para uma mudança por parte dele, e aquele foi o primeiro momento em que ele demonstrou isso. Podíamos não chegar juntos ao nosso destino, mas havendo vontade da parte de Leonardo pelo menos chegaríamos mais perto. E a predisposição manifestada por ele tinha sido como um balão de oxigênio. Nunca é a falta de ajuda o maior responsável por não chegarmos ao nosso destino, tampouco a falta de oportunidades, força, motivação ou sorte, mas sim a falta de vontade. Contudo, ela também não faz tudo sozinha. Pois de nada vale a vontade se não houver esforço, de nada vale o esforço se não houver paciência e de nada vale a paciência se não houver esperança. Ninguém muda ninguém, mas, quando mudamos a nós mesmos, tudo à nossa volta muda automaticamente. Alguém vai se afastar, alguém vai se aproximar. Alguém vai se esconder, alguém vai se revelar. Mas tudo parte sempre de dentro para fora e nunca ao contrário. Consegui ter a certeza disso mesmo quando Leonardo me confessou que a minha reação no jardim o fez refletir sobre a pessoa que estava sendo e mudar a sua postura. Sem querer eu tinha dito não a ele pela primeira vez e isso o fez abrir os olhos. Ou seja, a mudança dele acabou por ser impulsionada por uma mudança minha. No dia seguinte fui mais cedo para o lar para ter tempo de falar com a dona Zélia e dizer a ela que finalmente regressaria à ronda noturna com o grupo de voluntariado pelo qual ela era responsável naquele dia da semana e que levaria companhia. No entanto, assim que cheguei ao lar encontrei um carro conhecido parado na rua em frente ao portão. Era o carro de Lurdes, e a primeira ideia que me ocorreu foi que ela teria ido lá à minha procura. Aproximei-me do carro e vi que não tinha ninguém no interior, e assim que me preparava para entrar pelo portão ela surgiu acompanhada pelo doutor Brandão, diretor do lar, ambos bastante sorridentes. Um sorriso que se esfumou no rosto dela assim que me viu.

— Olá, Beatriz! *Respondeu, atrapalhada*. Eu... eu vim aqui tratar de uns papéis sobre o meu pai e não esperava encontrar você.

— Olá, dona Lurdes. Que bom vê-la. Não tem de se justificar.

— Claro! Tem toda a razão. Como estão indo as coisas?

— Penso que estão indo muito bem. Tivemos um bom avanço recentemente e tenho umas ideias muito interessantes para pôr em prática e se possível ainda hoje.

— Que boa notícia, depois temos de falar sobre isso...

Eu me despedi e me dirigi à porta de entrada do lar. Durante aqueles escassos metros atrevi-me a olhar para trás na direção deles, como por instinto, e reparei que estavam olhando para mim. O que tornou aquele momento ainda mais constrangedor. Continuei caminhando para o interior do edifício e assim que entrei todas as peças começaram a se encaixar na minha cabeça. O momento em que Lurdes chegou em casa, já de noite, quando eu e Leonardo ainda estávamos dentro do carro e toda a conversa que se seguiu com ele sobre a possibilidade de ela ter algum companheiro. E mais tarde, quando o doutor Brandão encontrou Leonardo no lar e ele próprio estranhou a confiança com que falara da sua mãe. Eu a tinha justificado com a postura habitual do doutor Brandão, mas percebi que afinal a intriga de Leonardo tinha algum fundamento. Certamente havia algum caso entre os dois, o que era perfeitamente aceitável, justificável e até bonito, tendo em conta que eram duas pessoas livres. Quem não ia gostar muito da ideia era Leonardo. Quando encontrei a dona Zélia, partilhei com ela a minha intenção e ela ficou contente com a ideia. Ela me explicou qual era o plano e o percurso que iria ser feito naquela noite, inclusive os bairros por onde iríamos passar, e eu transmiti a informação via mensagem para Leonardo para que estivesse preparado e não combinasse outras coisas para aquela noite. À hora marcada, Leonardo apareceu no local combinado. Era uma garagem onde o grupo de voluntários se reunia para cuidar da comida que nessa noite seria distribuída pelos diferentes pontos da cidade onde se reunia um maior número de pessoas carentes. Durante algumas horas preparavam-se sacos com sanduíches, frutas e água. Preparavam-se grandes quantidades de sopa, salada de frutas, chá, leite e café e ainda se selecionavam algumas roupas e mantas que eram doadas e estavam em boas condições de serem distribuídas. Eu e Leonardo ficamos responsáveis pela roupa, enquanto o restante do grupo cuidou da parte alimentar. Admirava-me que Leonardo não fizesse nenhuma reclamação. Fora algumas expressões azedas de vez em quando, depois de alguns espirros provocados pelo pó da roupa, arriscava-me a dizer que ele estava gostando de desempenhar aquela função. O que me deixou com um leve sorriso no rosto. Assim que todos terminaram de cumprir as respectivas tarefas, carregamos quatro carros com os diferentes mantimentos, que seguiram em caravana em direção ao primeiro bairro da ronda. O da frente, onde ia a dona Zélia, levava os sacos com os sanduíches, as frutas e a água, o segundo levava a sopa e a salada de frutas, o terceiro o chá, o café e o leite e, por último, o meu, onde íamos eu e Leonardo, levando as roupas e as mantas. Quando a caravana chegou ao primeiro bairro da ronda, as pessoas já estavam à nossa espera, pois era um procedimento diário, embora cada dia com um grupo de voluntários diferente. Estacionamos os carros e elas mesmas foram-se aproximando de cada um, recolhendo a sua dose diária. Algumas vinham até o meu e perguntavam cheias de vergonha se tínhamos algumas calças do seu tamanho ou então alguma roupa para menino ou menina de uma determinada idade para levarem para os filhos. Eu e Leonardo íamos remexendo a roupa numa tentativa de satisfazer aqueles pedidos. Quando deixamos de ser solicitados e as pessoas se recolheram para os seus abrigos, regressamos aos carros e seguimos juntos, como era do protocolo, até o bairro seguinte, que ficava fora do centro da cidade, não tinha muita iluminação e era ocupado essencialmente por dependentes químicos e sem-teto. Entramos por uma ruela escura e não se viu ninguém por longos metros. Mas, assim que paramos os carros, começaram a surgir rostos nas janelas de vidros quebrados. Olhei para Leonardo e vi-o apreensivo.

— Fique tranquilo. É um pouco assustador, mas eles já sabem o motivo de termos vindo. Eles não nos fazem mal porque só têm a perder com isso. Não são más pessoas, são apenas vítimas.

— Não duvido disso, o problema é que há sempre exceções.

— Só quando conhecemos um mundo destes é que começamos a dar valor àquele em que vivemos e a ter noção da sorte e da saúde que temos. É impossível sair daqui sem uma visão diferente da vida. Não da deles, mas da nossa.

Leonardo abanou a cabeça, me dando a indicação de que tinha entendido aonde eu queria chegar, e não abriu a boca. Aliás, pouco tinha falado desde que começamos a ronda. Parei o carro, saímos e o procedimento repetiu-se. A expressão de Leonardo estava mais carregada. Eu não podia culpá-lo, era uma realidade estranha para ele. Eu mesma senti aquilo na minha primeira vez como voluntária. Quando a afluência de pessoas baixou e começamos a nos preparar para ir embora, aproximou-se um homem também de aspecto débil, mas não tanto como os restantes, e perguntou se tínhamos um vestido rosa para uma menina de oito anos que dizia ser sua filha.

— Deixe-nos ver aqui. Penso que deve haver algum. *Respondi.* Veja no saco daquele lado, por favor. *Pedi a Leonardo.*

Ele contornou o carro, abriu a porta de trás do outro lado e começou a procurar noutro saco. Encontrei um vestido de jeans e sugeri-o ao homem, que recusou insistindo que tinha de ser rosa.

— Sabe... ela sempre quis ter um rosa, como nos contos de fadas. *Dizia o homem enquanto remexíamos na roupa.* Mas eu não tenho dinheiro para comprar um para ela. É uma pena. É uma pena.

Eu estava tão empenhada em encontrar um vestido segundo a descrição daquele homem que nem percebi que estavam todos à nossa espera para seguir para o próximo bairro.

— Temos de ir, Beatriz. *Avisou a dona Zélia.*

— Tenho de encontrar um vestido para a filha deste senhor, não vou embora enquanto não verificar nos sacos todos. Vão indo.

— A Beatriz sabe que faz parte do protocolo andarmos sempre em grupo. Não vamos deixar vocês para trás.

— Não se preocupe, é só o tempo de confirmar nos sacos e já alcançamos vocês. Vão na frente senão a comida esfria e é pior.

— Eu não quero atrapalhar o seu trabalho, senhora, eu só queria mesmo o vestidinho para a minha menina.

— OK! Vamos andando, mas qualquer coisa me liguem!

Os três carros arrancaram e eu fui verificar nos sacos de roupa que tínhamos no porta-malas. Leonardo me ajudou.

— Peço mil desculpas pela demora. *Lamentou o homem.*

— Não faz mal, havemos de encontrar um. *Disse Leonardo.*

Pouco tempo depois de o restante grupo ter seguido viagem, um carro visivelmente deteriorado se aproximou e parou ao lado do meu. O meu coração disparou nesse momento. Estávamos literalmente sozinhos ali. Leonardo olhou para mim de olhos arregalados, na expectativa. Saiu um homem de dentro do carro e abriu o porta-malas.

— Eu procuro o vestido em casa. *Disse o homem. que já estava conosco com um tom de voz muito diferente do anterior, ao mesmo tempo que punha as mãos em um dos sacos de roupa.*

— Ei! Essa roupa é para dar a outras pessoas! *Gritei.*

Assim que acabei de dizer aquela frase, o homem me deu um empurrão que me atirou de costas contra a calçada. Leonardo puxou-o para si, mas foi imediatamente agarrado pelo outro homem, que tirou uma seringa do bolso e apontou-a para o pescoço dele.

— Foge! *Gritou Leonardo para mim.*

Fiquei paralisada no chão, e enquanto isso o homem que nos pedira o vestido rosa, com certeza para nos fazer demorar de forma a ficarmos ali sozinhos, continuava a carregar o outro carro com os sacos de roupa que tínhamos trazido. Estava, claramente, mais preocupado em transferir a mercadoria do que comigo.

— Passa o celular, miúda! Ordenou o homem que apontava a seringa para o pescoço de Leonardo.

Tirei o celular do bolso e atirei-o para junto dos pés dele.

— Foge, porra! *Voltou a insistir Leonardo.*

— Eu não te vou deixar...

— Foge daqui e se esconde! Agora!

Eu me levantei e considerei me atirar em cima do homem, mas corria o risco de no meio da pancadaria ele espetar Leonardo. Dei um passo em frente e Leonardo arregalou os olhos para mim e moveu os lábios dizendo em silêncio a palavra *vai*. Olhei-o profundamente com os olhos explodindo de dor e impotência e desatei a correr por uma escadaria estreita.

Corri o máximo que pude, mas quanto mais corria mais me perdia. Tinha pegado tantos atalhos aleatórios para espalhar o meu rastro, caso decidissem vir atrás de mim, que eu mesma já não sabia voltar para trás. Não havia iluminação praticamente nenhuma e eu não conseguia distinguir quais as casas que eram habitadas para pedir ajuda. No entanto, lembrei-me de que, caso recorresse à ajuda de algum ocupante daquelas casas, o mais provável era não só não me ajudarem como me acontecer algo bem pior que nem queria imaginar. Não podia gritar para não ser rastreada e não podia ser vista por ninguém sob o risco de me fazerem algum mal. Não seria o primeiro caso de alguém que fugindo de um problema meteu-se noutro bem pior. Eu não aguentava correr muito mais e tive mesmo de parar e encostar-me numa esquina junto a um lance de escadas onde a luz não chegava. Sentei-me, abracei as pernas e pousei a cabeça sobre os joelhos, criando a ilusão minimamente tranquilizante de que, se naquela posição não conseguia ver ninguém, talvez também ninguém me visse. O peito arfava pela correria desenfreada, mas comecei a perceber que o tempo para o batimento cardíaco voltar ao normal já tinha passado e ele continuava acelerado. Nesse momento veio-me uma imagem tão assustadora como aquela que tinha tido minutos antes. Estava desenvolvendo um ataque de ansiedade. O problema é que o remédio para os ataques de ansiedade, que não eram nada meigos comigo, tinham ficado no carro. Para piorar tudo, era noite cerrada, eu estava perdida no meio de um bairro onde não podia gritar a pedir ajuda, pois o resultado podia ser pior, e sabia que em segundos os meus membros começariam a adormecer e o rosto ia começar a paralisar.

As pálpebras iam perder a força, os meus olhos iam se fechar involuntariamente e os músculos da boca iam se contrair de tal maneira que mesmo que quisesse pedir ajuda eu não ia conseguir. Como se não bastasse, eu não sabia o que tinha acontecido a Leonardo. Se estava bem ou sequer se ainda estaria por ali. Todos aqueles cenários que despontaram de forma automática dentro da minha cabeça aceleraram o meu estado de ansiedade e o pânico se apoderou do meu corpo descontroladamente. Eu sabia que se ficasse ali não ia conseguir conter o ataque e tinha de arriscar voltar para o carro para tomar o remédio. Levantei-me e comecei a fazer o percurso inverso. Uma tarefa que era agora ainda mais difícil, uma vez que o pânico impedia-me de ter um raciocínio lógico e a escuridão castrava meu sentido de orientação. A dada altura eu me limitava a dobrar esquina após esquina me apoiando nas paredes grafitadas daqueles prédios abandonados, arrastando um corpo cada vez mais atrofiado. A cada passo que dava sem ver uma luz que me orientasse ou uma rua que reconhecesse, o pânico se redobrava em mim. Não era mais o labirinto criado por aquelas ruelas que me assustava, mas sim o labirinto que tinha se criado dentro da minha própria cabeça e que se adensava cada vez mais sem que eu pudesse ter controle sobre ele. Entretanto, pensei ter ouvido uma voz e paralisei cada músculo para apurar a minha audição. O único som que conseguia distinguir era o do meu coração, mas entre o som das suas batidas reconheci ao longe o meu nome. Só podia ser Leonardo chamando por mim em algum lugar numa ruela perto. Usei toda a minha energia para tentar emitir um som, fosse qual fosse, o mais alto possível. Obtive resposta do outro lado e isso me ajudou a me tranquilizar e encontrar mais forças para voltar a gritar. A minha boca já não me permitia pronunciar uma única palavra, mas não era relevante naquele momento. Tudo o que eu queria era ser encontrada. Continuei a gritar o mais alto que podia e o mais frequentemente possível para permitir guiá-lo até mim e não saí do lugar para não confundi-lo. Não demorou muito até a figura de Leonardo surgir na esquina à minha frente. Assim que o vi foi como se tivesse visto um anjo e caí no chão, chorando.

— Pronto, pronto, pronto! Já está tudo bem! *Ele disse assim que chegou junto de mim e eu o abracei.* Não aconteceu nada de mal, eles já foram embora. Vamos, vou tirar você daqui.

— Preciso do remédio... no carro... no carro. *Tentei dizer enquanto esfregava a mão no peito para sacudir a falta de ar.*

— Eu é que tenho problemas de coração e você é que vai morrer?

Era o que me faltava. Vamos lá buscar esse remédio!

O fato de estar junto dele e de ter chorado me ajudou a atenuar o ataque de ansiedade, mas eu continuava a precisar urgentemente pôr um comprimido debaixo da língua. Leonardo colocou o meu braço por cima dos seus ombros e me amparou na caminhada. Tentei facilitar o trabalho dele, mas os meus membros inferiores continuavam bastante atrofiados e eu só arrastava os pés. Ele percebeu que eu atrapalhava mais do que ajudava e me pegou no colo. Meia dúzia de esquinas depois desembocamos na rua principal e já conseguia ver o meu carro alguns metros à frente. Ele me pôs no chão de novo e, andando ou me arrastando, aceleramos até ele. Assim que cheguei, corri ao porta-luvas, tirei uma caixa de remédio, pois tinha sempre uma por perto, fosse na carteira, no carro ou em casa, pus um comprimido debaixo da língua e me recostei no banco enquanto respirava pausada e profundamente.

— Vou te levar para o hospital. *Disse Leonardo.*

— Não... não é preciso. Me tire daqui.

Ele passou para o lado do motorista e acelerou pela rua principal do bairro no sentido inverso ao que tínhamos vindo. Assim que saímos daquela zona e chegamos a uma das artérias principais da cidade, com muitos carros atrás e na frente, o meu cérebro pôde finalmente relaxar, com a ajuda extra do ansiolítico, e apaguei por completo. Quando voltei a acordar, não tinha noção de quanto tempo tinha dormido, mas percebi logo que não teria sido muito, pois ainda era de noite. O banco estava todo inclinado para trás, tinha o casaco de Leonardo sobre mim e ele estava do lado de fora sentado sobre o capô. Ergui a cabeça para olhar pela janela e percebi que estávamos perto de uma praia. Levantei-me, vesti o casaco dele, que ficava tão grande em mim que mais parecia uma manta, e saí. Ele olhou para trás assim que ouviu a porta se abrir e ficou me olhando enquanto eu me aproximava dele. Senti uma vontade enorme de abraçá-lo e não me esforcei para contê-la. Agarrei-o e, após um breve momento de inércia da parte dele, ele retribuiu meu abraço.

— Você foi um verdadeiro herói hoje. *Eu disse quando o soltei.*

— Fiz apenas o que tinha de fazer. Se alguém tinha de se sacrificar, nunca permitiria que fosse você. Não foi por vontade própria, mas acho que provei que não sou um covarde como você dizia.

— Quando falei em covardia estava me referindo a outras coisas, mas aquilo que você fez foi mais uma prova de que você é uma pessoa boa. Numa situação extrema, o seu instinto se mostrou, ou seja, a sua verdadeira natureza. E essa natureza demonstrou coragem, altruísmo, companheirismo e tudo o mais. Bem dizia o seu avô que no fundo você era um bom rapaz e eu também tenho certeza de que sim.

— Sermos bons de vez em quando não faz de nós boas pessoas. Ser ou sentir não vale nada se não se mostrar e exprimir. É preciso demonstrar isso constantemente com palavras e atitudes. De vez em quando não é exemplo. De vez em quando todos nós podemos ser tudo. Mas aquilo que somos é também aquilo que fazemos e dizemos. Uma pessoa generosa não dá apenas quando tem muito. Uma pessoa generosa dá sempre, tenha muito ou pouco.

— Sim, tem razão, mas lembro do seu avô me dizer o seguinte: se quer conhecer alguém de verdade, repara nessa pessoa quando está distraída, como reage quando você a apanha desprevenida ou como se comporta quando tem de improvisar. Pois um segundo pensado é um segundo manipulado. E você naquele momento foi apanhado desprevenido e teve de improvisar. O bem está aí dentro, mais ou menos escondido, mas está aí dentro.

— Estou perdido há muito tempo e já me conformei com isso. Faça o que tiver de fazer e eu farei o que tiver de fazer, mas sem grandes expectativas. Você já sabe que, se não esperar nada, o que vier é lucro. Não quero ser responsável por desilusões involuntárias.

— Você não está perdido. Não diga isso! E não se preocupe com as minhas hipotéticas desilusões. Sempre esperei que me dessem tanto quanto eu dava e que gostassem de mim tanto quanto eu gostava e o correio quando me batia na porta nunca me trazia uma recompensa, mas sim mais uma desilusão. E eu percebi que o meu grande erro não era exigir ter ali uma recompensa à minha espera quando abria a porta, mas sim me sentir frustrada e injustiçada por ela não estar lá. Não podemos nos matar lutando as lutas de outra pessoa. Não podemos simplesmente fazê-la ver as coisas como nós vemos ou introduzir as nossas ideias na cabeça delas. Nem é correto. O que podemos fazer é dar o exemplo da melhor forma possível e, se concordar e se se identificar, então que o siga também. Às vezes é preciso mesmo deixá-la cair para perceber sozinha como é que se anda. E, se mesmo assim não aprender, só nos resta perdoá-la por compreendermos que não temos todos a mesma imagem realista e justa da vida. Cada um tem os seus problemas, traumas e bloqueios, que só cada um pode resolver, por isso não podemos nos sentir culpados por perder uma luta que não é nossa. Percebi isto depois que você me disse aquilo no jardim e de ter refletido nas palavras que o seu avô me disse. É óbvio que continuarei a não suportar injustiças, mas no seu caso vou compreender e perdoar mais facilmente.

— E qual é o meu caso?

— O seu caso é que não há caso nenhum. É unilateral, digamos assim. Eu não estou aqui para dar e receber, estou fazendo isso por você, mas não somos namorados. Não é um relacionamento.

— E se fosse?

— Não é e ponto final. O que importa agora é que eu estou bem e você está bem. Me conte o que aconteceu.

— Resumidamente, enquanto o bandido me apontava aquilo para o pescoço, o franzino do vestido rosa carregou o carro deles com toda a roupa e limpou os meus bolsos. É que o seu carro não é grande coisa, senão também o tinham levado. Depois desapareceram e eu corri pela escadaria por onde você tinha fugido e fui te procurar.

Soltei um suspiro e atirei os cabelos para trás.

— Meu Deus! Como é que uma coisa dessa foi acontecer? Quanto tempo eu dormi?

— Não sei, mais ou menos duas horas. Eu ia regressar ao ponto de encontro onde deixei o meu carro, mas você pegou no sono e achei melhor fazer este desvio para você poder dormir à vontade.

Tinha sido uma noite muito assustadora, mas todas aquelas atitudes de Leonardo ajudavam a compensar o susto.

— Oh, não! O resto da equipe. Devem andar aflitos à nossa procura, tenho de ligar para explicar o que aconteceu. *Eu disse enquanto contornava o carro para ir buscar o celular.*

— Esquece! *Disse Leonardo.* Eles levaram os nosso celulares.

— Merda! Claro que levaram. Então vamos embora rápido. Vou te levar até o seu carro para depois ir para casa e poder avisá-los.

Dirigi até a garagem que tinha sido o nosso ponto de encontro e no momento em que Leonardo se preparava para sair do meu carro e ir para o dele lembrei-me de algo que ele me disse quando me encontrou perdida no bairro e eu, àquela altura, transtornada como estava, nem sequer prestei atenção.

— Quando você me encontrou naquele estado de pânico, disse que tinhas problemas de coração ou foi impressão minha? *Perguntei quando ele já estava com um pé fora do carro.*

— Ah! Isso. Sim. Devo ter dito...

— E o que é que isso quer dizer?

— Muitas coisas. Uma delas é que eu posso morrer a qualquer momento. Boa noite. *Disparou antes de bater a porta.*

Fiquei imóvel enquanto o via afastar-se, entrar no carro e seguir viagem. Perdi a noção do tempo em que fiquei naquele estado tentando digerir o que acabara de ouvir. Percorreu-me o corpo uma leve sensação de medo e de compaixão e logo depois uma estranha falta por já não o ter ali por perto. Não sei se por querer voltar a sentir a segurança que ele me transmitia ou se apenas por querer retribuir-lhe o *já está tudo bem* que ele tinha dito momentos antes quando eu mais precisara. A naturalidade com que me disse que podia morrer a qualquer momento não me ajudou a aceitar melhor aquela notícia. Muito menos quando tinha uma infinidade de outras sensações boas e más que aquela noite me proporcionara ainda por assimilar. Pensei que talvez Leonardo estivesse brincando comigo ou então dramatizando demais e tentei não inventar teorias antes de conhecer melhor aquela história. Rodei a chave para pôr o motor a trabalhar e ao mesmo tempo foi como se abrisse uma caixinha da memória dentro da minha cabeça. Percebi que só podia ser aquele o problema que estaria a desmotivar Leonardo de se tornar uma pessoa melhor, segundo o que Nicolau me dissera. Lembrei-me ainda do momento em que confrontei Leonardo com a tese de que esse problema seria algum desgosto amoroso e ele se defendeu dizendo que nunca sequer tinha amado alguém e se eu lhe queria bem que rezasse para que esse problema nunca se manifestasse. Por fim encontrei também a resposta para a saída abrupta de Leonardo daquele jantar em sua casa. Agora tudo fazia sentido na minha cabeça. Para que se esforçar para ser boa pessoa ou criar ligações afetivas se de um momento para o outro ele podia morrer e todo esse esforço teria sido em vão, além de que o sofrimento alheio seria bem maior? Era, simbolicamente e talvez até inconscientemente, o seu maior ato de altruísmo e ao mesmo tempo egoísmo. Ou seja, quanto mais desprezo espalhava, menos ligações criava, mais ódio gerava por si e dessa forma menos lhe pesava uma hipotética morte precoce. Tanto para si mesmo como para aqueles que o rodeavam. E toda a história associada ao pai e à ausência daquela figura paternal tinha sido a fonte de todos os maus sentimentos que ele alimentou dentro de si mesmo e espalhou a seu redor. Sim, fazia todo o sentido do mundo, mas ao mesmo tempo era a atitude mais absurda do planeta.

Naquela noite eu já não conseguia pensar mais. Quando cheguei em casa pedi o celular à minha irmã e consegui fazer contato com a dona Zélia para lhe explicar toda a situação e tranquilizar o resto do grupo que estava preocupado conosco. Assim que me sentei na cama, senti o cansaço percorrer meu corpo. Para trás ficavam as memórias daquela noite assustadora, mas a frase de Leonardo continuava a ecoar na minha cabeça. Deitada, comecei a pensar que talvez não tivesse sido por acaso que ele me dera aquela notícia naquele momento em concreto. Era uma espécie de antídoto, um elemento dissuasor para que a minha mente não gravasse os acontecimentos traumatizantes daquela noite. Agradeci-lhe em silêncio a generosidade. Tinha ficado sem celular e como não estava a fim de comprar um novo fui à última gaveta da mesinha de cabeceira e vasculhei à procura do meu antigo Samsung. Assim que o encontrei fui novamente atingida por uma enxurrada de lembranças. Tinha sido com aquele celular que eu tinha começado a falar com Gabriel, resultando depois no início da nossa relação. Contudo, apesar de todas as memórias que me ocorreram, me senti tranquila. Pus a mão no peito e estava calmo como se não fosse mais uma dor que me pertencesse. Adormeci tranquila. No dia seguinte fui a uma loja tratar de recuperar o meu número de celular e na hora do almoço tocou pela primeira vez com uma chamada de Lurdes. O meu primeiro pensamento foi que Leonardo tinha contado a ela o que se passara e ela queria cancelar o desafio.

— Olá, Beatriz. Queria falar com você.

— Pode dizer, dona Lurdes. Estou na minha hora do almoço e estou com tempo. É sobre aquilo que se passou ontem, não é?

— Sim, é sobre isso, mas eu preferia que fosse pessoalmente.

— Claro que sim. Eu passo na sua casa no final do expediente.

— Não, não quero que seja em casa, por causa do Leonardo. Se não se importa, nos encontramos num café não longe do lar. Eu vou enviar a você uma mensagem com as indicações.

Aguardei a mensagem e quando saí do trabalho segui para o endereço que ela me deu. Se antes eu achava que ela ia me dar uma bronca por ter colocado o seu filho em perigo, depois daquela chamada não tinha mais dúvidas de que ia fazer isso. Quando cheguei ao café, encontrei-a no terraço tomando um refresco. Sorriu assim que me viu e me deu um curto abraço quando a cumprimentei.

— Antes de mais ne deixe dizer que aquilo que aconteceu ontem no voluntariado foi uma total exceção. Aliás, nunca aconteceu nada sequer parecido. *Comecei me explicando.*

— O que foi que aconteceu?

— O seu filho não lhe contou?

— Não, não me disse nada. Como você sabe, ele não é uma pessoa de desabafar ou contar o que está fazendo. O que foi que aconteceu?

Percebi que não estávamos falando do mesmo assunto e tive de contornar a questão. Se ele não tinha contado, não seria eu a fazê-lo.

— Ah, bom! Aconteceram umas peripécias que me provocaram um ataque de ansiedade, mas já está tudo bem.

— Pois... a ansiedade. Às vezes também me vejo aflita com ela, mas ainda bem que está resolvido. O que eu quero falar com você é sobre o que a menina viu ontem de manhã quando chegou ao lar. Vou pedir que não comente nada com o Leonardo.

— Claro que não, dona Lurdes. Não tenho por que fazer uma coisa dessas. Nem vejo o que isso tem para ser comentado.

— A Beatriz é uma mulher inteligente, eu sei que está sendo cordial, mas não é nenhuma criança. A minha situação é muito complicada... Não é muito bem aceito que uma mulher da minha idade refaça a sua vida, que volte a sair, ter um companheiro, namorar ou como quiser chamar. Mas nem digo isto pelas outras pessoas, porque no fim das contas não faço a minha vida em função delas, digo porque tenho um filho em casa, que sei que não iria aceitar bem. Além disso, também sei que a minha atenção deve estar virada para ele e talvez eu não devesse andar distraída com...

— Não diga mais nada, dona Lurdes. *Interrompi.* O que está me dizendo não faz qualquer sentido. Independentemente de tudo, a senhora tem todo o direito de ser feliz. A idade, a família, o país, a condição econômica, as opiniões dos outros ou a experiência de vida nunca serão condicionantes da felicidade. A única coisa que condiciona a felicidade é a falta de amor por nós mesmos. Não me diga que não falava sobre isto com o seu pai. Olhe que foi dele que tirei muitos destes ensinamentos. Não é por se ter mais de vinte que não se pode brincar no balanço, não é por se ter mais de trinta que não se pode jogar videogame, não é por se ter mais de quarenta que não se pode namorar e por aí em diante. O senhor Nicolau dizia assim, é certo que tudo tem o seu tempo, mas não há um tempo certo para tudo. Ou seja, o que define a qualidade do tempo nunca será o quanto nem o quando, mas sim o como. E, se também está preocupada com o seu filho, então tire essa ideia, porque ele não tem de querer ou deixar de querer, aceitar ou deixar de aceitar. E depois acho que não deve esconder esse pormenor dele, porque, ainda que acredite que o Leonardo não vai gostar, isso não apaga o fato de não estar sendo transparente com o seu filho.

— Eu sei, eu sei! *Disse enquanto se compunha na cadeira e rodava ligeiramente para mim.* Mas também sei que ele não se ia se sentir bem com a ideia, e eu prefiro o bem-estar dele ao meu. Se para ser uma boa mãe eu tiver de lhe contar e se ao fazê-lo o deixarei mal, então eu prefiro ficar sozinha para o resto da vida.

— Ainda não sei o que é ser mãe, e se estiver falando demais ou indo por onde não devo me diga para parar, mas eu acredito que ser uma boa mãe passa por ser uma boa pessoa, e isso passa por ser correta consigo mesma e com as pessoas que a rodeiam. E tendo em conta este cenário isso significa contar ao Leonardo que tem uma pessoa na sua vida, que foi escolhida por você e que é uma pessoa que contribuiu para a sua felicidade, e depois ajudá-lo a compreender e aceitar isso. E se ele não o fizer será por puro egoísmo.

— Mas ele pode não entender isso como egoísmo da parte dele, mas sim como egoísmo meu ao achar que estou fazendo algo que eu quero sem me preocupar com ele. Entende o que eu quero dizer?

— A interpretação acabará sempre sendo um pouco subjetiva. Só quero que você saiba que não está fazendo nada de errado. A Lurdes, assim como tantas outras mulheres que estão na mesma situação, deve pensar em si mesmo e perceber que sendo uma mulher feliz será uma mãe feliz e com certeza que estará mais perto de conseguir que o seu filho também seja feliz. E se me permite esta confissão... a Lurdes e o doutor Brandão fazem um lindo casal. São duas pessoas com um enorme coração e de uma simpatia imensa.

— Ai, muito obrigada, Beatriz! *Deixou fugir um sorriso envergonhado*. Eu continuo achando que não tenho idade para estas coisas, mas confesso que tem sido uma experiência muito bonita.

— Claro que sim! E ainda vai ser mais quando puder partilhá--la com o seu filho. Assim que estiver preparada e sentir que é o momento. Quanto àquilo que me pediu, fique tranquila que não vou contar nada para ele, como é óbvio, mas você tem todo o meu apoio e incentivo para fazer isso. Há um tempo eu diria que ele ia reagir muito mal, mas tenho fé de que isso está prestes a mudar.

— Você acha mesmo? Tem notado avanços significativos?

— Tenho notado algumas melhorias, sim, mas ainda é cedo para soltar foguetes. Enfim, vou continuar a fazer a minha parte com muita fé. Mas, já que estamos a falar do Leonardo, e perdoe-

-me desde já se vou tocar num assunto sensível, o seu filho me disse ontem que tinha problemas de coração e que isso significava que podia morrer a qualquer momento. Isso é mesmo verdade?

Lurdes voltou a compor-se na cadeira e fez uma pausa.

— O que ele quis dizer foi que está mais suscetível a uma morte precoce. O Leonardo sofre de miocardiopatia dilatada. É uma doença no coração que vai reduzir inevitavelmente a sua esperança média de vida, mas que não o impedirá de ter uma vida longa e normal como qualquer outra pessoa. Ele apenas tem de ter cuidados e preocupações que as outras pessoas não precisam.

— Que cuidados são esses?

— Ele não pode, por exemplo, fazer grandes esforços. Drogas, álcool e essas coisas nem pensar. A alimentação é mais rigorosa e, claro, ele tem de tomar a medicação todos os dias para regular a frequência cardíaca. Caso contrário, não quer dizer que morra de repente, mas pode desenvolver complicações que resultem... Enfim, nem quero pensar nisso. Tenho fé que não acontecerá nada.

— E como é conviver com essa doença, para você e para ele?

— Quando foi diagnosticada, o Leonardo tinha quatro anos e nos primeiros tempos nós vivíamos constantemente com medo, claro. Mas fomos aprendendo a conviver com o risco e, como ele nunca teve nenhuma complicação, conseguíamos esquecer da doença, mas o fantasma está sempre presente.

Eu não quis prolongar mais aquela conversa que deixava Lurdes visivelmente triste. Despedimo-nos com um abraço e fui para casa. Só depois de ter estacionado em frente ao meu prédio é que reparei no carro que estava ao lado do meu. Era o carro de Leonardo. Olhei para o interior e não havia ninguém. Olhei para cima para o quarto andar e pensei, está em minha casa.

Quando cheguei em casa encontrei Leonardo sentado à mesa da cozinha e a minha mãe junto à bancada preparando uma alface.

— O que está fazendo aqui? *Perguntei da porta.*

— Então a menina ontem foi assaltada, se perdeu num bairro cheio de drogados, teve um ataque de ansiedade e escondeu tudo de mim. *Protestou a minha mãe.*

Lancei um olhar de repreensão a Leonardo.

— Você não contou nada à sua mãe e veio contar à minha, Leonardo?

— Eu não sabia que ela não sabia e também não sabia que você não queria que ela soubesse. *Defendeu-se ele.*

— Você já sabe que não gosto que vá fazer voluntariado lá para o meio desses delinquentes todos, filha. Era questão de tempo até uma coisa destas acontecer. Se quer ajudar as pessoas tem tantas possibilidades de fazer isso. Olha, por exemplo a associação das crianças para onde você vai de vez em quando. É muito melhor.

— Mais ou menos perigosos, não deixam de ser pessoas que precisam comer e de se vestir. Apesar de tudo, também precisam de ajuda e merecem viver com dignidade. Mas por acaso eu até preferia ir para a associação de acolhimento, acho que seria muito mais transformador para o Leonardo, mas ele escolheu os adultos.

A minha mãe se voltou para Leonardo, que estava atrás dela, secou as mãos e pousou uma sobre o braço dele.

— Escolha as crianças. *Pediu a ele.* Você vai ver que vai gostar mais e pode ser que a minha filha deixe de andar lá no meio dos drogados. Já sei que são pessoas como nós e também merecem, mas se alguém tem de fazer isso que sejam os filhos dos outros. Não quero a minha menina naqueles ambientes. Por favor, escolhe as criancinhas, escolhe. E veja se muda as ideias desta menina, que ela acha que tem a obrigação de ajudar todo mundo e mais alguns.

Leonardo olhou para mim de olhos arregalados e depois voltou a olhar para a minha mãe com um ar um pouco atrapalhado.

— Tudo bem, tudo bem. *Disse ele.* Vou dar uma oportunidade às crianças. Se soubesse o que sei hoje, talvez tivesse ponderado melhor quando a sua filha me pediu para escolher. Mas se ela insiste que é a melhor experiência para mim, então eu aceito.

— Muito obrigada, menino Leonardo! Nem sabe o peso que me tira dos ombros. E não se preocupe, filha. Se não for você, vai outra pessoa. Não vai faltar roupa e comida para eles só porque você não vai.— Se todos pensarem como você, olha que vai faltar, sim, mas pronto, está bem, vamos mudar de assunto. Pode me dizer então o que veio fazer aqui? *Perguntei a Leonardo.*

Ele se levantou, pegou uma pequena caixa branca que tinha à sua frente e entregou para mim. O meu primeiro pensamento foi que ele tinha levado a sério aquilo que eu tinha dito sobre entregar bombons em domicílio, mas assim que me entregou a caixa vi logo que não tinha nada a ver com doces. Era um celular novo.

— Você ficou sem o seu e de certa forma acabou sendo por minha causa porque, se não fosse por mim, talvez não tivesse ido ao voluntariado exatamente ontem e não tivesse acontecido aquilo. Acho que é isto que uma boa pessoa faz, certo?

— Mas você não teve culpa, não tinha obrigação nenhuma de me dar um celular novo. Além disso, este é dos mais caros.

— Se eu não tinha obrigação nenhuma, entenda isto como uma gentileza da minha parte, o que é melhor ainda tendo em conta o nosso propósito. Digo eu. E pronto, foi por isto que vim aqui.

Eu ia agradecer a ele, mas Leonardo se apressou para a saída, até que a minha mãe interrompeu suas intenções.

— Jante conosco. *Convidou ela.*

— Eu? *Perguntou, admirado.*

Naquele momento lembrei-me do jantar em casa dele e de todo o encanto e requinte que tinha a mesa de jantar. Em minha casa não havia nenhuma daquelas mordomias, e talvez isso o deixasse desconfortável e consequentemente a mim também. Além disso, era muito estranho, pois eu só tinha trazido uma pessoa para jantar em minha casa e era um namorado já com muito tempo de namoro. Não queria que ele e a minha família pensassem coisas erradas. Aquela ideia tinha tudo para não ir adiante.

— Mãe! O Leonardo não tem tempo para...

— Está bem. *Respondeu ele.* Só tenho de fazer uma ligação para a minha mãe avisando que não janto em casa.

Aquela resposta me apanhou desprevenida e me deixou muito pouco descontraída, mas no fundo gostei. Lembrei então da conversa que tinha tido momentos antes com Lurdes e decidi lhe dar uma sugestão antes de fazer a chamada.

— Faça isso, e diga que vai jantar aqui e para ela aproveitar e ir jantar fora, assim ela não janta sozinha em casa.

— Se for jantar fora, vai jantar sozinha na mesma. Por isso...

Percebi que estava a ir além do perímetro de segurança.

— Olha... pelo menos... ela vê caras novas. Faz o que te digo.

Ele se recolheu para o corredor para fazer a chamada e eu pousei as minhas coisas e comecei a ajudar a minha mãe. A adolescente da casa devia estar fechada no quarto e o homem da casa devia estar sentado no sofá da sala vendo televisão, a julgar pelo ruído que vinha de lá. Tudo dentro da normalidade, portanto. Quando Leonardo regressou à cozinha, sentou-se no lugar onde havia estado sentado e ficou olhando para nós as duas. Eu o encarei em silêncio e fiz um sinal com a cabeça na direção da minha mãe, na esperança de que ele percebesse que naquela casa tínhamos de ser nós a preparar o jantar. Ele não estava percebendo o que eu queria dizer com aquilo, até que finalmente entendeu, abriu a boca de espanto e se levantou.

— Precisa de ajuda? *Perguntou à minha mãe.*

— Não! Nem pensar. O Leonardo é nosso convidado.

Sorri para ele e inclinei ligeiramente a cabeça como forma de reconhecimento pelo gesto que acabava de ter, digno de uma pessoa bondosa e prestável. Era inegável que o lado bom dele tinha começado a aflorar, mas isso não significava que ele soubesse como é que uma boa pessoa se comporta no dia a dia e cabia a mim também lhe dar algumas dicas. Assim que acabamos de preparar o jantar, todos foram chamados para a mesa e começamos a comer.

— Vai bem o negócio dos doces? *Perguntou o meu pai a Leonardo para introduzi-lo na conversa.*

— Melhor que o dos amargos. *Retrucou ele, despertando uma gargalhada coletiva pela naturalidade e rapidez com que deu aquela resposta.* Vai muito bem, sim, temos muitos clientes de norte a sul do país e estamos já pensando em começar a exportar.

— É o que o povo gosta. Vocês têm é de inventar um doce que adoce a alma, que tem tanta gente amarga que Deus me livre.

— Esse doce já foi inventado há muito tempo, chama-se afeto. *Respondi ao meu pai enquanto lançava um olhar a Leonardo.* No entanto, embora a demonstração de afeto seja gratuita, dá muito trabalho e implica muita entrega, por isso as pessoas guardam para si, por preguiça e vergonha. Sentem mas não demonstram, pensam mas não dizem, querem mas não fazem.

— Não é assim tão gratuita, mana. Às vezes a demonstração de afeto tem o preço de um iPhone novo. *Disse a minha irmã.*

— Cuidado com a língua, Leonor. *Repreendeu a mãe.*

— O meu já está nas últimas, pai, bem que você podia me dar um também. Senão tenho de arranjar um namorado como o dela.

— Ei! Não há namorados aqui. *Alertei.*

— Isso é que não! Namorados só a partir dos quarenta. *Brincou o meu pai.* Você já sabe que não temos dinheiro para esses celulares.

— Fogo... E se for tipo dois ou três modelos anteriores? Já estão mais ou menos a metade do preço destes novos. Já pode ser?

— Já tivemos esta conversa, Leonor.

— Sim, mas antes a Beatriz não tinha este celular. Assim vou começar a ter inveja dela e isso vai ser muito mau para a família.

O meu pai abanou a cabeça, respirou fundo, olhou de relance para a minha mãe e cedeu à intimação da filha mais nova.

— Pronto, está bem. Eu te dou um, mas é desses modelos mais antigos que já estão pela metade do preço como você disse.

— Está falando sério? *Leonor levantou-se da mesa e correu para abraçar o pai, beijando seu rosto várias vezes.* Obrigada, obrigada, obrigada! É o melhor pai do mundo!

Eu estava tão entretida com aquele espalhafato da minha irmã com o nosso pai que me esqueci de Leonardo. Olhei para ele, ele me olhou de volta e senti o impulso de pegar sua mão, mas não o fiz. Limiteime a sorrir para ele com uma compaixão do tamanho do mundo por imaginar o que ele estava sentindo com aquela imagem de uma filha abraçando o pai. Encolheu os ombros para demonstrar que estava tudo bem, mas eu sabia que aquilo tinha mexido com ele.

— Pronto, já chega, Leonor. Senão eu fico com ciúmes de você e vai ser muito mau para a família. *Eu disse em tom de brincadeira, numa tentativa de não acentuar o desalento de Leonardo.*

A minha irmã retomou o seu lugar e o jantar continuou normalmente, mas Leonardo não mais perdeu o semblante esmorecido. O meu pai continuava com as suas piadas, mas eu percebia que ele só lhe sorria por simpatia. Assim que terminamos de jantar, Leonardo despediu-se da minha família e eu o acompanhei até o carro.

— Obrigada pelo celular, não precisava fazer isso, pois você não teve culpa. E mesmo que tivesse já tinhas mais do que retribuído quando me salvou. *Eu lhe disse assim que chegamos à rua.*

— Entenda isso como uma demonstração de afeto.

— Entendo como um gesto bonito, mas uma demonstração de afeto, para mim, não é dar presentes caros. Não ligo para os objetos. Há uma grande diferença entre aquilo que dá jeito e aquilo que faz falta. Por exemplo, um celular ou um carro dão jeito, mas um abraço ou uma companhia fazem falta. E nunca algo que dá jeito compensará algo que faz falta. Imagina um pai que esteve longe de casa uma semana e quando regressa traz um presente para cada elemento da família. Esse presente, que dá jeito, nunca compensará a ausência desse pai, que fez falta. Ou seja, se ele quisesse mesmo compensar a sua ausência, não seria dando presentes, mas sim passando mais tempo com a família nos dias seguintes.

— Como você deve imaginar, eu deixei muito cedo de ter essa presença, por isso talvez tenha tentado compensar da melhor maneira que podia e sabia através de materialismos.

— Acabei de perceber isso também, mas acho que tenho uma ideia perfeita para trabalharmos esse aspecto. No entanto, antes disso, vou te cobrar o pedido da minha mãe que você aceitou para fazermos voluntariado com crianças. Eu vou falar com a diretora da associação e depois falo contigo. Vai te fazer muito bem.

— Que seja, ficarei aguardando esse contato.

Leonardo me deu um beijo no rosto, virou-se para entrar no seu carro e parou a um passo dele. O meu coração disparou com a imprevisibilidade daquele gesto. Ele virou ligeiramente a cabeça para o lado para se fazer ouvir e perguntou.

— Isto nunca tinha acontecido, certo?

Eu queria responder que não, mas por alguma razão não consegui pronunciar uma palavra que fosse. Leonardo também não quis esperar pela minha resposta, entrou no carro e foi embora.

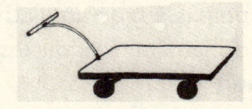

Entrei em contato com a diretora da associação de acolhimento onde fazia voluntariado e expliquei a ela que tinha um amigo que queria se juntar ao grupo. Ela disse que ia haver umas atividades com as crianças no sábado seguinte nos jardins de uma fundação que havia na cidade e pediu que aparecêssemos. As atividades ao ar livre eram muito comuns naquela associação e sempre que aconteciam implicavam uma supervisão reforçada. Normalmente a diretora recorria à ajuda de voluntários e aproveitava para criar uma troca de experiências benéfica para todos. As crianças e os jovens que faziam parte da associação tinham sido todos retirados de suas famílias pelos mais variados motivos, embora o mais comum fosse a negligência e o desleixo por parte dos pais. Todos eles tinham sido privados, na totalidade ou em parte, de estar com as suas famílias e eu acreditava que, se Leonardo se predispusesse a conhecer aquela realidade por dentro, certamente iria olhar de uma forma diferente e entender melhor a sua própria situação. Às vezes só achamos que estamos mal porque não conhecemos alguém que está pior. Não é por isso que vamos aceitar o mal que temos, mas com certeza vamos começar a reclamar menos dele e esse talvez seja o primeiro passo para resolvermos. Não perdi tempo em avisar Leonardo. Ele aceitou o desafio e no dia das atividades eu mesma o levei até os jardins da fundação. Quando chegamos nos deram uma camiseta de identificação e assim que vi a diretora da associação nos dirigimos a ela.

— Antes de mais nada, muito obrigada pela sua disponibilidade. *Começou dizendo a diretora após as apresentações.* Felizmente temos muita gente disposta a fazer voluntariado nesta associação e só posso me sentir muito grata por isso. Temos aqui diferentes atividades simultâneas e vou distribuí-las para vocês, mas depois gostaria muito que participassem de uma atividade que é feita com um carrinho ao longo do jardim. Depois explico em que consiste. Tenho certeza de que vão adorar.

A diretora me acompanhou até um grupo de crianças, explicando o que eu tinha de fazer, e depois encaminhou Leonardo para um outro grupo que estava junto de uma árvore. Na área circundante estavam mais voluntários que desenvolviam outras atividades com ou sem crianças. Na que me foi atribuída eu tinha de coordenar um conjunto de crianças para atirarem bolas contra pirâmides de latas ou contra uma moldura tapada com uma placa de madeira que tinha buracos de diferentes tamanhos por onde deviam passar as bolas. Uns vinte metros atrás estava Leonardo arbitrando um jogo da pinhata. As minhas crianças estavam bastante animadas, mas pouco tempo depois de ter começado o ruído que vinha lá do fundo começava a sobrepor-se ao do meu grupo. Era uma algazarra tremenda em redor de Leonardo, que rodopiava as crianças vendadas para dificultar a tarefa de arrebentarem a pinhata e terem acesso aos doces que estavam lá dentro. Dei por mim mais concentrada no que estava acontecendo no grupo junto à árvore do que no grupo que me competia coordenar. Entretanto, uma das crianças conseguiu finalmente arrebentar a pinhata, fazendo os doces caírem, e vi Leonardo se atirar no chão, apanhar uma braçada deles e sair correndo. O grupo de crianças desatou a correr em euforia atrás dele pelo jardim afora, até que, depois de várias voltas em torno das árvores e alguns ziguezagues para despistar os seus perseguidores, Leonardo deixou-se pegar pela criançada e foram saqueados todos os seus doces. Olhei ao meu redor e estavam todos parados olhando para aquele cenário divertido. Houve depois uma troca de voluntários e de grupos e eu e Leonardo passamos para uma outra atividade que consistia em orientar um determinado jovem numa pintura cujo tema era o esporte. De repente, Leonardo tornou-se a estrela daquele evento e todas as crianças queriam ser as escolhidas por ele para fazerem a pintura. A escolha acabou sendo feita por uma das assistentes da associação, que pegou uma menina e sentou-a no banco junto de Leonardo, diante de uma tela. Eu, ali ao lado, fiquei responsável por um rapazinho muito meigo.

— Qual é o esporte que você escolheu para pintar? *Perguntei.*

— Aquele que é com raquetes. *Respondeu, envergonhado.*

— Tênis? *Abanou afirmativamente a cabeça.* Vamos a isso. O que vamos desenhar primeiro? Você sabe como é o campo?

Eu estava cumprindo a minha tarefa, mas estava sempre atenta ao comportamento de Leonardo e como ele interagia com a menina que estava orientando. Inicialmente parecia estar tudo bem e ele continuava com um ar animado, mas passados alguns minutos começou a demonstrar alguma impaciência com ela.

— De que cor é a minha pele? *Perguntou várias vezes à menina, expondo as palmas das suas mãos, e ela acabou por responder qualquer coisa que não consegui perceber.* Então por que é que você ia pintar a cara do jogador de vermelho?

Chamei Leonardo baixinho e fiz um sinal com as mãos para ter calma com a menina. Ele franziu a testa e encolheu os ombros. Assim que finalizamos as pinturas, a diretora se aproximou de nós e nos convidou para irmos até outro ponto do jardim para fazermos a atividade que ela nos tinha sugerido quando fomos ao seu encontro. Ela foi na frente e eu e Leonardo seguimos no seu encalço.

— Eu não levo jeito para professor. *Desabafou ele num sussurro.*

— Eu reparei nisso lá atrás. Vou te explicar uma coisa, a ansiedade cria a ilusão de que a meta que queremos atingir está mais longe do que na verdade está. Essa ilusão gera impaciência e a impaciência afasta mesmo a meta. Por isso, o segredo é lutar sempre, mas forçar nunca. Quase tudo na vida é mais uma questão de jeito do que de força. E você não estava seguindo essa lei com a menina.

— Você também tem sempre resposta para tudo. Então a menina escolhe basquete para pintar e começa a desenhar uma trave? E depois ia usar o vermelho para a cor da pele?

— Você sabe se ela conhece alguém com a pele avermelhada e foi buscar esse pormenor? A menina estava só sendo criativa.

Chegamos ao destino e a diretora explicou em que consistia aquela tarefa. Tratava-se de uma atividade de relaxamento em que a criança se deitava num carrinho e duas pessoas empurravam esse carrinho ao longo de um percurso que se estendia a toda a volta do jardim e terminava no ponto inicial. Enquanto esperávamos que o carrinho da frente se distanciasse o suficiente para iniciarmos a nossa viagem, o menino que iríamos transportar, que não devia ter mais de dez anos, puxou conversa conosco.

— São vocês que vão me empurrar?
— Somos, sim. Está preparado? *Perguntei.*
— Sim! *Respondeu prontamente.* Vocês são namorados?

Soltei uma gargalhada pelo descaramento do rapazinho e Leonardo me lançou um olhar de quem já estava habituado.

— Não, não somos namorados. Como você se chama?
— Eu me chamo Lucas Martins Tavares, e você?
— Eu me chamo Beatriz, mas pode me chamar de Bia!

Assim que recebeu a minha resposta, olhou para Leonardo.

— Leonardo Xavier Almeida Meneses Vilar de Lacroix.

Então era dali que vinha o nome com que Nicolau batizara a linha de bombons que criara em conjunto com o neto, pensei.

— Iiiii... que nome grande e feio. Vou te chamar de Leo.

Leonardo olhou admirado para mim e eu não contive uma gargalhada. Não havia maldade nenhuma naquela criança e foi tão genuíno que não me controlei. Ele também pareceu não levar a mal.

— Olha, olha! Ele pensa que já é gente grande. Sobe no carrinho.

O rapaz fez o que Leonardo disse e depois agarramos um de cada lado no apoio traseiro do carro e começamos a empurrá-lo.

— Se vocês namorassem seriam o casal Bia e Leo. Não era?
— Era, era, mas não namoramos. *Explicou Leonardo.* Você é que com essa letra toda deve ter uma dúzia de namoradas.

— Oh! A minha mãe não deixa, diz que sou muito novo.

— Pois é mesmo. *Concordei.* Mas aposto que o seu pai não diz isso.

— Não sei, nunca o conheci. *Respondeu com naturalidade.* Olhamos de repente um para o outro e ficamos em silêncio. Caminhamos assim alguns metros, limitando-nos a olhar para o menino, que, deitado no carrinho, ia olhando sorridente para as copas das árvores que se erguiam do nosso lado e tapavam parte do céu.

— E não gostaria de conhecê-lo? *Perguntou Leonardo.*

— Sim! Mas não sei quem é. *Torceu o nariz.*

— E não sente falta dele?

— Só quando me perguntam por ele e não sei o que dizer.

— Não está chateado por ele não ter te procurado?

— Não! Deve andar ocupado. Quando estiver mais livre, vem.

A inocência de Lucas era deliciosa. Quanto mais os ouvia falar, mais eu gostava daquela conversa e mais acreditava no destino.

— E se ele chegasse agora aqui, o que é que você iria dizer?

— Olá, pai!

— Só isso? Tanto tempo sem vê-lo e só diria isso?

— Olá, pai! Vamos ver um jogo do Real Madrid.

— Ui, que mau gosto. *Brincou Leonardo.* Porque não do PSG?

— Oh! Esse é fraco. Eu só gosto do Real Madrid.

— Está enganado. Olha que o Paris Saint-Germain é melhor, mas tudo bem. Então por que você está aqui na associação?

— A minha mãe diz que tem uns problemas para resolver, mas que em breve vou para casa. Eu vou para lá alguns dias, mas depois tenho de voltar aqui para a associação. Não sei bem.

Leonardo continuou a conversar com Lucas durante todo o percurso e eu apenas fazia algumas curtas intervenções de vez em quando. Queria que eles falassem o máximo possível para que Leonardo absorvesse aquele ponto de vista isento, ingênuo e puro de uma criança sobre uma situação não muito diferente da sua. Não consegui despir o sorriso durante aquele tempo que viajamos pelo jardim e quando estávamos chegando ao fim senti uma certa pena por aquela viagem acabar. Não só terminou a viagem como toda a atividade, pois, assim que chegamos ao ponto inicial, as crianças já estavam sendo recolhidas nos furgões para regressarem à associação. Despedimo-nos de Lucas e das outras pessoas e nos dirigimos para o meu carro para também irmos embora.

— O que você achou? *Perguntei.*

— Achei que o menino até que é engraçado, mas no fundo acredito que não sabia bem do que estava falando.

— Ou talvez soubesse, mas decidiu ver a situação com outros olhos. Vê-la de um ponto de vista menos doloroso, talvez. Não podemos mudar a realidade, mas podemos mudar a forma como olhamos para ela. Esse é um dos segredos da felicidade. E talvez o menino já o esteja aplicando, mesmo sem querer. Não escolhemos aquilo que nos acontece, mas escolhemos a forma como reagimos àquilo que nos acontece. Perceba que o perdão é a linha que sutura uma ferida. A dor só vai passar quando você tiver a capacidade de perdoar. Por isso acho que você tem mesmo de procurar o seu pai e fazer isso.

— Você acha que eu vou para Paris bater de porta em porta à procura do meu pai? Nem sequer sei se ele ainda está lá.

— Não se preocupes, eu vou com você e vamos encontrá-lo. *Disse, sem pensar muito bem nas palavras que me saíram disparadas.*

— O quê? Nem pensar. Eu não quero ver esse homem e já te disse que se o visse era só para atirar tudo o que ele me fez na sua cara.

— Já te expliquei que não é esse o caminho, Leonardo. O perdão é o caminho. Encontrar o seu pai depois de tanto tempo e usar essa oportunidade para se vingar e demonstrar toda a raiva que você sente por ele só te deixaria com um vazio maior do que aquele que você já tem. A sua vida só vai andar para a frente quando você tiver a coragem de voltar atrás e atar de uma vez as pontas soltas e tapar os buracos que ficaram abertos. Você precisa de uma resposta para poder seguir em frente, nem que essa resposta seja um não, mas precisa dela. E enquanto a evitar por medo da dor que possa vir a sentir, nunca vai conseguir avançar. O "se" e o "será" são como areia nas engrenagens da vida que a impedem de fluir. E essa situação com o seu pai foi um caminhão de areia.

— Talvez eu apenas ainda não esteja preparado para isso.

— Não se preocupe porque eu vou te ajudar. Não só a se preparar como a encontrar o seu pai. Vamos fazer isso os dois, porque é aí que está a raiz do mal que o seu avô me pediu para ajudá-lo a resolver. E você disse que não ia colocar impedimentos.

— E não vou, mas eu não estou preparado.

— Não está preparado para vê-lo ou perdoá-lo?

— Ver e perdoar. Aliás, nem tenho motivos para perdoá-lo.

— Você tem o maior motivo de todos que é o seu bem-estar, a sua consciência tranquila, o seu alívio. Precisa perceber que quando perdoa alguém é você quem mais ganha porque é você que está carregando a dor. Me diga uma coisa, se você soubesse que ias morrer amanhã, não gostaria de estar com o seu pai hoje?

Leonardo refletiu alguns segundos antes de responder.

— Talvez... não sei... nunca pensei nisso.

— Me admira uma pessoa que diz que pode morrer de um momento para o outro não procurar resolver a sua vida o mais depressa possível e tentar deixar um bom legado e boas recordações. Será que é porque assim lhe custa menos a partida, para você e para os outros?

Ele parou e ficou pensativo, como se, mais uma vez, eu o tivesse feito refletir sobre algo totalmente inédito. Eu sabia que estava tocando num ponto sensível, mas não podia perder aquele timing para confrontá-lo com a realidade.

— Não vou falar sobre isso. *Ele disse antes de voltar a caminhar.*

— Me diga mais uma coisa. *Parou de novo e se virou para mim, dando-me sinal com a cabeça para fazer a pergunta.* Há pouco, quando você disse o seu nome ao Lucas, reparei no seu sobrenome de origem francesa e lembrei que quando me levou ao laboratório do seu avô você disse que ele tinha batizado essa linha de bombons que vocês criaram com o nome *Lacroix*.

— Sim, é verdade. Foi tipo uma espécie de homenagem a mim, ou brincadeira, sei lá, por ter sido uma invenção feita com a minha ajuda. Embora eu atrapalhasse mais do que aquilo que ajudava.

— Mas o seu nome é Leonardo, não Lacroix. Aliás, esse sobrenome eu suponho que venha do seu pai, que nessa altura já nem sequer estava presente na sua vida, pois você já estava em Portugal.

— *Bombons Leonardo* ou *Linha Leo* ou *Bomboleo* não é tão elegante como *Lacroix*. Tem outra classe. E o meu avô não esquecia o glamour quando ia batizar uma receita.

— Você não percebe nada mesmo. Acha mesmo que foi por uma questão de glamour que ele fez isso? Você acha que, com tanto significado que ele dava às suas receitas e em especial a esses bombons que ele criou contigo e o que eles representavam, ele se iria limitar a batizá-los tendo em conta essa superficialidade?

— Não estou entendendo sinceramente o que você quer dizer com isso. Acho até que isso é um não assunto. Montes de inventores deram o seu nome às suas invenções. Me parece óbvio.

— Para e pensa um pouco. Lacroix é o nome que você herdou do seu pai e, por isso, está umbilicalmente associado a ele. E o seu avô sabia muito bem disso. E qual era o conceito desses bombons? Era cada um estar ligado a um determinado sentimento e sempre com uma conotação positiva, fosse de perdão, amor, gratidão, amizade etc. Ou seja, o seu avô, sem que você tivesse percebido, criou um triângulo cujos vértices eram você, o seu pai e este conjunto de sentimentos. Como se fosse uma ponte de paz entre você e ele, numa tentativa de proteger você de futuros sentimentos negativos e recalcados. É óbvio que, pelo conhecimento que ele tinha da vida e do ser humano em geral, essas experiências e essas receitas tinham um propósito. E esse propósito era trabalhar o seu inconsciente. Infelizmente, e apesar de todo o seu esforço, acabou por não dar resultado.

— Você hoje está muito forte no campo das descobertas. *Disse ele, com um leve sorriso*. Nunca tinha pensado nisso. O meu avô era mesmo incrível. Sempre fez tudo por mim e eu nunca soube retribuir...

— Ainda tem tempo, Leonardo. Você já sabe qual é o primeiro passo que tem que dar e eu vou te ajudar.

— Tenho de pensar, mas não tenha esperanças. Vamos.

Retomamos a caminhada em direção ao meu carro e mesmo antes de abandonarmos o jardim pelo portão principal reparei num casal de mãos dadas, que vinha caminhando na nossa direção por um passeio que contornava o jardim, e parei olhando para ele.

— Isso é tudo saudades de andar assim de mão dada? *Perguntou Leonardo, ao perceber para onde eu estava olhando.*

— Não propriamente. É que aquele rapaz que vem ali de mão dada é o meu ex-namorado. Vamos embora.

Acelerei o passo na frente dele e saí do jardim para que Gabriel não me visse. Leonardo veio atrás de mim em silêncio, respeitando o constrangimento que estava sentindo naquele momento.

— Deve ter doído. *Disse Leonardo, mas sem qualquer tom de zombaria.* Quer dizer, não sei há quanto tempo acabaram.

— Não é uma questão de muito ou pouco tempo. É uma questão de como se usa o muito ou pouco tempo que nos separa de um acontecimento negativo. Podemos ficar remoendo uma vida inteira por uma coisinha de nada e algo muito sério superarmos em pouco tempo. Tudo depende de como aceitamos, compreendemos e perdoamos aquilo que nos acontece. O tempo não faz tudo sozinho e o pouco que faz, embora o faça bem, faz muito devagar.

— Continuo sem saber se doeu e se foi há muito ou pouco tempo que esse relacionamento acabou. Não que eu tenha alguma coisa a ver com isso, mas, como nunca sofri por ninguém, confesso que tenho uma certa curiosidade em saber como isso funciona.

Parei junto ao carro e antes de entrar olhei para Leonardo.

— Então eu vou te explicar como é que as coisas acontecem no mundo das pessoas que têm sentimentos. É claro que, passe o tempo que passar, quando você vê pela primeira vez uma pessoa que viveu muitas coisas contigo, e você fez a ela todas as declarações de amor e mais algumas, ao lado de outra pessoa, isso vai mexer contigo. No entanto, aquilo que eu vi ali dentro, embora tenha me apanhado de surpresa, não me surpreendeu. Sim, eu preferia não ter visto, mas não posso dizer que tenha doído porque já aceitei tudo o que tinha de aceitar e já segui com a minha vida.

Entramos no carro e talvez por não lhe ter dito mais nada durante a viagem passei a imagem de que ainda estaria incomodada com aquilo que tinha visto e Leonardo decidiu intervir.

— Há alguma coisa que eu possa fazer por você? *Perguntou.*

— Espera aí... isso é uma demonstração de preocupação?

— Se eu disser que sim é motivo para me internarem?

— Não, longe disso. Se você disser que sim é um excelente motivo para celebrarmos. O fato de você demonstrar empatia e preocupação não é nenhuma doença, muito pelo contrário, é saúde.

— OK, entendido, mas você não me respondeu.

— Não, você não tem de fazer nada por mim. Também não é preciso exagerar, já expliquei que foi só desagradável. Nada mais.

O silêncio voltou a abater-se sobre nós e deu ênfase à ideia de que eu tinha ficado mesmo incomodada. Eu queria dizer alguma coisa para sacudir essa ideia da cabeça dele, mas a pressão me fez bloquear e não me ocorria nada, até que, mais uma vez, ele interveio.

— Entre nessa rua. *Pediu, apontando com o dedo.*

Mudei repentinamente de direção.

— Para onde estamos indo?

Ele não me respondeu e continuou indicando as direções por onde eu tinha de ir, até que me pediu para estacionar. Abandonou o carro, começou a caminhar e, ainda sem saber o que ele tinha em mente, segui-o. Parou na entrada de uma rua e eu parei ao lado dele. A rua de pedestres que se estendia diante de nós era conhecida por rua das floristas, precisamente porque a maior parte das lojas, de um lado e do outro, eram ocupadas por floristas. Leonardo começou a andar devagar, olhando à sua volta, e aproximou-se de uma das lojas, metendo-se por entre os vasos que estavam na entrada.

— Escolha uma. *Pediu.*

— Sério que me vai dar uma flor?

— Escolha uma.

Apontei para uma rosa-vermelha, ele a pegou, deu o dinheiro à florista e aproximou-se de mim. Quando eu já estendia a mão para recebê-la, ele passou por mim e se dirigiu até outra florista do outro lado da rua. Voltou a enfiar-se por entre os vasos e fez o mesmo pedido. Na expectativa do que ia sair dali, eu lhe disse que queria um dos cravos, também vermelhos, que estavam junto à perna dele. Leonardo pegou um, pagou-o e saiu segurando as flores numa das mãos sem nunca me entregar. Comecei a duvidar se eram realmente para mim, mas continuei a fazer o que me pedia. À frente escolhi uma magnólia, depois um jasmim, mais uma rosa e o processo repetiu-se até o final da rua. Quando terminou, entregou-me o ramo, atado por um laço que tinha pedido na última florista. Tinha um aspecto um pouco desajeitado, mas não estava menos bonito por isso. Naquele momento percebi que nunca ninguém me tinha dado um ramo de flores, e não era difícil perceber que Leonardo também nunca tinha oferecido um a alguém.

— Vi uma vez na net que receber flores ajuda as mulheres a ficarem mais bem-dispostas. *Disse quando me entregou o ramo.*

Ele me falou de um jeito tão natural que não percebi se estava brincando ou falando sério, mas também não era importante. Ou pelo menos não tanto quanto um pormenor que me ocorreu.

— Lá na internet também diz alguma coisa sobre dar flores a outras mulheres quando se tem uma namorada?

— Já que está falando nisso, lembra quando você foi embora chateada no tal jardim do balanço e depois mais tarde, quando fomos fazer os bombons, eu disse que esse pequeno momento me tinha feito tomar duas decisões?

— Sim, lembro! E você só me revelou uma delas.

— Pronto, a segunda decisão foi me afastar da Rita depois de perceber que aquilo não fazia sentido. Estava sendo injusto com ela.

Naquele instante foi como se caísse um muro imaginário entre nós e eu passei a vê-lo instantaneamente com outros olhos.

Num impulso, agarrei-o pelo pescoço e beijei-o.

Leonardo ficou tão admirado quanto eu com aquilo que acabava de acontecer. Ficamos parados no meio da rua olhando um para o outro e eu já estava profundamente arrependida por não ter conseguido controlar aquele impulso.

— Desculpe! Não sei por que é que fiz uma coisa dessas. Esquece que isto aconteceu. Acho que é melhor irmos embora. *Eu disse antes de me apressar pela rua abaixo em direção ao carro.*

Eu caminhava na frente dele com as passadas mais largas que conseguia e a sensação que tinha era de que se visse um buraco ali por perto me enfiava nele. Estava tão envergonhada que não parava de repetir a palavra *idiota* dentro da minha cabeça. Ele veio atrás de mim e, certamente também perplexo, não disse nada. Entramos no carro e seguimos viagem. Se na ida do jardim até aquela rua eu tinha dificuldades em dizer alguma coisa para mostrar que não estava incomodada, naquela ida para casa essa sensação tinha se multiplicado por dez. Por várias vezes tentei dizer alguma coisa, mas as palavras esbarraram nos meus lábios tensos e voltaram para trás. Só quando parei em frente à casa de Leonardo para que ele saísse é que ganhei coragem suficiente para voltar a tocar no assunto.

— Não interprete mal aquilo que aconteceu. Nunca tinham me oferecido flores e muito menos da forma como você fez e eu me deixei levar. Mas aquilo que aconteceu não quer dizer nada.

— Calma! Eu não disse que não gostei. Só não estava à espera.

— Nem você nem eu, pois como é óbvio não devia ter acontecido.

Não fez qualquer sentido. Foi uma atitude adolescente.

— Por que você diz que não devia ter acontecido?

Olhei para Leonardo assim que me fez aquela pergunta e o semblante dele denotava que a sua dúvida era genuína. Ele tinha uma visão tão distorcida dos sentimentos e dos momentos que não entendeu mesmo por que é que eu disse aquilo.

— Leonardo... simplesmente não devia ter acontecido. Não consegue entender isso? Há um motivo claro para eu estar na sua vida e esse motivo não é criar laços e muito menos me envolver contigo. A nossa relação tem o único propósito de ajudá-lo a despertar o seu lado bom. Foi essa a missão que o seu avô me deixou e assim que a tiver cumprido ou acreditado que fiz tudo o que podia fazer vou seguir o meu caminho e você o seu. Eu tenho a noção de tudo isto e não vou confundir, misturar ou estragar as coisas. Me deixei levar pela beleza do seu gesto que nunca ninguém tinha feito, mas não voltará a acontecer. Por isso, da minha parte, isto não se repetirá.

— Sim. Claro. Você tem toda a razão. É melhor assim.

— Pois é... Obrigada pelas flores.

Leonardo entendeu a deixa, lançou-me um sorriso seco de quem não sabia o que dizer mais, saiu do carro e eu dirigi até em casa com um peso na consciência. Comecei a desejar voltar atrás no tempo e reerguer aquele muro imaginário que existia entre mim e ele. Era impossível as coisas voltarem a ser as mesmas depois do que tinha acontecido. Seríamos capazes de fingir que nada tinha se passado? Ou seria melhor pôr um ponto final na minha missão e nunca mais vê-lo? Olhei para o banco do lado e para o ramo de flores sozinho sobre ele e sorri. Estava arrependida, era certo, mas, por mais que quisesse negar, a lembrança daquele beijo era maravilhosa. Quando cheguei em casa, de ramo na mão, fui para o quarto e caí sobre a cama. Durante segundos não me permiti pensar em nada, o que para mim era um feito raríssimo, mas não demorou muito até o meu estado de relaxamento ser quebrado pela minha irmã, que bateu na porta do quarto.

— Flores? *Perguntou Leonor assim que entrou e viu o ramo pousado na mesinha.* Foi o namorado que deu?

— Diga o que você quer. É outra vez o meu estojo de maquilagem, não é? Ou será antes a minha blusa listrada? *Perguntei sem sair daquela posição.* Leve o que quiser. Hoje você pode tudo.

— Não, não é. Só quero e preciso falar com você.

— Leonor, hoje não é um bom dia. Pode ser amanhã?

— É rápido, só quero que você me dê um conselho.

Eu me ergui da cama, me sentei encostada à cabeceira e lhe fiz um sinal com a cabeça para que se sentasse e começasse a falar.

— Lembra daquele rapaz que te falei no outro dia?

— Sim, o seu *crush*. O que é que foi desta vez? Não me diga que ele voltou a dizer que gostava de você e quer ficar com você de novo.

— É isso mesmo, como é que você adivinhou?

— Ó meu amor, porque há muitas pessoas assim, infelizmente. Eles vêm com cantigas de que gostam de nós, que querem tentar novamente, que sentem a nossa falta e tudo o mais, e nós que como somos umas eternas sonhadoras caímos nessa história. Acabamos nos entregando de corpo e alma, e depois, quando têm o que querem, que é somente o nosso corpo, voltam a se afastar alegando que foi um erro, que não sabem o que querem e essa conversa toda. Mas diga lá qual é o conselho que você quer de mim.

— Acho que você já deu. Ia te perguntar o que eu devia fazer. Se acreditava nele ou não, se dava uma oportunidade ou não...

— Antes de mais, eu continuo achando que você é muito nova para andar com estes dilemas, mas, se você os tem, resta agora resolvê-los. Eu queria dizer uma coisa, mas não era para você, era para esse rapazinho, mas não vou fazê-lo porque tenho de ser correta e deve ser você a resolver os seus problemas. O que tenho para dizer a você é que as pessoas, por natureza, são manipuladoras. E quando digo as outras pessoas também estou falando de nós mesmos. Olha você, por exemplo, no outro dia com o pai você conseguiu convencê-lo a te dar um celular novo. Todos somos um pouco assim, por natureza, seja para o bem ou para o mal, e cabe a cada um saber defender-se quando essa manipulação pode prejudicar. E aquilo que me parece que está acontecendo é que esse rapaz, como sabe que você gosta dele, está usando isso para se aproveitar de você e do seu corpo. E eu só não vou tentar descobrir quem ele é e ter uma conversa com ele porque tenho de respeitar a sua privacidade e não é justo me meter na sua vida. Mas ficam os conselhos.

— Está bem, e o que eu devo fazer agora?

— Diga que não. Ganhe coragem e diga que não. Diga que gosta dele, mas sabe que merece mais do que aquilo que ele te dá. Diga que também quer, mas que querer não é suficiente nem nunca vai ser. Só depois de aprender a dizer não é que vai tomar consciência do poder que você mesma tem sobre você. Que é muito. Mas é um poder que você mesma passa para as mãos da outra pessoa pelo simples fato de a amar mais a ela do que a si própria.

— Não sei se percebi, mana...

— Deixe-me ver se eu te explico isto de uma forma mais simples. Imagine que você leva um lanche para a escola e outra pessoa também leva o dela. Mas a outra pessoa umas vezes perde o lanche, outras vezes esquece de levar e outras vezes come mas não fica satisfeita e vem sempre pedir o seu lanche. E você, como gosta muito dessa pessoa, dá o seu lanche para ela e não come nada. Aquilo que eu te digo para fazer com o lanche é o mesmo que te digo para fazer com o seu amor-próprio, que é não o dar à outra pessoa porque ele é seu e você também precisa se alimentar. E se a outra pessoa não tem o dela ou foi por negligência dela ou porque é muito gulosa e não se satisfez. Contudo, isso nada tem a ver com você, o seu lanche continua a ser o seu lanche. Se você abre mão dele todos os dias para dá-lo a outra pessoa, vai ficar sempre com fome enquanto a outra pessoa vai estar sempre de barriga cheia. Você acha justo? Não. Então tem de aprender a dizer não e vai ver que depois vai se sentir muito melhor e não vai andar tão preocupada.

Antes que me respondesse, a porta do meu quarto voltou a abrir e do outro lado surgiu a minha mãe com o celular na mão.

— É a sua avó, quer falar com vocês. Quem é a primeira?

Estiquei o braço para me passar o celular e adiantei-me a Leonor. Enquanto respondia às perguntas da praxe feitas pela minha avó, a minha irmã ia remexendo nas minhas coisas à procura de alguma coisa que lhe interessasse pedir emprestada.

— Quando é que você vem visitar os seus avós? *Perguntou a minha avó, como era costume sempre que me telefonava, mas daquela vez dei uma resposta diferente.*

— Por acaso lembrei disso há pouco tempo. Tenho um amigo para quem conhecer a realidade do campo iria fazer bem. Um fim de semana na casa dos avós, longe dos luxos e mordomias, telefone, internet e todas essas coisas ia ser uma boa experiência para ele.

— E por que vocês não vêm? Estamos sempre aqui sozinhos. Tenho certeza de que vai gostar. Quer que prepare um quarto ou dois?

— Ó avó, é claro que se eu for com ele são dois. Eu disse que é um amigo, mas neste momento me parece impossível ir.

— Deixe disso, menina. Vocês vêm passar nem que seja só um fim de semana. Olhe que já estou contando com isso. Agora passa o celular para a sua irmã para falar um bocadinho com ela.

Passei o celular à Leonor, saí da cama, peguei o ramo de flores e fui à cozinha preparar um vaso para colocá-lo. É claro que a minha mãe assim que me viu com ele não conteve a curiosidade.

— Foi o Leonardo, não foi?

Olhei para ela e por um segundo ponderei esconder a verdade, mas não valia a pena porque não ia conseguir enganá-la. Pelo menos por muito tempo. Peguei um vaso, coloquei água dentro e depois as flores. Fiz tudo com a maior calma do mundo só para fazê-la duvidar por um momento se eu iria saciar a sua curiosidade ou não.

— Foi, mas num contexto diferente desse em que você está pensando.

— Olha que o rapaz... gosta de você.

— O quê? Eu já te disse que as flores foram num contexto diferente. Não foram para me conquistar ou demonstrar que gosta de mim, foi apenas porque eu estava um pouco para baixo.

— Eu nem estou falando das flores. Estou falando da forma como ele olhava para você quando veio jantar. Você sabe que eu reparo nessas coisas e não era um olhar qualquer. E por causa do beijo, claro.

— O beijo? Mas quem é que te contou?

— Ninguém me contou, eu vi, pois estava vigiando daqui da janela para ver como vocês se despediam depois do jantar.

— Ah! Esse beijo. *Respirei de alívio e depois me lembrei do fato de ela me ter espiado.* Sério que você foi bisbilhotar na janela?

— É claro que depois de ver como vocês olhavam um para o outro tive curiosidade de ir confirmar se isso já era oficial.

— A forma como olhávamos um para o outro? Mas afinal eu também olhava para ele de um jeito diferente?

— Olhava, pois. E em relação a você não há que enganar.

— O que você quer dizer com isso?

— Ó minha filha, você está apaixonada. Completamente.

Ouvir aquilo da minha mãe tinha sido a confirmação de algo que eu temia. Até aquele momento eu ainda conseguia me enganar, dizendo para mim mesma que era apenas coisa da minha cabeça e que não era possível que tão pouco tempo depois do fim do meu relacionamento com o Gabriel eu já estivesse metida em outra história. Eu prometera a mim mesma que depois do que passei com ele não me deixaria engraçar com tanta facilidade, mas parece que fui apanhada novamente desprevenida. Irritava-me aquela minha fraqueza e irritava-me ainda mais o fato de eu nem sequer ter percebido isso propriamente. O coração é muito rebelde, quanto mais o controlamos e tentamos impedi-lo de se apaixonar por esta ou aquela pessoa, mais vontade ele tem de fazê-lo e de nos enredar. Nesse caso foi como se eu o tivesse trancado no peito, de castigo, e ele fugisse às escondidas por uma porta imaginária nas minhas costas para ir se apaixonar por quem não devia.

Nos dias que se seguiram, aquelas palavras da minha mãe não saíram da minha cabeça e me deixavam cada vez mais revoltada comigo mesma, uma revolta que, por sua vez, me fazia pensar ainda mais nisso e consequentemente me envolver mais ainda. Eu não disse mais nada a Leonardo, com receio de como seria o nosso reencontro depois do que aconteceu. E, como ele também não me disse mais nada, decidi que era o momento de fazer uma pausa na missão que Nicolau me dera. Não sabia mais como lidar com ele e por várias vezes peguei o celular para lhe falar e voltei a pousá-lo depois de não me ocorrerem ideias suficientemente lógicas para fazer parecer uma abordagem natural. Recebi, poucos dias depois, uma chamada da diretora da associação de acolhimento me contando que as crianças não paravam de falar do Leonardo e insistiam com ela para que o chamasse para mais atividades. O que era compreensível, tendo em conta a euforia que ele despertou na meninada quando da atividade no jardim. Ela me pediu que falasse com ele e lhe transmitisse a mensagem, uma vez que eu era a ponte entre eles dois, mas não tive coragem. Eu lhe disse que achava melhor ser ela a falar diretamente com ele e lhe dei o número de Leonardo. Cerca de dois dias depois daquela chamada da diretora da associação, recebi finalmente uma chamada do próprio Leonardo. O meu coração quase me saltava da boca quando olhei para o celular e vi quem era. Atendi com medo e meio atrapalhada e, do outro lado, uma voz calma cumprimentou-me.

— Posso te pedir um favor? *Perguntou logo depois.*
— Para que é que você precisa de mim?
— Posso passar agora na sua casa?
— É esse o favor que você quer me pedir?
— Não, quero te pedir o favor pessoalmente.
— Tudo bem, me avise quando chegar e eu desço.

Assim fez. Quando chegou, me avisou e eu desci. Durante aqueles curtos segundos que o elevador levou para chegar ao térreo, todas as estratégias que eu tinha delineado na minha cabeça para que quando o visse parecesse o mais natural possível começaram a desmoronar de forma descontrolada. Quando por fim saí do prédio e voltei a ver Leonardo, encostado ao seu carro, o meu rosto enrubesceu de vergonha ao ser abandonada pela razão e entregue à imprevisibilidade dos meus instintos. Sorri, ele me sorriu de volta e não senti naquele sorriso uma segurança maior que a minha.

— Pensei que você iria só deixar de me beijar de surpresa, afinal também deixou de fazer todo o resto.

— Não queria que você pensasse coisas erradas a meu respeito, como, por exemplo, que eu gosto de você ou que não consigo estar longe de você, enfim, todas essas coisas. Decidi me afastar e quando você achasse por bem ia acabar me procurando.

— Ou seja, se eu não te procurasse você não me diria mais nada?

— Acabaria dizendo porque temos uma missão para cumprir. Ainda que às vezes a tentação de deixá-la pela metade seja grande, eu me esforço sempre para levar as coisas até o fim. Depois da difícil tarefa de aprender a dizer *não*, aprendi a dizer *se você não vem, também não vou*. Não por não gostar de procurar, mas por também gostar que me procurem. Mas, como já te expliquei, nós não temos uma relação, logo, eu não tenho de estar à espera de que você me procure, por isso o meu afastamento não foi um teste para você demonstrar que sentia a minha falta, senão neste momento eu estaria reclamando contigo por só ter me procurado para me pedir um favor.

— Hummm... Estou entendendo. Isso quer dizer que se eu continuasse sem te dizer nada você não iria ficar incomodada?

— Vai pedir o favor ou não?

— Pronto, está bem! A diretora da tal associação me ligou e, porque aparentemente você deu essa indicação, ela me disse que os meninos tinham gostado muito de mim e queriam que eu voltasse a fazer atividades com eles. Eu fui e passei a tarde de ontem com eles...

— E como é que o Lucas se comportou?

— Pois era a esse assunto que queria chegar. O Lucas não estava lá. Pelo visto, ele já estava num processo de reinserção no meio familiar quando estivemos com ele. A diretora me explicou que é um processo gradual em que a criança começa a ir passar uns dias em casa e depois volta, por isso é que ele nos disse que ia para a casa da mãe uns tempos e depois tinha de voltar para a associação. Até que a criança regressa em definitivo e há umas visitas quaisquer da Assistência Social para verificarem se tudo está correndo bem e essas burocracias todas. E eu disse a ela que gostaria de voltar a ver o rapaz porque achei muita graça no menino e que se ele ou a família precisasse de alguma coisa eu podia ajudar. Tal como você me ensinou a fazer. Ela acabou me dando o endereço e agora eu queria passar por lá, até porque comprei um presente para o menino, mas não queria ir sozinho. O Lucas conheceu nós dois ao mesmo tempo e acho que faria mais sentido se você fosse comigo, mas compreendo se não quiser ir.

— Eu acho que esse convite é mais porque você não sabe como atuar numa situação dessas e precisa da minha ajuda. E fez questão de me fazer o convite pessoalmente para reduzir a probabilidade de eu o recusar. Mas não há razão nenhuma para eu não aceitar ir com você, até porque eu também gostaria de voltar a ver o rapaz.

Avisei a minha mãe que chegaria mais tarde e fui com ele até o endereço que a diretora tinha indicado. Quando lá chegamos encontramos uma casa muito modesta, que ficava na periferia da cidade. Um portão enferrujado separava-nos do terraço da casa e, depois de chamarmos e ninguém aparecer, avançamos e batemos na porta. Pouco depois surgiu uma mulher que devia ter pouco mais de trinta anos e que só podia ser a mãe de Lucas. Ela olhou para nós com desconfiança pela porta entreaberta e, quando dissemos quem éramos e ao que íamos, abriu um pouco mais a porta, expondo o interior da casa, que, apesar de degradada, estava arrumada.

— Eu acho que ele me falou de vocês. *Confessou a mulher.*

De um dos cômodos surgiu a cabeça de Lucas, que espreitava para ver quem eram as visitas, e assim que nos reconheceu sorriu e caminhou até nós, descalço sobre o piso.

— Bia e Leo! *Exclamou, levantando a mão para um high five.*

— Eu trouxe um presente para você, consegue adivinhar o que é? *Perguntou Leonardo enquanto abanava uma sacola de papel.*

Lucas encolheu os ombros, dando a entender que não fazia ideia do que estaria dentro, e Leonardo não exigiu um esforço, passando a sacola para as suas mãos. O rapaz não demorou a abri-lo e tirar lá de dentro uma camisa do Real Madrid. Os seus olhos começaram a brilhar e um enorme sorriso desenhou-se no rosto.

— Olha, mãe! Uma camisa do Real Madrid!

Lucas não perdeu tempo em vesti-la por cima da camisa que já trazia vestida e a mãe o ajudou. Leonardo olhou para mim, contagiado pela alegria do menino, e eu sorri de volta, orgulhosa por ele ter feito aquele pequeno gesto que muito valor tinha para o rapaz.

— Muito obrigada. *Agradeceu a mãe.* Ele me pedia uma dessas camisas há muito, mas elas são tão caras...

— Venha comigo, quero te mostrar uma coisa. *Disse o rapazinho, vestido a rigor, enquanto agarrava a mão de Leonardo.*

Ele olhou para a mãe de Lucas para receber a sua aprovação e ela estendeu os braços para o interior da casa, dando-lhe a indicação de que podia ficar à vontade. Perguntou se podia me oferecer alguma coisa e eu aceitei um copo de água para dar oportunidade a Leonardo de ficar a sós com o seu amigo e, quem sabe, absorver muitas das mensagens que só a pureza de uma criança poderia lhe transmitir. Fomos as duas para a cozinha, dei um gole no copo de água que me serviu e nos sentamos à mesa.

— Quando conhecemos o seu filho, ele nos confidenciou que não sabia nada do pai e este meu amigo está numa situação idêntica, embora por outras razões, imagino. No entanto, foi interessante vê-los falar um com o outro e conhecer os pontos de vista de cada um sobre o mesmo assunto. Nada melhor do que o afeto de alguém que passa pela mesma situação para nos ajudar a superar.

— Também acho que sim. *Concordou ela, com um ar pensativo.* Então talvez seja por causa disso que o Lucas tem feito muitas perguntas sobre o pai desde que voltou aqui para casa. Ele antes não perguntava sobre ele, só se alguém comentasse isso na escola, mas faz uns dias que tem sido recorrente.

— Sério? É normal ele ter essa curiosidade e presumo que seja cada vez maior. Mas sem querer me meter onde não sou chamada... não pensa um dia em dizer a ele quem é o pai, apresentá-los, aproximá-los talvez? Ou quem sabe o pai é que não quer. Não me interprete mal, estou falando sem saber. Peço desculpas.

— Não tem mal nenhum. *Respondeu de um jeito que não me convenceu, e eu comecei a achar que tinha perdido um excelente momento para estar calada.* Mais um. A situação do Lucas é um pouco diferente. É que na verdade o pai dele morreu quando ele tinha pouco mais de um ano. Assassinado...

Fiquei sem saber o que dizer naquele momento. Apanhou-me completamente desprevenida. Do lugar da mesa onde eu estava dava para vislumbrar Lucas bastante animado brincando na mesa da sala com Leonardo. Senti uma compaixão tão profunda por aquele rapazinho que tive de fazer um esforço para segurar as lágrimas. Voltei a olhar para aquela mulher que remexia com a ponta dos dedos umas migalhas de pão que tinham sobrado sobre a toalha da mesa e não consegui abrir a boca.

— Na primeira vez que ele me perguntou pelo pai eu não sabia como lhe dizer que ele já tinha morrido, porque o Lucas era muito pequenino. *Continuou ela.* Então eu lhe disse qualquer coisa do gênero que ele tinha saído e já vinha. E o tempo foi passando e de longe a longe as perguntas voltavam e eu mudava um pouco a versão da história, mas foi como se eu própria ficasse refém daquela mentira e nunca consegui contar a verdade a ele. Depois comecei a achar que talvez quando fosse mais crescido estaria mais bem-preparado para saber a verdade, mas isso talvez não passasse de uma forma de esconder de mim a minha própria covardia. É uma história muito complicada. Com muito álcool, drogas, boates, crimes...

A conversa foi interrompida por Lucas, que chegou correndo à cozinha com uma folha na mão e Leonardo no seu encalço.

— Olha, olha, mãe! O que eu e o Leo fizemos para você.

Ela pegou a folha, olhou, sorriu para o filho, passou a mão no seu cabelo e depois me mostrou. Era um desenho de Lucas com a mãe... e o pai. O meu coração partiu-se em pedacinhos.

Leonardo ficou na entrada da cozinha olhando sorridente para Lucas, que falava entusiasmado com a mãe e até para mim sobre o pai dele e sobre o que eles iam fazer juntos quando ele decidisse voltar. Eu o ouvia falar tão empolgado, mas sentia-me cada vez mais desconfortável. Queria sorrir para o rapaz e alimentar aquela sua ilusão porque sentia que isso o animava, mas era completamente impossível. Se eu sofria com aquilo, nem queria imaginar o que estava sentindo aquela mãe que sabia que mais cedo ou mais tarde teria de lhe contar a verdade. Senti um aperto no peito e anunciei que estava na hora de irmos embora. Notei que Leonardo estranhou a minha reação, mas não disse nada. Despedimo-nos daquela família com a promessa de que voltaríamos a nos ver e saímos. Assim que entramos no carro, colei o olhar no painel e Leonardo não demorou a perguntar o que se passava.

— O pai do Lucas não o abandonou, tampouco a mãe o afastou do filho. Ele morreu. Assassinado. *Respondi.*

Leonardo mergulhou também no mesmo silêncio em que eu estava e ficamos calados, durante alguns segundos, dentro do carro estacionado em frente à casa. Eu tinha certeza de que aquela informação não tinha sido indiferente para ele e que rapidamente fez uma comparação com o seu caso. Não queria me aproveitar da situação de Lucas para chamar a atenção de Leonardo, mas senti que não podia ficar calada e desperdiçar aquele momento.

— Você ainda acha que a sua situação é assim tão dramática? Então se lembre daquele menino lá dentro, todo contente fazendo desenhos e planos para quando o pai dele voltar sem imaginar sequer que isso nunca irá acontecer. E você escolhe alimentar um rancor pelo seu e não procurá-lo e perdoá-lo como se isso fosse tapar o buraco que ele deixou em você.

— O dele morreu, há uma razão óbvia para não visitá-lo, o meu está bem vivo, com certeza, e se não me procurou foi porque não quis saber de mim. Uma coisa é não poder, outra é não querer.

— Apesar de tudo, você tem lembranças com o seu pai, e este rapaz com a mesma idade que você tinha quando veio para Portugal não tem nada. Olha para a sua sorte dentro de todo o azar. Olha para o lado bom do mal que te aconteceu. Nem que seja pela lição que esse mal te trouxe. A natureza do ser humano é dramatizar tudo como se de alguma forma a vida fosse ter pena e recompensá-lo ou então ser mais benevolente com ele. Mas isso é uma utopia. Se você quer que as coisas mudem, então mude primeiro a forma como olha para elas. Se quando tem um problema você foca somente ele, ele vai parecer ainda maior e mais difícil de resolver, mas se, em vez disso, se concentrar logo na solução, não vai se preocupar tanto e por consequência vai resolvê-lo mais depressa. Por isso, pare de gastar energia reclamando com a vida e a culpar este e aquele por isto e aquilo e ponha mãos à obra na construção da sua felicidade.

— Vamos ter esta conversa outra vez, Beatriz?

— Vamos tê-la as vezes que forem necessárias até você abrir os olhos e perceber que está vivendo um problema apenas e só porque está adiando a solução. Por medo, orgulho, covardia ou preguiça, mas está adiando. E eu até posso correr o mundo, fazer tudo e mais alguma coisa por você que nunca vou ser bem-sucedida na missão que o seu avô me deu enquanto você não fizer as pazes com o seu passado. E isso passa por perdoar o seu pai, independentemente das razões que o levaram a nunca mais ter procurado você. Lembre-se, não é por ele que você está fazendo isto, é por você.

— Começo a acreditar que você quer me empurrar à força para Paris à procura do meu pai para talvez assim eu resolver todos os meus problemas e você poder finalmente ficar livre de mim.

— Não seja idiota. Primeiro, eu não quero me ver livre de você, apenas quero que você fique bem o mais depressa possível. Segundo, eu não vou te forçar a nada. Você fará sempre aquilo que quiser, quando quiser. E terceiro... vamos embora porque eu, antes de ir para casa, quero passar com você num certo local.

Depois do que tínhamos acabado de descobrir acerca de Lucas e de termos retomado os temas habituais das nossas conversas, que se centravam em Leonardo, consegui esquecer um pouco os acontecimentos recentes entre nós. Foi como se tivesse criado uma ponte por cima deles, evitando dessa forma passar pelo constrangimento daquele beijo e voltar a sentir-me natural. Comecei a dar as indicações para irmos para o local que tinha em mente e o fiz como se o estivesse imitando quando me guiou até a rua das floristas. Quando pedi para ele encostar, ele me lançou um olhar de alguém que se soubesse para onde estava indo não tinha aceitado.

— Sério, Beatriz? Um cemitério?

— Eu sei que não é um cenário idílico, mas não viemos pelas flores nem pela beleza do espaço. Se no outro dia você me levou à rua das floristas porque achou que eu estava precisando, eu também te trouxe aqui porque achei o mesmo de você. *Leonardo revirou os olhos e soltou um suspiro.* Já tinha vindo aqui depois do funeral?

— Não. Não voltei. Não há nada aqui para eu fazer.

— Não acho que tenha sido por isso que você não voltou aqui. Você não voltou porque é neste lugar que você toma realmente consciência de que o seu avô se foi. No fundo você está como o Lucas, mas sem ter as mesmas desculpas, pois já é crescidinho e sabe toda a verdade. Você ainda acredita que um dia chegará em casa e ele vai chamar por você. Ou que chegará à fábrica e ele vai te convidar para irem para o laboratório fazer mais uma das suas receitas.

Ainda acredita que ele vai voltar a insistir contigo para ser mais meigo com as pessoas, para não ter medo do afeto, para as ajudar o melhor que puder e para partilhar tudo o que puder com elas. Para amar, para pedir desculpas e também perdoar. Mas ele já insistiu tudo o que tinha a insistir com você e agora compete a você fazer a sua parte. Desculpe se estou sendo dura contigo, mas já chega de ilusões. É importante admitir as coisas, sejam elas mais ou menos difíceis de engolir. A negação é a primeira barreira que você tem de ultrapassar para vencer uma perda. Só depois de admitir que perdeu é que você vai conseguir aceitar que perdeu, e só depois de aceitar vai conseguir superar essa perda. Anda, vamos.

Saí do carro e fui à sua frente, como se quisesse lhe mostrar que aquilo que íamos fazer não tinha nada de estranho. Entrei no cemitério e percorri, da forma mais natural possível, a distância até o sétimo jazigo do lado esquerdo, que pertencia a Nicolau. Leonardo veio atrás de mim e muito devagar colocou-se do meu lado de frente para o jazigo. Eu não lhe disse nada, nem tinha nada para dizer. Dei um passo atrás e deixei-o no seu momento de reflexão. Pouco tempo depois, levou a mão ao rosto e percebi que estava limpando alguma lágrima. Voltei a colocar-me do seu lado e, um pouco com medo, segurei sua mão para lhe transmitir alguma força. Sem me olhar, ele afastou os dedos para que entrelaçasse os meus nos dele e agarrou minha mão com firmeza. Naquele momento foi como se um choque elétrico percorresse todo o meu corpo e senti que, em vez de ter sido eu a transmitir-lhe força, tinha sido ele a mim.

— Ele sempre disse que queria esta frase na sua sepultura, pois dessa forma sabia que mesmo depois de morrer poderia ensinar às pessoas a mensagem mais importante que aprendeu em vida. *Disse, apontando na direção da lápide, onde, além do nome e das datas, tinha uma inscrição que dizia*: Não sentimos amor, somos amor.

— E você sabe o que é que ele queria dizer com isso?

— Não tenho bem a certeza, mas se ele dizia é porque é verdade. Além disso, é uma frase bonita. Bem ao estilo dele... *Fez uma pausa como se de repente tivesse sido apoderado por uma imensa nostalgia*. No entanto, se fosse na minha, eu mandaria escrever assim: *Não sentimos amor, somos amor... e amar é uma eterna viagem interior*. O que acha? Por mim ficava assim.

— Para mim parece que é muito cedo para você se preocupar com essas coisas. *Eu lhe dei um aperto na mão*. Ainda vai ter muito tempo para escolher um epitáfio.

— Não sabemos. Estou sempre à espera de que a próxima vez que entre neste cemitério não seja pelo meu próprio pé...

— Ai, Leonardo! Até me arrepiei agora, não diga bobagem. *Eu disse, soltando sua mão*. Acho que você já percebeu a mensagem que eu queria transmitir. Vamos. Já fizemos o que tínhamos a fazer.

Dirigi-me para a saída e logo depois Leonardo deu uma corrida para me alcançar. Apanhou-me já perto do portão.

— Ainda há pouco você disse que a negação é a primeira barreira. Essa, pelo menos, já venci há muito tempo. Mas não parece que você esteja seguindo os seus próprios conselhos.

— Estou sim, mas mais uma vez parece que você é que está dramatizando demais. Pois, ao contrário do que me deu a entender naquele dia, a miocardiopatia dilatada de que você sofre não é propriamente sinônimo de morte e muito menos de morte a qualquer momento, como você mencionou. Por isso, sem exageros, está bem?

— Como é que você sabe que é dessa doença que eu sofro?

Eu tinha esquecido que não foi ele que me contou.

— Foi a sua mãe que me disse, Leonardo. Sim, eu falei com ela sobre isso e ela já me contou tudo o que eu precisava saber.

— Muito falam vocês sobre mim. Está bem que posso não morrer de um momento para o outro por causa dessa doença, mas isso não alivia a sensação de que tenho uma bomba-relógio no peito.

— Está bem! Como quiser. Mas, se assim é, então me ajude a cumprir rapidamente a minha missão antes que seja tarde. Sim?

Disse, com ironia, numa tentativa de afastar aquela energia negativa que se apoderara de mim. E, já que você se comportou bem aqui, vamos aproveitar o andamento e vamos para a sua casa.

— Ui! Isso é assim? Nem um jantar romântico primeiro, nem nada? Eu não sou um objeto. *Disse ele, em tom de brincadeira, para também ele contribuir para o esquecimento daquele assunto.*

— Não seja idiota. Quando chegarmos lá você vai entender.

Entramos de novo no carro e Leonardo dirigiu até sua casa.

As conversas daquele dia pareciam todas irem parar no tema da morte, e eu me sentia cada vez mais pesada. Aquilo que eu esperava conseguir fazer na casa dele não ia ser muito mais leve, por isso senti uma necessidade urgente de desanuviar e liguei o rádio do carro.

— Escolha um número de um a cinco. *Pedi.*

— Três. *Respondeu de repente, como se soubesse o que eu queria.*

Escolhi a terceira estação de rádio que me aparecia no visor e estava começando nesse momento a música "Halo", da Beyoncé.

— Parece que adivinhou. Adoro esta música.

— Fazer o quê? *Disse ele, com sarcasmo, enquanto me olhava de lado.* Estou brincando. Eu por acaso também gosto dela.

Não demorou muito até eu começar a cantarolar a música, e Leonardo, embora sem se fazer ouvir, acompanhava a letra com os lábios. Foram pouco mais de três minutos de música, mas parecia que tinha valido como uma hora de ioga. Quando chegamos à casa de Leonardo, a mãe se preparava para entrar no seu carro e voltou para trás para vir me cumprimentar.

— Queria te pedir uma coisa. *Disse eu a Lurdes sob o olhar atento de Leonardo e ela me fez sinal com a cabeça para avançar com o pedido.* Pode me emprestar a chave do quarto dele?

— Está falando sério, Beatriz? *Perguntou.*

— Está falando sério, Beatriz? *Repetiu Leonardo.*

Ela rapidamente abriu a bolsa, tirou a chave, que aparentemente trazia sempre por perto, e passou-a para a minha mão.

— Pode ir cuidar da sua vida, dona Lurdes. Eu tomo conta dele.

Eu me virei para Leonardo e mostrei a chave para ele.

— Está na hora de matar as saudades dos seus brinquedos.

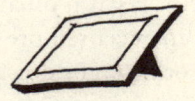

Leonardo parecia aborrecido com aquela notícia e senti nele certa obrigação pessoal de cumprir a minha indicação. Pus a mão nas suas costas e lhe dei um ligeiro empurrão para que seguisse na minha frente em direção à casa. Entramos, subimos a escadaria, percorremos o corredor até o fundo e, assim que chegamos junto da porta do quarto, entreguei-lhe a chave. Ao contrário do que aconteceu momentos antes no cemitério, ali tinha mesmo de ser ele a ir na frente. Ele pegou a chave e começou a mexê-la na mão enquanto olhava para ela e percebi a pressão que ele estava sentindo por causa daquilo que estava prestes a acontecer. Seria algo absolutamente banal para qualquer pessoa entrar no seu quarto de infância, mas não para Leonardo. Já não entrava lá há muitos anos e ele, melhor do que ninguém, sabia a viagem no tempo que aquele quarto iria provocar nele. Tinha-o evitado durante todos aqueles anos precisamente para não passar por aquela sensação, mas também sabia que tinha chegado a hora de parar de fugir. Por instantes me senti honrada por ser a pessoa com quem ele ia partilhar aquela experiência. Uma prova que se adivinhava intensa por tudo o que aquele espaço e aquelas lembranças representavam na sua vida. Respirou fundo, anunciando a enchente de coragem que se apoderara dele, meteu a chave na fechadura, rodou a maçaneta e empurrou a porta. Começou a caminhar para o interior do quarto, de olhar colado nas paredes e nos quadros pendurados, e eu me encostei ao batente da porta a observá-lo. Parou no meio do quarto e olhou na minha direção, como se estivesse me dando autorização para entrar. Entrei e fechei a porta atrás de mim numa tentativa de tornar aquele momento mais íntimo e privado. Continuou em silêncio e eu em silêncio continuei também, na expectativa do que ia sair dali. Leonardo continuava pensativo a percorrer com as mãos os objetos do quarto. Pegava, olhava e pousava as molduras com as fotografias onde aparecia sempre sorridente. Ora sozinho, ora com o pai ou a mãe, ora com os dois. E fazia o mesmo com os seus antigos brinquedos, chegando a manusear alguns deles. Comecei a acreditar que se esquecera de que eu estava também ali, mas percebi que não quando parou diante de uma das fotografias e me chamou. Era uma fotografia em que Leonardo estava sobre os ombros do pai em frente a uma casa.

— Era a casa onde vivíamos lá em Paris. *Disse assim que me coloquei do seu lado.* E este aqui sou eu com a minha famosa capa amarela. *Disse, apontando para uma foto em que aparecia sozinho em frente a uma casa.* Eu adorava andar assim, talvez por isso adorasse os dias de chuva. Acho que uma das melhores recordações que tenho de lá são desses dias. Adorava andar de capa na chuva porque era aconchegante a ideia de sentir a água caindo sobre mim sem me molhar. Eu me sentia seguro, protegido...

Decidi não comentar o que tinha acabado de me dizer com receio de distraí-lo e estragar aquele momento. Queria que ele mergulhasse fundo nas lembranças dos últimos tempos em que se sentira feliz e de certa forma isso o fizesse recuperar, ainda que apenas mentalmente, os sonhos, a alegria, o conforto e a segurança dos seus tempos de criança. Era bom ver no rosto dele um semblante positivo e leve, e isso me deixou mais tranquila por perceber que, ao contrário do receio da mãe, ele não ia desatar a quebrar aquilo tudo. A dada altura parou de olhar fixo num pequeno porta-retrato, pousado sobre a mesinha de cabeceira. Apesar de ser mais uma fotografia em que aparecia com o pai, aquele não era um porta-retrato como os outros. Era pintado à mão e tinha umas letras coladas que formavam a frase *O Melhor Pai do Mundo*. Leonardo o pegou e eu fiquei do seu lado também de olhos nela. Só percebi que ele estava chorando quando uma lágrima caiu sobre o porta-retrato e eu levantei a cabeça para olhar para ele. Leonardo sentou-se na beira da cama e eu me sentei com ele. Comecei a sentir certa culpa por tê-lo colocado, mais uma vez em tão pouco tempo, numa situação que o tinha feito emocionar-se. Por outro lado, sentia-me empolgada por perceber que ele estava deixando de lutar contra si mesmo e se libertando. Apesar do motivo, aquelas lágrimas eram um bom sinal e aparentemente os meus passos tinham sido acertados.

— Fiz este porta-retrato na escola, por ocasião do Dia dos Pais. Era o meu primeiro Dia dos Pais aqui em Portugal, pouco depois de ter vindo para cá, e eu o pintei todo contente e convencido de que um dia ia ter a oportunidade de dar para ele. Um dia... que nunca chegou. *Disse, de voz embargada, antes de explodir num choro.*

Peguei seu rosto e encostei-o ao meu ombro. Também eu não consegui conter as lágrimas depois de ele ter me contado aquilo. A dor que ele estava sentindo trespassou meu peito como se fossem flechas. Talvez até aquele momento eu ainda não tivesse tido realmente a noção da importância que tinham aqueles pormenores no crescimento de uma criança e em especial de Leonardo. Talvez só depois de ouvir aquelas palavras é que eu tenha me aproximado de verdade daquilo que ele sentia em relação ao pai. Começou então a percorrer o meu corpo uma sensação de culpa ao me lembrar de todas as vezes que eu insisti com ele que devia procurá-lo e perdoá-lo e ele me dizia que não. Consegui, pela primeira vez, compreender a sua relutância em fazê-lo. Eu nunca tinha passado por uma situação idêntica. Sempre cresci num meio familiar saudável, com a presença do pai e da mãe, e isso dificultou a tarefa de me colocar no lugar dele. Achava eu que a empatia que criava por alguém era suficiente para me colocar no lugar dessa pessoa e afinal não era. Era preciso calçar os sapatos dela, vestir as roupas dela e ver o mundo pelos olhos dela.

— Desculpe... *Eu lhe disse por impulso.*

Leonardo levantou a cabeça do meu ombro e olhou para mim com espanto. Limpei as lágrimas do seu rosto e expliquei melhor.

— Desculpe por ter insistido tanto com você para procurar o seu pai. Desculpe por ter sido incompreensiva com a sua situação. Acho que só agora consegui me colocar realmente no seu lugar e perceber quão difícil foi assumir esta realidade na sua vida e como isso influenciou a sua personalidade. Desculpe por todas as vezes em que te acusei de ser isto e aquilo. Desculpe por ter te forçado a ser alguém que devia ser quando só você só tinha de ser fiel a si mesmo e deixar que o tempo o fizesse perceber que não era por aí o caminho. Desculpe se fui impaciente e insistente demais, mas eu só quis ser um estímulo extra para te fazer entrar no caminho da bondade.

— Você sempre teve razão e eu sempre tive os olhos fechados. Não peça desculpas porque eu era mesmo uma pessoa ruim.

— Sim, você era uma pessoa ruim, mas porque não tinha consciência de que era. Além disso, havia uma razão por detrás dessa personalidade e que eu me recusei a usar como justificação. Você podia ser uma pessoa desprezível, mas pelo menos era verdadeiro. Ou seja, quem te conhecia sabia o que podia esperar de você. E eu agora percebi que não é com os maus que devemos ter mais cuidado, mas sim com os falsos bons. Dos maus já sabemos o que esperar e não os deixamos entrar, mas os falsos bons entram sorrateiramente na nossa vida e quando os descobrimos já é tarde demais. Por mais que eu quisesse, não posso te acusar de nada porque você sempre foi verdadeiro. Mesmo que isso tenha me magoado, mesmo que isso tenha magoado alguém, você agiu em função do que a sua consciência te dizia. O mundo seria perfeito se todos nós tivéssemos a consciência expandida e a mesma noção do que é certo e errado, mas isso não acontece. Nem nunca vai acontecer enquanto nos preocuparmos mais em parecer alguém que temos de ser do que em sermos nós mesmos. Isso não quer dizer que está certo você magoar tudo e todos. No entanto, foi o fato de você me mostrar sempre aquilo que era que permitiu ao seu avô, à sua mãe e a mim percebermos que tínhamos de ajudar você a encontrar o caminho do bem. Que sempre existiu em você. Se você fizesse de conta que era uma pessoa boa, nunca ninguém ia perceber que você precisava de ajuda. De fato, os piores males são aqueles que não conhecemos e, por isso, não conseguimos vencer. Pior do que ser mau é ser falso. Um falso é mau em dobro.

— Você acha que no fundo somos todos bons?

— Boa pergunta! Agora faz mais sentido aquilo que lemos na lápide do seu avô. Não sentimos amor, somos amor. Ou seja, no fundo todos somos bons, porque todos somos amor. Será isso?

Paramos os dois durante alguns segundos, refletindo.

— Sendo assim, acho que o epitáfio que escolhi para mim foi acertado. *Lancei a ele um sorriso apagado.* Apesar de tudo, acho que me fez bem ter vindo aqui, mas você ainda não me explicou qual foi a sua intenção ao me fazer voltar a este quarto.

— Apenas gostaria que você fizesse as pazes com o seu passado. Que não o ignorasse, que não o abafasse nem reprimisse. O seu passado também é você, e querer apagar os maus momentos é querer apagar um pedaço de você. Você só é o que é porque foi o que foi.

— Que assim seja. Eu vou.

— Como assim? Não entendi. Vai o quê? *Perguntei, intrigada.*

— Eu vou à procura do meu pai e vou aceitar a sua ajuda.

— Leonardo, eu já te pedi desculpas por ter insistido nessa ideia. E esse pedido de desculpas queria também dizer que não aceitaria mais que você fizesse as coisas só porque eu te convenci ou impingi. Não vou mais forçar rigorosamente nada. Tudo tem o seu tempo e terá de ser você a sentir que chegou a hora. Eu antes não entendia o porquê de tanta resistência, mas era apenas por ainda não ter tomado consciência do peso que isso representava em você como pessoa e na sua vida de uma forma geral. Sou muito impaciente. Quero sempre tudo agora. Aliás, ontem já era tarde. Mas entendi que tudo tem o seu tempo. E se eu faço de tudo para que seja agora e não é agora... é porque não tem de ser agora. Percebendo isso, eu ganho a capacidade de deixar ir e tudo passa a fluir e a acontecer naturalmente.

— Eu não estou tomando essa decisão por você. Estou fazendo por mim. Porque sinto que chegou a hora de fazer. Além disso, eu tenho este último presente que fiz para ele para entregar.

— Tem certeza? *Ele abanou a cabeça de um jeito afirmativo.* Então vamos reunir o máximo de informação sobre o seu pai e os hipotéticos paradeiros dele e vamos para Paris.

Leonardo foi me levar para casa e deixei a chave do quarto ao seu cuidado, convicta de que não havia mais razão para o medo que a sua mãe tinha de ele desfazer o quarto. Estava convencida de que Leonardo tinha, pelo menos em parte, feito as pazes com aquele pedaço do seu passado. Passei o dia seguinte planejando estratégias de como iríamos chegar até o pai de Leonardo e de como é que esse encontro deveria acontecer, mas tudo mudou com uma chamada que recebi de Lurdes já perto do final da tarde.

— Desculpe estar ligando, mas me diga uma coisa, o que foi que você disse ao meu filho ontem? *Perguntou, num tom preocupado.*

— Eu o levei ao quarto e expliquei que queria que ele aceitasse o passado, que não o rejeitasse etc. Mas por que a pergunta?

— É que ele está tirando tudo do quarto, mas está sempre me dizendo para não me preocupar e eu não sei o que está acontecendo.

— Oh, meu Deus. Eu vou já para aí!

No caminho para a casa de Leonardo, eu não parava de pensar no que estaria passando pela sua cabeça. Toda a boa sensação que tinha tido no dia anterior de que ele estava dando os passos certos havia sido substituída pela sensação de culpa por ter deixado a chave daquele quarto com ele. Assim que cheguei à casa, encontrei o seu carro com a traseira voltada para a porta de entrada e com o porta-malas aberto. No interior do porta-malas estavam várias caixas com aquilo que eu imaginava ser o conteúdo do quarto. Assim que me aproximei da porta apareceu a Mika, muito animada abanando o rabo, certamente sem saber o que estaria acontecendo dentro de casa, e eu fiz carícias na sua cabeça. Logo atrás surgiu Lurdes com um ar apreensivo.

— Ele só diz para eu não me preocupar e que depois me explica. *Disse ela assim que me viu.* Vá lá em cima falar com ele, por favor!

Subi a escadaria apressadamente e, quando cheguei ao quarto, Leonardo estava colocando um videogame dentro de uma caixa. As paredes e os móveis continuavam vestidos com os inúmeros quadros e porta-retratos e, apesar de bastante mais desnudado, a disposição permanecia intacta. Quando apareci na entrada do quarto, Leonardo me olhou com um ar admirado e logo o seu semblante se alterou como se de repente tivesse entendido a razão de eu estar ali. Ainda assim não deixou de fazer a inevitável pergunta.

— O que está fazendo aqui?

— A sua mãe me ligou, preocupada, dizendo que você estava tirando tudo daqui de dentro. Quando estive aqui, ela me disse que mantinha o quarto fechado com medo de que te desse alguma coisa e você decidisse se livrar disto tudo. Afinal, não estava assim tão enganada.

— Que exagero. *Disse ele, enquanto colocava os joysticks do videogame na caixa.* Eu só estou encaixotando os brinquedos, as pelúcias e os jogos. O resto permanece tudo intacto. Isto aqui está apanhando pó sem necessidade nenhuma quando há crianças que estão sendo privadas de uma infância saudável porque os pais não têm dinheiro para dar brinquedos a elas.

— Isso quer dizer que você vai doar todos os seus brinquedos?

— Parece-me ser a decisão mais acertada. Eu já não uso nada disto, nem voltarei a usar. E com certeza também não são estes brinquedos que farão a minha mãe se lembrar dos tempos em que eu era criança. As fotografias são suficientes, e se não forem ela que converse comigo e nos lembramos juntos desses tempos. Sabe, quando ontem fomos à casa do Lucas e ele me levou para a sala para me mostrar uma coisa, essa coisa era apenas uma capa com folhas desenhadas. Muitas delas arrancadas de cadernos. Ou seja, desenhar era o único entretenimento do menino porque ele não tinha brinquedos. E por isso o que fizemos juntos foi aquele desenho que você viu. Não deixa de ser uma atividade estimulante, mas há muito mais coisas que ele podia fazer e não faz porque não pode. E, depois de ter vindo aqui e de ter visto todos estes brinquedos inutilizados, decidi que eles podiam fazer o Lucas um pouco mais feliz. Vou levá-los agora à casa dele. Você me faz companhia? *Perguntou, enquanto erguia a caixa com o videogame, anunciando que estava feita a arrumação.*

Leonardo saiu do quarto e eu me deixei ficar para trás, reflexiva, mas com um sorriso na alma. Aquele era um gesto muito bonito da parte dele e que me surpreendeu. Algo que começava a ser cada vez mais recorrente e me deixava animada. Fiquei durante alguns segundos olhando para as fotografias que se destacavam ainda mais nas paredes, agora que o espaço estava mais desocupado, e dei por mim desejando que Leonardo não tivesse mudado de ideia em relação ao pai. Depois de tantos avanços que ele tinha demonstrado no seu comportamento, atitudes e personalidade, comecei a ter receio de que o fato de se reencontrar com o pai pudesse estragar toda aquela evolução positiva. No entanto, eu também sabia que estava sendo incoerente comigo mesma e, ainda que pudesse reverter o avanço dele, ia me manter firme na minha intenção. Apesar de tudo, eu sentia que aquele reencontro tinha de acontecer e, se Leonardo me disse que tinha chegado a hora, eu acreditava. Gostei muito da ideia de dar os brinquedos ao Lucas e não ia perder a oportunidade de ver a alegria do menino. Desci até o andar de baixo para me juntar a Leonardo, e Lurdes olhou para mim com muita esperança de obter uma resposta para o que estava acontecendo.

— Não se preocupe, dona Lurdes. O seu filho apenas vai doar todos os seus brinquedos a um menino que nós conhecemos num voluntariado e que não tem com que brincar. Depois ele lhe conta a história toda. Todo o resto permanece intacto no quarto. Fique descansada. Não há qualquer revolta, é apenas um gesto bonito da parte dele. Pode ficar orgulhosa do seu filho.

Lurdes arregalou os olhos de espanto e logo a seguir me deu um abraço apertado. Houve naquele abraço uma troca mútua de alegria por aquela pequena vitória e um alívio porque o pior dos cenários não se confirmara. Eu só podia me sentir grata por contribuir para a felicidade que aquela mãe estava sentindo naquele momento, tenha tido eu muito ou pouco mérito nessa conquista. Voltou a segurar minhas mãos como tão gentilmente costumava fazer e me lançou um sorriso antes de eu entrar no carro de Leonardo. No caminho até a casa de Lucas, eu ia pensando no abraço que Lurdes me dera e no que aquilo representava em toda a história e me lembrei da receita que Nicolau me deixou. Percebi que não era mais essa receita que me movia. Fazia o que fazia porque me sentia bem, porque queria, gostava e precisava. Envolvi-me de tal maneira naquela história que ela passou a ser também a minha história. Talvez fosse inevitável isso acontecer, mas sempre tentei me colocar do lado de fora para não ser influenciada pelos sentimentos e, assim, poder ter sempre um ponto de vista isento. E talvez tenha sido por isso mesmo que só quando visitei aquele quarto com Leonardo é que tomei consciência da dimensão da sua dor e do que ela representava na sua vida. Quando chegamos à casa de Lucas, foi como se conosco tivesse também chegado o Natal. Carregamos as caixas cheias de jogos e brinquedos para o interior da casa e Lucas não perdeu tempo para começar a remexer nelas todas, mostrando-nos os brinquedos que mais chamavam a sua atenção. Os seus grandes olhos brilhavam de alegria e a mãe olhava para nós timidamente como se quisesse nos agradecer de outra forma e lamentasse não ser capaz. Em pouco tempo, Lucas despejou as caixas e a sala virou um autêntico parque de diversões, mas o videogame pareceu ter conquistado o primeiro lugar nas suas preferências. Leonardo ajudou-o a ligar o aparelho na televisão e os dois se entretiveram durante alguns minutos jogando um jogo de futebol com os times favoritos de cada um. Leonardo acabou ganhando, mas Lucas não se importou minimamente com isso. Quando regressamos à casa, trazíamos o coração cheio. Com um simples gesto, Leonardo conseguiu fazer felizes pelo menos cinco pessoas naquele final de tarde, e era inevitável o sorriso nos nossos rostos. Um sorriso que se desvaneceu rapidamente quando viu a mãe conversando com alguém que estava dentro de um carro na rua em frente à casa. O carro arrancou na outra direção após o sinal de Lurdes, mas Leonardo ainda teve tempo de reconhecer a pessoa que o dirigia. Era o doutor Brandão. Soltei um suspiro quando percebi o que estava prestes a acontecer. Assim que estacionou o carro, ele se dirigiu à mãe e eu o acompanhei.

— O que estava fazendo aqui o diretor do lar onde estava o meu avô? *Perguntou muito calmamente, mas desconfiado.*

Lurdes ficou toda atrapalhada, o filho ainda não lhe tinha feito nenhuma pergunta, e o seu desconforto me contagiou.

— O doutor veio me trazer uns papéis do seu avô.

— Não me pareceu muito formal aquela despedida. Além disso, me pareceu muito apressada, como se você não quisesse que eu visse...

— Talvez seja melhor eu deixar vocês a sós. *Eu disse a eles antes de começar a me afastar em direção ao carro.*

— E onde estão esses papéis se você não tem nada nas mãos? *Ouvi ainda Leonardo perguntar à mãe.*

Entrei no meu carro para vir embora, pois a minha parte já estava feita e eu não queria me fazer de plateia para a conversa entre Lurdes e o filho, mas, antes que pudesse ligar o meu carro, vi o de Leonardo sair com toda a pressa do quintal de sua casa. Saí e fui ao encontro de Lurdes, que estava sozinha, cabisbaixa no meio do terraço.

— Eu sabia que ele não ia aceitar bem. *Disse com os olhos lacrimejantes.* Nem sequer me deixou explicar. Acho que ele já desconfiava. Eu sabia que isso mais cedo ou mais tarde ia dar errado.

— Calma, dona Lurdes. É claro que no início é sempre complicado, mas eu acredito que é uma questão de tempo até ele assimilar a ideia. Eu vou falar com ele e talvez consiga ajudar.

— Ó Beatriz... A menina não pode andar sempre tentando resolver os nossos problemas. Você tem a sua vida, e nós já lhe demos preocupações demais. Tenho de ser eu a resolver isso.

— Não diga isso. Vocês dois já são como minha família. E, se eu puder ajudar em alguma coisa, ajudarei. Para onde ele foi?

— Não sei! Ele saiu disparado, eu mal consegui falar.

— Deixe comigo. Eu acho que sei para onde ele foi.

Arranquei em direção ao jardim onde tinha ido uma vez ao seu encontro. Se ele precisava pensar, só podia ter ido para lá. Eu me sentia, de fato, uma bombeira que andava de um lado para o outro tentando apagar fogos que não eram postos por mim e tampouco eram no meu terreno, mas não era por isso que não me pertenceriam. Quando cheguei ao jardim, foi como se tivesse um déjà-vu. Lá estava ele, como da última vez, balançando de olhos postos no chão. Aproximei-me dele, e, quando percebeu minha presença, ele se assustou e ficou me encarando durante um segundo.

— Como sabia que eu tinha vindo para aqui?

— Você só podia ter vindo para cá. Não foi difícil entender.

— Eu tenho até pena de você. *Disse, deixando-me intrigada.* Você passa por tantas coisas sem necessidade. Se fosse eu, já tinha desistido há muito tempo. Confesso que admiro a sua persistência.

— Pois até eu às vezes me surpreendo com ela. *Eu me sentei no balanço ao lado.* Mas não vim cá para falarmos de mim. Ouça, Leonardo, eu sei que é complicado, mas a sua mãe...

— Beatriz! Poupe-me desse discurso. Eu já sei que ela é mãe, mas não deixou de ser mulher e que tem o direito de refazer a vida dela, de ser feliz e tudo o mais, mas é estranho! O que você quer que eu faça?

— É estranho, mas não tem nada de errado. A escola no primeiro dia também é estranha. A primeira vez que você pega um carro também é estranha. O que seria estranho era não ser estranho.

— Acho que já me habituei tanto à ideia de não ter um pai que já não quero nenhum. Nem mesmo o meu. Isto é muita informação para assimilar ao mesmo tempo.

— Esta questão é fácil de resolver. E se você morresse amanhã? Como você está sempre à espera que aconteça. Quem é que faria companhia à sua mãe? Seria a Mika? Você tem noção de que ela ficaria completamente sozinha se te perdesse? Você alimentou a ideia de ser desprezível para que também a sua mãe sentisse menos a sua perda, o que, se me permite, é um absurdo, contudo, nem sequer pensou na ideia de que ela sem você ficaria sozinha no mundo.

— Não consigo pensar agora no que pensei ou no que devia ter pensado e não pensei. Só sei que não consigo olhar para a minha mãe da mesma maneira agora. Precisava sair daqui uns dias. Você não acha que podemos apressar a viagem a Paris?

— Essa viagem convém ser bem preparada e você não vai para lá para espairecer. *Disse eu.* Por isso acho que devemos ir quando as coisas estiverem calmas e preparadas. Mas se você quer sair daqui eu sugiro fazermos algo que já tinha pensado há uns tempos. Quer ir passar dois ou três dias na casa dos meus avós... no campo?

— Campo? Eu odeio campo! Mas neste momento qualquer coisa é melhor do que estar aqui. Quando é que podemos ir?

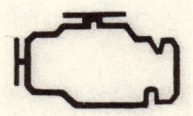

Telefonei para a minha avó para avisá-la que aceitaria finalmente o seu convite, e ela ficou eufórica com a novidade, perguntando logo quando vinha, a que horas vinha e com quem vinha para ter tudo pronto para a minha chegada. Já há muito tempo que não a via e me senti uma neta desnaturada. Talvez andasse dando demasiada atenção aos outros e muito pouca aos meus. Senti-me desconfortável com essa conclusão, mas depois me lembrei que os outros já tinham passado a ser meus também, e, uma vez que tinha sido uma decisão minha, cabia a mim conseguir me desdobrar por eles todos. A verdade é que quem ama está, quem ama arranja sempre uma forma de estar e sempre tempo para estar. E eu estava me desleixando nesse aspecto. Tinha de lembrar que nem só as relações entre casais precisam ser alimentadas, as relações com a família, com os amigos e com nós mesmos também precisam de tempo e alimento. Preparei as minhas coisas depois de sair do trabalho e passei na casa de Leonardo para buscá-lo. Esperei-o no terraço, e, quando saiu de casa, aproximou-se de mim com uma mochila.

— Não está pensando em ir naquele ferro-velho, está? *Disse, apontando para o meu humilde Opel 99.*

— Quando pensei pela primeira vez em te levar para passar uns dias no campo era com a intenção de conectar você com a natureza e também para trabalhar precisamente esse materialismo e falta de humildade. Pensei que já não era preciso, mas afinal...

— E não é. Só que pelo visto a terra da sua avó não fica perto, e além de irmos mais depressa no meu o conforto é outro.

— A ideia foi minha, por isso prefiro ser eu a levar você. Se não se importar. Além disso, o local para onde vamos é um pouco remoto, e as estradas são muito ruins. Não quero que você estrague o seu carro novo e eu depois fique me sentindo culpada. Vamos embora.

— Ansioso por conhecer esse fim do mundo para onde você vai me levar. *Disse, com ironia, antes de se dirigir para o meu carro.*

Fiquei parada no local onde estava e reparei que Lurdes olhava na nossa direção da porta de entrada, segurando a Mika no colo, certamente para não correr atrás de Leonardo. Ela sorriu para mim, envergonhada, como se estivesse de castigo e não pudesse sair de casa e eu pisquei e fiz um leve movimento com a cabeça para ela, dizendo gestualmente para não se preocupar, que ia ficar tudo bem. Entrei no carro e pegamos a estrada. Pela frente tínhamos pelo menos duas horas de viagem até uma pequena aldeia no interior do país onde ficava a quinta dos meus avós maternos. O sol começava a se pôr, e pelas minhas contas chegaríamos lá na hora do jantar. Não era a primeira vez que Leonardo andava no meu carro, mas, talvez por saber que a viagem era mais longa, parecia mais preocupado, reparando em todos os pormenores e barulhos do carro.

— Tem gasolina suficiente?

— Sim! Enchi o tanque antes de vir, é óbvio.

— E aquela luzinha amarela está acesa por quê?

— Essa luz está sempre acendendo e apagando. Relaxe. Não vamos ficar pelo caminho. O carro é velho, é natural acenderem luzes no painel. Descontraia e escolha uma rádio, já que da última vez fui eu.

Ele começou a mexer nos botões do rádio e, depois de alguns segundos sem grande êxito, olhou para mim com ar de tédio.

— Que engraçadinha. Só tem uma estação!

Soltei uma gargalhada e ele revirou os olhos na brincadeira. Aumentei o volume do rádio, e durante os minutos seguintes fomos desfrutando da paisagem à nossa frente pintada pelas sombras provocadas pela luz rasteira daquele final de dia. A cada quilômetro que passava, as casas iam, aos poucos, dando lugar às árvores e aos montes, até que deixaram mesmo de aparecer. Ficamos em silêncio durante algum tempo e percebi que tanto eu como ele queríamos desfrutar daquela sensação de paz. O fato de estarmos nos afastando de casa criava a ilusão de que também estávamos nos afastando de todos os problemas e era reconfortante. Entretanto, começou a tocar a música "Halo", da Beyoncé, e olhamos simultaneamente um para o outro.

— Ainda bem que gostamos da música. É que, mesmo que não quiséssemos, parece que esta tinha mesmo de ser a nossa música.

Leonardo limitou-se a sorrir e eu pus de novo os olhos na estrada.

Senti que ele ficou olhando para mim, ainda que fosse de lado, mas não tive vontade de olhar para ele para confirmar. Eu gostava daquela sensação de estar sendo observada disfarçadamente e não quis arriscar descobrir que estava enganada. Voltei a cantarolar a música, tal como tinha acontecido da última vez, mas desta vez a voz de Leonardo juntou-se à minha. Assim que terminou de tocar, como se anunciasse um fim de ciclo, abandonei a estrada principal e entrei em uma secundária, bem mais estreita e ladeada por extensos campos de cultivo. Tudo parecia perfeito com os últimos raios de sol a iluminarem o horizonte até que o carro começou a soluçar. Leonardo olhou para mim assustado, e eu não consegui devolver um olhar que o tranquilizasse, pois eu mesma estava admirada. Olhei para o painel e a luzinha amarela que estava acesa desde o início da viagem no painel do carro estava agora piscando. Experimentei reduzir a velocidade e depois aumentá-la, mas não teve qualquer influência. O carro continuou soluçando como se estivesse engasgado e, pouco mais de um quilômetro à frente, e depois de muito esforço, parou junto à margem da estrada.

— Isto nunca me aconteceu. Foi a primeira vez que me deixou na mão. *Lamentei sem olhar para ele*. Desculpe...

— Não faz mal. Abra o capô para eu ver o que se passa. *Puxei o freio, saímos do carro e ele levantou o capô.* Estou olhando, mas não vejo nada. Lamento não conseguir te ajudar. Chame o reboque.

Tentei virar a chave mais algumas vezes como se estivesse fazendo uma reanimação no carro, mas não deu mais sinal de vida. Levei as mãos à cabeça e respirei fundo várias vezes. Estava custando a acreditar que aquilo estava mesmo acontecendo, mas tentei não entrar em pânico, ser pragmática e ligar para o reboque. Não estávamos muito perto do destino, mas estávamos bem mais perto do destino do que do ponto de partida. Liguei logo depois para a minha avó, que já andava às voltas com o jantar, contando com a minha chegada em breve, e expliquei o que tinha acontecido. Pedi para ela chamar o meu avô e expliquei da melhor forma que consegui a estrada onde eu estava e pedi para ele vir nos buscar. Voltei para junto de Leonardo, que olhava para o motor do carro tentando encontrar o problema, mas o fato de já estar escurecendo tornava a tarefa ainda mais complicada. Desistimos de tentar descobrir a causa da morte inesperada do meu Opel, até porque, mesmo que descobríssemos, dificilmente conseguiríamos consertar, e fechei o capô. Entramos no carro para esperar o reboque e pouco tempo depois ele chegou. O senhor do reboque carregou o carro, tratamos das burocracias e ele nos perguntou se queríamos carona para algum lugar. Era no sentido contrário ao nosso destino, mas antes de recusar liguei para a minha avó para saber do meu avô.

— Ele saiu logo de casa mal desligou o telefone. Deve estar mesmo chegando. *Disse ela, muito confiante, do outro lado da linha.* Acabei recusando a carona, pois acreditava que o meu avô já deveria estar próximo. Infelizmente os meus avós não usavam celular, apesar dos muitos que lhes eram oferecidos, e naquele momento fazia muita falta ele ter um. Quando o reboque começou a afastar-se de nós, voltamos a mergulhar no silêncio e escuro da noite e uma leve sensação de arrependimento começou a se apoderar de mim. Estávamos sozinhos, no meio do nada e a vários quilômetros da próxima casa habitada, e a culpa era minha. Leonardo parecia tranquilo, mas eu começava a ficar assustada. Os minutos passavam e o meu avô não aparecia.

— Já me arrependi de ter recusado a carona. *Desabafei.*

— O homem ia nos levar para outro lugar qualquer, depois o seu avô passava aqui, não nos via e ia andar por aí perdido à nossa procura. Íamos nos desencontrar sem necessidade.

Eu admirava a tranquilidade dele, mas infelizmente ela não me contagiava como acontecia com outras sensações mais desagradáveis. Entretanto, um carro surgiu no horizonte e eu respirei de alívio. Começou a se aproximar de nós e eu estranhei o fato de não começar a reduzir a marcha. Quando passou por nós, vi que não era o meu avô e, se antes me sentia mal, comecei a me sentir muito pior.

— Não estou gostando nada disto. Quero sair daqui!

— OK, vamos esperar só mais um pouco e se entretanto aparecer algum carro que não seja o do seu avô pedimos carona ou então chamamos um táxi. Basta uma chamada e pronto. Fique tranquila.

— E se eu começar a me sentir mal? Está bem que o táxi chega aqui, mas até ele chegar eu já morri ou sei lá o que me aconteceu.

Ter-me lembrado daquilo foi o bastante para eu começar a entrar em pânico. Já não tinha como controlar o que estava acontecendo comigo. O coração disparou e eu comecei a hiperventilar.

— Estou tendo um ataque de ansiedade, Leonardo!

— Trouxe o remédio?

— Sim, trago sempre uma caixa na bolsa. Vou buscar.

— Não! Perguntei só para saber para o caso de você precisar.

— Mas eu estou precisando! E estou precisando agora!

— Você não pode viver dependente desse remédio. O fato de tê-lo aí já tem de te tranquilizar um pouco. Além do remédio eu estou também aqui. Você não está sozinha como da última vez. Se acontecer alguma coisa, eu vou te ajudar, esse medo é irreal.

— Eu sei, Leonardo, mas eu não controlo. Não percebe?

— Calma. Repita esta sequência, sete, quinze, vinte e três...

— O que você está dizendo? *Perguntei, de mão no peito.*

— Vi numa série um personagem que estava tendo um ataque desses e ele pediu que lhe dessem uma sequência aleatória de números para ele repetir porque supostamente o cérebro não consegue pensar em duas coisas ao mesmo tempo.

— Mas isto não é ficção, Leonardo! Obrigada, mas eu tenho mesmo de tomar o remédio para que faça efeito o quanto antes.

Assim que peguei a bolsa para tirar o remédio, Leonardo precipitou-se para mim, agarrou meu rosto e me deu um beijo intenso e demorado. Quando soltou a boca da minha, fiquei em choque olhando para ele e perguntei:— Por que você fez isto?

— Veja se agora consegue ou não pensar no meu beijo ao mesmo tempo que pensa na crise de ansiedade que está tendo.

— Foi por isso que você me beijou?

Os olhos dele se colaram no fundo da estrada atrás de mim e eu me virei para trás para ver o que era. Ao longe, dois pontinhos brilhantes me faziam sonhar que seria o furgão do meu avô.

— Acho que o melhor dos comprimidos vem ali atrás.

Assim que o furgão chegou perto de nós, parou e foi uma autêntica injeção de tranquilidade. Era o meu avô.

— Perdoem pela demora. *Desculpou-se o meu avô*. Eu pensava que estivéssemos falando da mesma estrada e afinal não. Fui para outro lugar e andei para trás e para a frente à sua procura e nada. Só depois é que me lembrei desta. Vão, entrem que já é tarde.

Eu entrei no banco da frente e Leonardo, no banco de trás e seguimos viagem. Aquele furgão do meu avô era ainda mais antigo que o meu carro e imaginei o que Leonardo estaria pensando naquele momento. Já eu, por mais que quisesse participar da conversa que o meu avô tentava manter conosco, não parava de pensar naquele beijo. A ansiedade começou a desvanecer e não consegui perceber se a principal razão tinha sido a chegada do meu avô, que me fez sentir, finalmente, um pouco mais segura, ou o beijo. Não tinha sido no local mais bonito, tampouco no momento mais idílico, mas, se a intenção de Leonardo tinha sido apenas terapêutica, então tinha acertado em cheio. Contudo, não consegui evitar uma leve desilusão ao imaginar que tinha sido essa a sua única intenção. Alguns quilômetros à frente entramos em uma estrada ainda mais estreita e degradada, até que chegamos a uma estrada de terra que nos levaria diretamente à quinta dos meus avós. Lembrei do fim do mundo de que me falara Leonardo no início da viagem e de fato parecia que aos poucos ele começava a ganhar forma, só a julgar pela qualidade do caminho, mas com certeza seria compensador. Quando chegamos, a minha avó nos esperava no alto da escadaria de pedra, sob a luz trêmula do candeeiro da entrada, mal nos viu, e desceu para vir nos receber. Apertou-me com veemência no meio dos seus braços, que teimavam, e ainda bem, em não perderem a força, e logo depois deu dois beijos em Leonardo assim que o apresentei.

— Parece que a viagem foi um pouco atribulada, mas ainda bem que já chegaram e eu agora só quero que relaxem. Venham comigo. *Disse ela, apressando-se a subir a escadaria*. Vou mostrar onde vocês vão dormir e depois vamos comer qualquer coisa.

— Avó... peço desculpas, mas acho que perdi o apetite.

— Vai comer nem que eu tenha que dar a comida na sua boca como quando era bebezinha. *Falou ela sem olhar para trás*.

Entramos na casa dos meus avós, que, embora já fosse bastante grande, à medida que os filhos foram casando e ela foi esvaziando, parece que ficou ainda maior. Quando eu era criança, não vivia longe daquela casa e por isso grande parte da minha infância e pré-adolescência foi passada ali. Fomos até o andar de cima e, depois de uma breve apresentação do piso que a minha avó fez a Leonardo, ela nos encaminhou até um dos quartos.

— Este era o quarto onde esta menina ficava quando dormia aqui. *Contou ela a Leonardo, lançando-me um sorriso*. E vai ser aqui que o menino Leonardo vai ficar. Esteja à vontade.

— Mas não devia ser a Beatriz a ficar neste?

— Ah! Pois! É só porque este é o melhor quarto da casa e temos como regra que o melhor fica para os de fora. Assim sendo, o Leonardo fica neste e a Beatriz fica já aqui ao lado. Fique à vontade e depois desça para comer conosco, que já é tarde e deve estar com fome. Anda, meu amor. *Disse para mim, agarrando meu braço*. Vou te mostrar onde vai ficar.

Assim que me mostrou o quarto onde eu ia ficar, ela me deixou com o mesmo convite que tinha feito a Leonardo e eu tratei de tirar algumas coisas da mala antes de descer. A casa era muito antiga, toda em pedra e ainda com um soalho em madeira que denunciava cada passo que se dava sobre ele, mas era muito acolhedora. O ranger das tábuas que ouvi no corredor me deu a entender que Leonardo já tinha se dirigido para a sala de jantar, que ficava no andar térreo da casa, assim como o quarto dos meus avós. Pouco depois foi a minha vez, e quando cheguei à sala ele já estava sentado à mesa conversando com os meus avós. A luz fraca do interior da casa dava um ar lúgubre ao ambiente e parecia que tinha recuado um século, mas eu me sentia bem, Leonardo também aparentava estar bem e isso era o mais importante. Eu me sentei em frente a ele e percebi uma ligeira vergonha em mim sempre que o meu olhar cruzava com o dele. Depois pensei que, se alguém tinha de se sentir embaraçado, era ele e não eu, pois desta vez a iniciativa do beijo tinha partido de Leonardo. Há, de fato, dores que não nos pertencem. Há culpas que não são nossas e que decidimos assumir porque gostamos tanto da outra pessoa que não queremos que ela sofra com elas. Ou ainda porque não queremos que ela as use como argumento para se afastar de nós e assim nos enganarmos um pouco mais acreditando que está conosco por amor. Isso me acontecia muito no meu relacionamento com Gabriel, e prometi a mim mesma que nunca mais me permitiria passar por algo semelhante. Sem dúvida que pedir desculpas é uma prova de amor pela outra pessoa, mas assumir uma culpa que não é nossa só para que ela não se chateie é uma prova de falta de amor por nós mesmos. A conversa estava animada e a minha avó parecia estar mais interessada em saciar as curiosidades que tinha sobre o elemento novo na mesa do que propriamente em saber novidades sobre a neta, mas eu a desculpava. Após uma pergunta sobre a atividade profissional de Leonardo, decidi usar a palavra para acrescentar um pormenor.

— Aliás, eu não disse, mas o Leonardo é o novo patrão da minha mãe. E também tem jeito para os doces.

Leonardo pareceu ficar envergonhado com aquela revelação.

— Ai sim? Então já sei quem vai nos ajudar amanhã a fazer o seu bolo de aniversário. *Disse ela, batendo três palmas.*

— Você faz aniversário amanhã? *Perguntou Leonardo.*

— Depois de amanhã, mas na minha família temos o hábito de cantar parabéns sempre à meia-noite com um bolo.

Ele abanou a cabeça, surpreendido com aquela notícia, e senti que queria me dizer mais alguma coisa, mas não o fez certamente por causa da presença dos meus avós. Quando o jantar terminou, o meu avô foi para o sofá desfrutar do seu vinho do Porto, como era seu hábito desde que me lembro, e pouco depois também nos juntamos a ele, mas antes Leonardo fez um pedido à minha avó, que pousava no escorredor o último copo que acabava de lavar.

— Peço desculpas, posso beber um copo de água?

Enquanto me dirigia juntamente com a minha avó para a zona dos sofás, eu ia olhando para trás e observando o que Leonardo estava fazendo junto à bancada e percebi que levou qualquer coisa à boca antes de beber um pouco de água. Imaginei que fosse o remédio que tinha de tomar todos os dias para o coração e senti pena dele. Era tão novo e o seu bem-estar dependia daquelas doses diárias de uma droga qualquer. Devo ter colado o olhar nele porque só percebi que ainda estava a encará-lo quando se voltou para mim e me viu. Aproximou-se para se sentar num dos sofás e ao passar por mim me lançou um sorriso apagado e desviou o olhar como se dessa forma me dissesse sem falar que também ele lamentava a sua situação, mas não havia nada a fazer. O convívio pós-jantar com os meus avós durou poucos minutos porque eles logo se despediram de nós e foram se deitar. Ficamos somente os dois, naqueles sofás, debaixo da luz de um candeeiro de pé alto.

— Quantos anos você vai fazer? Nunca me disse a sua idade.

— Porque você nunca me perguntou nem nunca encontrei um momento em que fosse pertinente falar sobre isso. Faço vinte e oito.

— Por que não me disse que faria aniversário em breve?

— Porque você também nunca me perguntou nem nunca encontrei um momento em que fosse pertinente falar sobre isso.

— O momento em que eu te disse que precisava me afastar de casa e você concordou que fosse este fim de semana, por exemplo. Você já sabia que o fato de virmos iria te impedir de passar o seu aniversário junto da sua família e amigos. Mas, mais do que isso, você sabia que isso implicaria festejar essa data importante... comigo.

— Ajuda só é ajuda se for na hora em que precisamos. Se peço ajuda agora é porque eu preciso da ajuda agora. Se fosse só daqui a duas semanas, eu pedia só daqui a duas semanas. A maioria diz que ajuda porque fica bem, e depois vai adiando, até que deixamos de precisar. Assim não têm o trabalho de ajudar. Eu já tinha tido esta ideia e decidi deixar de lado, mas, quando você me disse que precisava se afastar, eu decidi dar esta sugestão para te ajudar. Uma vez que esta nossa vinda foi numa ocasião em que você precisava, ela tem a conotação de ajuda, se fosse daqui a um mês, seria apenas um convite para passarmos um fim de semana no campo, o que, como você deve imaginar, seria um pouco estranho vindo de mim.

— Não seria assim tão estranho tendo em conta que você até gosta da minha companhia. Sem falar em certo beijo...

— Já expliquei que foi um mero impulso! Mas você não deve ter se lembrado disso há algumas horas. Se quer falar de certo beijo, acho que devia falar desse.

— Era uma situação de emergência. Foi para te ajudar.

— Foi só para me ajudar? *Ficamos em silêncio durante um momento e depois recuei.* Esquece. Não quero saber a resposta.

O relógio da sala tocou, anunciando a meia-noite.

— Parece que chegou a meia-noite.

— Expliquei que não é hoje que faço aniversário, é amanhã.

— Eu sei, eu sei. Amanhã é o primeiro de muitos dias com vinte e oito anos, mas hoje é o último de muitos com vinte e sete. Por isso, talvez o dia de hoje não seja menos especial do que o de amanhã. E esse dia começou agora mesmo. Já tinha pensado nisso?

— Sim, mas para mim o dia de hoje, o de amanhã, e depois, e depois, são igualmente especiais. Não os distingo pelas datas.

— Essa é uma forma bonita de ver as coisas, mas na realidade não é bem assim. Como está pensando em aproveitar o dia?

Estava tudo tão silencioso que a voz de Leonardo parecia ganhar outra intensidade. Ou era apenas uma ilusão criada pelo efeito sedutor que as sombras no rosto dele estavam criando em mim.

— Como você acha que eu devo aproveitar? *Perguntei e voltei a me arrepender muito rapidamente.* Esqueça a pergunta. Vou para a cama, você também vem? *Ele disse que sim com a cabeça.* Então me deixe só acender a luz das escadas e depois você apaga essa do candeeiro.

Leonardo ficou à espera de que eu acendesse a luz e logo em seguida apagou o candeeiro e me acompanhou na subida. Subi as escadas à frente e ele veio atrás de mim, talvez fosse só impressão minha, mas senti o olhar dele colado no meu corpo e não consegui perceber se era uma sensação boa ou ruim. Começamos a percorrer o corredor e a cada passo o meu coração acelerava mais.

— Não... *Disse Leonardo, agarrando a maçaneta da porta.*

— Não o quê? Não entendi.

— Estou só respondendo à pergunta que você me fez. Não foi só para te ajudar que te dei aquele beijo...

E entrou no seu quarto, fechando a porta atrás de si.

Quando acordei ainda era relativamente cedo. As portas das janelas deixavam entrar alguns raios de luz, mas não eram suficientes para terem me acordado. Logo depois ouvi uns ruídos vindos do lado de fora e lembrei de os ter ouvido durante o sono. Presumi que tinham sido eles a razão de ter acordado tão cedo num fim de semana. Ergui-me da cama, abri as enormes portas de madeira e espreitei pela janela para saber a origem dos barulhos. Lá em baixo vi Leonardo, atrapalhado e medroso, montando o cavalo Jeremias sob as indicações do meu avô, que segurava suas rédeas. O Jeremias era o cavalo de estimação do meu avô, e lembro de ele ser pequenino quando eu era criança, por isso devia ter uns vinte anos. O que, para um cavalo, já era uma idade avançada. Abri a janela devagar, debrucei-me sobre o parapeito e falei na direção deles.

— Você é muito pesado para o Jeremias! *Atirei na brincadeira.*

Leonardo olhou para cima, assustado, desequilibrou-se e caiu sobre um monte de feno que estava ali amontoado para dar de alimento aos animais. Soltei um guincho e levei a mão à boca com medo de que tivesse se machucado.

— Você se machucou? *Gritei da janela.*

Como Leonardo caiu para o lado de lá do cavalo, deixei de vê-lo, mas depois o animal deu dois passos em frente e vi a figura cômica dele, caído sobre a pilha de feno, me encarando com um ar aborrecido. Percebi logo que estava tudo bem e não consegui conter um riso com aquela imagem inédita para os meus olhos.

— Não me machuquei, mas agradeço muito o seu bom-dia.

Leonardo ergueu-se, começou a sacudir a roupa e eu me recolhi para o interior do quarto. Acabei de me vestir e desci. A minha avó esperava-me na cozinha pronta para me preparar o café da manhã, mas eu só quis comer duas torradas com queijo fresco e saí. Fui encontrá-los no estábulo, onde o meu avô parecia estar explicando algumas curiosidades sobre cavalos a Leonardo.

— Gostou da experiência? *Perguntei quando cheguei perto.*

— Gostei! Foi um voo agradável, valeu pela adrenalina.

— Idiota! *Dei um safanão em seu braço.* Estou falando do Jeremias, se gostou de andar a cavalo. Nunca tinha experimentado?

— Foi a minha primeira vez, sim. Fiquei um pouco dolorido.

— Espero que se divirta e se distancie de todos os pensamentos menos bons dos últimos tempos, mas não foi só para isso que você veio para cá. Lembre-se de que esta viagem é dois em um, também tem o objetivo de você estar em contato direto com a natureza.

— E estou! Ainda há pouco me atirei de cabeça, veja só.

— Está indo muito bem, então. E, uma vez que já conheceu o Jeremias, acho que está na hora de conhecer a nossa Milinha.

— Milinha? Quem é a Milinha?

Saí do estábulo, contornei-o e os dois vieram atrás de mim. Os meus avós tinham vários tipos de animais, mas era mais por gosto e passatempo do que propriamente por necessidade. Para aquilo que tinha trazido Leonardo ali, era perfeito. Quando abri o portão que ficava do lado de trás do estábulo, a Milinha levantou-se e sacudiu a palha agarrada ao seu pelo com o rabo. O meu avô apressou-se a encher a sua vasilha com água e eu fiz carícias no seu focinho.

— Uma vaca... claro. *Disse Leonardo, de mãos na cintura.*

— Quer fazer carinho nela também?

— Não, deixa estar. Estou bem assim. Ela acaba me mordendo...

O meu avô deu uma gargalhada e eu me juntei a ele a rir sob o olhar impassível de Leonardo, típico de alguém que nunca tinha estado próximo de um animal daqueles. Era hilariante o ar assustado dele, e confesso que estava me dando certo prazer.

— Pode confiar. *Tranquilizou o meu* avô. Ela não morde.

— Me dê a sua mão. *Agarrei se pulso e pousei sua mão sobre o focinho da Milinha, fazendo-a deslizar com o meu apoio.* Está vendo? Não há perigo nenhum. Ela é muito meiga e gosta de carícias.

Ele pareceu relaxar um pouco mais e eu o deixei sozinho a acariciá-la. Para mim aquilo era perfeitamente natural, mas compreendia que para ele fosse estranho, pois era a sua primeira vez. Peguei uma porção de ração e levei-a à boca da Milinha para que comesse diretamente da minha mão. Leonardo ficou olhando para mim e eu fiz um gesto com a cabeça para que ele fizesse o mesmo que eu. Ele aceitou o desafio, pegou um pouco de ração e, assim que ela acabou de comer o que lhe dei, ele aproximou a mão da sua boca.

— Ela está babando. Estou com receio de que ela não esteja satisfeita com a ração e prefira comer a minha mão.

Voltamos a repetir o processo e Leonardo ficou mais à vontade com a Milinha, que aos poucos foi conquistando a sua confiança.

— Todos os seus animais têm nome? *Perguntou Leonardo ao meu avô, que trocou logo um olhar comigo.*

— Não, só aqueles que essa menina decidiu batizar.

— Sério, Beatriz? *Voltou-se para mim.* Você batizou uma vaca? E que animais mais você batizou? Uma galinha? Um coelho?

— Não deboche. Estes animais também têm direito de ter um nome. Foi um hábito que ganhei quando era pequena. A desvantagem é que, como eu os batizo, depois crio uma ligação com eles e tenho pena quando morrem, como aconteceu com o meu Fanuco.

— Acho que nem vou perguntar que animal era...

— Era um faisão... *Revelei, envergonhada.*

Leonardo revirou os olhos e voltou a se concentrar no que estava fazendo, recusando-se a comentar aquele meu hábito, do qual, apesar de tudo, eu me orgulhava. O resto do dia foi uma autêntica aula sobre o campo. Uma vida completamente desconhecida para Leonardo. O meu avô fazia questão de lhe explicar tudo com muito detalhe e foi bom também ver a curiosidade dele sobre todos os assuntos. Estava entendendo aquela nossa visita aos meus avós como uma viagem enriquecedora para ele e não apenas como um escape às preocupações recentes sobre o seu pai e sobre a sua mãe. E isso era bom. Era importante ele ter aquele contato com um estilo de vida muito menos avantajado do que aquele que sempre tivera e talvez assim começar a dar mais valor ao conforto e à fartura de que desfrutava. Com certeza, quando fosse embora levaria consigo uma visão diferente do mundo e da vida que nunca poderia ter enquanto não sentisse de perto todas aquelas sensações. Leonardo já tinha mudado tanto que talvez já não fosse necessário, mas não era demais, além disso, eu não iria desperdiçar aquela oportunidade. Não podia negar que eu me sentia bem junto dele e sabia que indo para a casa dos meus avós estaríamos inevitavelmente mais próximos. Ainda que eu não quisesse alimentar o que começava a sentir por ele, eu sabia que lutar contra um sentimento, além de intensificá-lo, também gera em nós uma revolta nada saudável que só vai manchar esse sentimento. Percebi que o melhor que podia fazer era encará-lo com serenidade. Acolhê-lo, abraçá-lo e não o sobrecarregar com a obrigatoriedade de ser correspondido. Se for, perfeito, se não for, tal como veio, também vai embora. Não com a mesma rapidez, mas vai. O melhor é sempre não lutar contra um sentimento, porque quanto mais lutamos mais perdemos, quanto mais perdemos mais dependentes de alguém ficamos e mais vazios e incompletos nos tornamos. Os acontecimentos recentes na minha vida me ajudaram a perceber que o que tem de ser vai ser, se eu fizer por ser e se eu souber deixar acontecer. Se eu tiver de forçar e insistir para que algo aconteça, talvez seja porque esse algo não tem de acontecer na minha vida ou não tem de acontecer, porque não é já que vai surtir os melhores efeitos se acontecer. Por isso, tudo o que estivesse associado sentimentalmente a Leonardo eu iria encarar de uma forma natural. Sem pressão nem obrigação.

Até porque não era esse o meu propósito quando entrei na vida dele nem era correto eu acrescentar essa variável à minha equação. O meu avô fez conosco uma visita guiada pela quinta, apresentando os animais e as plantações, e por fim nos deixou a sós no jardim.

— Quando era criança era sempre para esta casa que eu vinha quando saía da escola. E depois os meus pais vinham me buscar. Por isso a minha avó acabou tendo muita influência no meu crescimento e até nos meus próprios gostos.

— Incluindo o seu gosto pelas flores? *Perguntou, apontando com o queixo para um canteiro de orquídeas à nossa frente.*

— Eu desconfio que gosto de flores por ser mulher e não propriamente por culpa da minha avó. Há sempre algumas mulheres que não ligam, mas de uma forma geral todas nós gostamos. Talvez por estar associado à beleza e à delicadeza. Que são características muito femininas. A minha avó não é a culpada por eu gostar de flores, mas é a culpada por eu saber muito sobre elas.

— Agora percebo por que é que naquele dia em que te dei o ramo e te fiz escolher as flores uma a uma você sabia o nome de todas elas. Será que também sabia o que cada uma significava?

— Sim. Sabia. Não vou te dizer, mas eram coisas boas, claro. *Sorri para ele com ar de carinho.* Não deixa de ser irônico que em quase vinte e oito anos de vida, e depois de um ou outro relacionamento sério que tive, a primeira pessoa a se lembrar de me dar um ramo de flores foi um rapaz que, além de não ter nenhum relacionamento comigo, nem sequer tinha coração.

— Mas ainda tenho tempo de ter.

— Você tem coração. Estava era apenas escondido e...

— Relacionamento! Eu estava me referindo ao relacionamento.

Ficamos olhando profundamente nos olhos um do outro e senti um friozinho na barriga que logo me desceu para as pernas, enfraquecendo-as. Fiquei sem saber como continuar aquela conversa. A insegurança acabou por me vencer e mudei de assunto.

— Como foi dormir no quarto de uma menina?

Ele fez um compasso de espera antes de responder para me dar a entender que tinha percebido aquela minha fuga.

— Foi tranquilo. A única coisa que eu achei estranha foi a sensação de você estar olhando para mim durante toda a noite.

— Eu? Olhando para você? Só por ser o meu quarto?

— Calma. Eu disse que foi estranho. Não que foi mau. Digo isso porque havia fotografias suas por todo o lado. E o problema não eram as fotografias, mas o fato de serem apenas fotografias...

Voltei a ficar em silêncio. Era mais do que óbvio que Leonardo estava apertando o cerco, mas desconfiei que talvez fosse uma ilusão criada pela minha vontade de que fosse verdade. Já tinha me deixado levar pela ilusão noutras situações da minha vida, sendo agora inevitável ter um pé atrás em relação às minhas percepções. Estava tão confusa que deixei de perceber se Leonardo estava me seduzindo, me testando ou só brincando comigo. E logo naquele dia que estava tão bem-disposto que tinha feito várias piadas. O que só piorou a tarefa de decifrá-lo. Comecei a ficar confusa e os pensamentos começaram a sair das gavetas, desgovernados, e percebi que estava acontecendo um curto-circuito na minha cabeça. Entretanto, a minha avó surgiu na porta de entrada e foi como se me desligasse o interruptor e eu pudesse respirar de alívio.

— Vamos fazer o bolo, meninos? *Gritou da porta.*

Eu me apressei para o interior da casa como se, quanto mais depressa lá chegasse, mais depressa reencontraria a paz dentro da minha cabeça. A verdade é que, durante aqueles escassos metros que separavam o jardim da casa, e que eu percorri em passo acelerado à frente de Leonardo, percebi que todas aquelas dúvidas e inseguranças eram infundadas. Sacudi todos aqueles pensamentos, que só estavam me confundindo e me tirando a paz, e sorri para a minha avó quando a encontrei na cozinha preparando os ingredientes.

— Eu vou ao banheiro e já venho. *Disse Leonardo assim que entrou, se enfiando pelas escadas até o andar de cima.*

— Parece ser um bom rapaz o seu namorado. *Disse a minha avó com a maior naturalidade do mundo.*

— Mas será que todo mundo pensa que somos namorados, menos eu? É só um amigo. Ele estava precisando espairecer e eu estava há muito tempo devendo uma visita à avó. A oportunidade coincidiu com a necessidade e eu decidi juntar as duas coisas. Só isso!

— E eu nasci ontem, não é? Mas tudo bem, eu respeito.

Comecei a quebrar os ovos dentro de um recipiente para ajudar na confecção do bolo e também para evitar alimentar aquela conversa sobre Leonardo. Cada vez que falava sobre ele era como se ele ganhasse uma dimensão maior em mim pelo simples fato de ser motivo de conversa. Ninguém fala de nós se não nos considerar suficientemente importantes para ser tema de conversa. Fale bem ou mal, se fala é porque de alguma forma mexemos com essa pessoa. E Leonardo já tinha, mesmo involuntariamente, conquistado muito terreno no meu coração e não precisava que eu o ajudasse nessa tarefa. Assim que terminei de quebrar os ovos, Leonardo surgiu na cozinha com ar de quem vinha com energia para colaborar.

— Em que é que eu posso ajudar? *Perguntou ele.*

— Eu estava brincando com você. Não tem de fazer nada. Mas, se quiser ajudar, olhe... pode pesar o açúcar e a farinha, por exemplo.

— Claro que sim. E qual será o bolo, aliás?

— Será o preferido deste meu amor. *Disse a minha avó enquanto me passava a mão nas costas.* Bolo de abacaxi.

Rapidamente Leonardo se desvencilhou por entre os utensílios e começou a fazer a pesagem do açúcar. Mais desafogada nas tarefas, a minha avó aproveitou e se ausentou da cozinha.

— É curioso e até irônico... *Comecei a dizer e Leonardo parou o que estava fazendo para olhar para mim.* A última vez que fiz este bolo foi a pedido do doutor Brandão. Que, de certa forma, é um dos responsáveis por estarmos aqui hoje. Ele de vez em quando me pede para levar uns bolos para os lanches lá no lar, e nesse dia eu decidi fazer este mesmo que estamos aqui hoje fazendo. Quando cheguei ao lar, no caminho para a cozinha, o seu avô me viu com o bolo e me chamou para saber que bolo era. Acabamos tendo uma conversa sobre algo negativo que tinha acabado de acontecer na minha vida. Entretanto, tive de sair e quando voltei você estava lá.

Ele ficou pensativo durantes alguns segundos e retorquiu.

— Deixe-me ver se entendi. Isso quer dizer que, se não fosse o atual companheiro da minha mãe te pedindo para levar esse bolo, você não o teria levado, e por isso quando passasse pelo meu avô ele provavelmente não teria te chamado e você não teria conversado com ele... Espere, mas você disse que teve de sair e depois voltou e foi aí que me encontrou. Se não tivesse voltado, não teria me encontrado e muito provavelmente não estaríamos aqui. Logo, não posso dizer que foram o doutor Brandão e um bolo de abacaxi os responsáveis por tudo isto que tem acontecido nos últimos tempos.

— É mais incrível do que isso. Eu só voltei porque a conversa tinha ficado no meio. Mas eu só tive aquela conversa com o seu avô porque tinha me acontecido algo muito mau dias antes. Quando o doutor Brandão me pediu um bolo, e como eu estava para baixo e sem cabeça para nada, só podia ser este a minha escolha, porque era o meu preferido. E foi precisamente a conversa que tive com o seu avô nesse dia, e o fato de depois termos nos encontrado no quarto dele, que o fez perceber que eu era a pessoa certa para te ajudar a despertar o seu lado bom. E aqui estamos hoje.

Leonardo parecia ter ficado bloqueado com tanta informação cruzada que eu acabava de lhe transmitir. Eu mesma não sabia de onde tinha vindo aquela epifania, mas não contive um sorriso ao me lembrar de uma vez em que Nicolau me questionou se eu acreditava no destino. Recordo-me de ter respondido que já tinha acreditado mais. Se ele me fizesse a pergunta novamente, eu responderia que já tinha acreditado menos. A minha avó entrou na cozinha e percebemos que não tínhamos feito nada desde que saíra.

— Já estão pesados os ingredientes? *Perguntou ela.*

— Eu te ajudo com a farinha. *Ofereci-me.*

— Não! *Exclamou Leonardo assim que peguei no pacote.* É melhor ser eu. Já se esqueceu do que aconteceu da última vez? Revirei os olhos e soltei um suspiro ao me lembrar da receita dos petit gâteaux que fizemos na cozinha dele. Acabei deixando-o com as pesagens e me dediquei a preparar a forma do bolo. Quando finalmente o levamos ao forno e pudemos relaxar, a minha avó aproximou-se de Leonardo e começou a lhe falar num sussurro suficientemente alto para que eu pudesse ouvir também.

— Sabe... a Beatriz quando era pequenininha andava sempre à minha volta quando eu estava aqui fazendo os meus bolos.

— Parece que temos algo em comum. *Disse Leonardo, olhando para mim, mas sem desviar o rosto da minha avó.*

— Mas sabe o que é que ela era boa a fazer? Era em lamber as colheres e os recipientes onde eu mexia os bolos. Olhe... era uma limpeza total. Quase que nem precisava de lavar com água. *Deu uma gargalhada e eu me encolhi de vergonha.* Ela andava sempre à minha volta, mas não era para me ajudar, era para ver quando podia meter o dedo para provar o bolo. Depois claro que era gordinha. Olhe, os dedinhos e as mãos dela pareciam almofadados.

— Pronto, avó, já chega. Não é preciso tanto detalhe. Era gordinha, mas fofinha. Agora sou só fofinha. *Disse, com um sorriso.*

Ela contornou a mesa da cozinha e veio me agarrar.

— Claro que é, meu amor. *E me deu um beijo no rosto.* Puxou à avó. Bem, vou deixá-los sozinhos. Vigiem-me o forno, por favor.

A minha avó saiu e eu fiquei olhando para Leonardo com um ar meio envergonhado e meio apaixonado por todo aquele mimo.

— Presumo que os bolos tenham sido uma das tais influências que a sua avó te passou e de que você me falou lá fora no jardim.

— Sim, a minha avó é a grande culpada pelo meu gosto pelos bolos. Não pelo gosto por comê-los, esse, mais uma vez, é comum a todas as mulheres, mas sim por fazê-los. Em certa parte, ela também acaba sendo uma das responsáveis pela nossa história. Se é que eu posso chamar história. Se não fosse este gosto que ela despertou em mim, talvez nunca tivesse criado afinidade com o seu avô lá no lar e nunca teria tido todas as conversas que tive com ele. Incluindo aquele desabafo no dia em que nos conhecemos.

— Aliás, há pouco a sua avó chegou e eu não consegui te perguntar, que conversa foi essa que você teve com o meu avô e que o fez perceber que você era a pessoa certa para me ajudar?

— Eu tinha acabado recentemente o relacionamento com o meu ex que você viu na saída daquele jardim. Estava um pouco desesperada porque as coisas no amor não davam certo e o seu avô me falou de uma receita para ser feliz no amor, ou então fui eu, já nem sei, e depois eu tive de sair, e depois você apareceu, enfim...

— Receita para ser feliz no amor? *Perguntou, intrigado.*

Percebi que tinha falado demais. Tinha acabado de me meter num buraco e agora tinha de sair dali sem ser notada.

— Provavelmente foi só uma forma de falar do seu avô.

— Está bem, mas o que é que isso tem a ver conosco? O que é que o fato de as coisas no amor não estarem dando certo para você tem a ver comigo? Explique-me onde é que eu entro nessa história.

Eram tantas perguntas que comecei a bloquear e não conseguia encontrar um caminho para fugir dali sem que o deixasse a pensar.

Era tarde demais. Tinha de lhe falar sobre a receita.

— Pronto, Leonardo, vou te contar isto e se você achar que não quer mais falar comigo ou que é justo se afastar está no seu direito e não te culpo por isso. Não foi só por uma questão de gratidão que eu me empenhei em fazer tudo o que fiz por você. Ou melhor, acabou sendo o grande responsável, mas não foi isso que levou o seu avô a me dar este desafio e a despertar o meu interesse em cumpri-lo. Foi, sim, uma espécie de recompensa que eu teria por fazê-lo e que nada mais era do que uma suposta receita para ser feliz no amor. Que era do que eu mais precisava. Mas isso foi só no início, numa altura em que eu mal te conhecia e você nem sequer tinha significado para mim. Depois comecei a me envolver na história e como é óbvio não era mais essa fórmula ou receita que me movia. Mas compreendo que você ache que fiz tudo isto por interesse ou...

— Calma! *Disse Leonardo, pousando a mão sobre o meu antebraço e fazendo de novo um choque elétrico percorrer meu corpo todo.* Eu não iria te acusar de nada caso fosse esse o único motivo pelo qual você tivesse feito tudo o que fez comigo e por mim. Mas eu também acredito que não foi isso que moveu você este tempo todo. Eu sempre desconfiei que havia algo mais do que apenas uma retribuição de gratidão. E no início até poderia ser essa receita, mas depois esse algo mais era... *Interrompeu o que ia a dizer e se calou durante alguns segundos. Nós nos olhamos nos olhos de um jeito tão intenso que estremeci e engoli em se*co. E que receita é essa afinal?

— Não sei. *Respondi, soltando o meu braço da mão dele.* Ainda não decidi ver o que está dentro do envelope que o seu avô me deu.

— E não vai ver? *Perguntou, sem olhar para mim.*

— O seu avô disse que eu só deveria ler a receita quando sentisse que você estava diferente e que tivesse se tornado uma pessoa melhor ou quando percebesse que tinha feito tudo o que podia por você.

— Eu já sou uma pessoa diferente. Acho que você já pode ter a sua recompensa e ser finalmente feliz no amor. Boa sorte.

Ele se levantou e se dirigiu para a saída da cozinha.

— Mas eu... *Atirei e bloqueei inexplicavelmente logo depois.*

Ele parou, olhou para trás, como se esperasse alguma mensagem ou pedido da minha parte, e, diante do meu silêncio, saiu da cozinha. A meia-noite chegou e nos juntamos todos na sala de estar com o bolo sobre a mesinha central. Cantaram parabéns para mim e eu recebi um forte abraço de cada um dos meus avós. Logo depois se aproximou Leonardo com um sorriso calmo e doce.

— Desculpe não ter nenhum presente para te dar.

— Você é o meu presente favorito... só te falta o embrulho. E o embrulhei num abraço.

O sol no meu dia de aniversário nasceu sobre uma cortina de nuvens. Iria chover mais cedo ou mais tarde, e, embora os dias de chuva não fossem os meus preferidos, eu não iria encarar aquele dia com menos alegria por causa disso. Peço os dias de sol porque gosto deles, mas aceito os dias de chuva porque sei que preciso deles. Nesse dia, Leonardo recebeu um convite do meu avô para ir com ele ao centro da vila pegar uma encomenda na casa de um amigo e assim aproveitava para conhecer um pouco melhor a localidade. Já eu fiquei em casa ajudando a minha avó. Gostava de vê-la animada por me ter ali perto dela durante aqueles dias e queria que aproveitasse ao máximo a minha companhia. No dia seguinte já estaria de partida e sabia que ela ia ficar de coração partido. Lembrar disso me dava um aperto no peito que só me fazia querer abraçá-la constantemente. Mas também não era o fim do mundo e nada que duas horas de carro não resolvessem. Quando ouvi o furgão do meu avô chegar, fui ao encontro deles. Assim que cheguei ao exterior e vi Leonardo, que saía do furgão, percebi que a razão por eu os ter ido receber não era cortesia da minha parte, mas apenas porque não queria desperdiçar um minuto que fosse do prazer que sentia em olhar para Leonardo. Percebi que sentia, de fato, algo muito sério por ele, o que me assustava, mas que também era algo muito bom, único e raro, o que por sua vez me relaxava.

— Beatriz. *Chamou o meu avô*. Diga ao Leonardo onde é que fica o porão para ele levar para lá uns sacos de ração que trouxemos? Para mim é um bocado difícil e ele disse que não se importa.

— Claro, avô! Nós guardamos os sacos. Deixe conosco.

Aproximei-me de Leonardo, que descarregava da traseira do furgão um conjunto de pequenos sacos de ração, peguei dois e ele me seguiu, carregando o restante. Contornamos a casa, descendo um pequeno desnível, e entrei numa porta que dava acesso ao porão, que na verdade era um cômodo onde os meus avós guardavam as ferramentas agrícolas, a ração dos animais e um amontoado de coisas velhas sem uso. Mas, quando me preparava para deixar o porão, um brilho metálico chamou a minha atenção. Era uma pequena bicicleta cor-de-rosa de quando eu era pequena e que eu já não lembrava que existia. Junto a ela estava uma outra maior, azul, que os meus avós tinham me dado quando já era mais crescida, mas que eu acabei usando poucas vezes.

— Percorri muitos quilômetros de estrada em volta desta quinta com estas duas. Adorava ir até um moinho de vento que existe numa colina aqui perto e depois ficava por lá esquecida das horas. Muitas vezes quando voltava encontrava a minha avó desesperada à minha procura, mas depois ela soube para onde eu ia e já ficou mais tranquila. Era o meu entretenimento naquela época. Os meus primos eram quase todos muito mais velhos do que eu e já não brincavam comigo. E os que eram da minha idade raramente vinham para cá. Daí a minha avó ter um carinho especial por mim e eu por ela.

— E por que não a pega e vai até esse moinho? Assim você revive um pouco da sua infância. Não é só a mim que isso faz bem.

— Olha para os pneus. Estão furados. Depois, não deve faltar muito para começar a chover. Além de que o moinho deve estar caindo de velho, tendo em conta os anos que faz.

— Vamos confirmar. *Disparou Leonardo, metendo-se por entre o amontoado de ferro-velho que nos separava das bicicletas.*

— O que você vai fazer? Os pneus estão furados!

— Não estão nada. Estão só murchos porque foram perdendo pressão ao longo do tempo que estão aqui paradas as bicicletas. Procure uma bomba de encher pneus. Deve haver alguma por aí.

Enquanto ele trazia as bicicletas para uma zona mais ampla do porão, eu procurei a bomba, e assim que a encontrei entreguei a ele. Logo depois começou a girar a manivela e encheu os pneus das duas.

— Viu? Estão como novas. Vamos? *Sugeriu.*

— Já estou vendo que tenho de ir na cor-de-rosa, que é também a menor. Eu sei que sou pequenina, mas não tanto assim.

— Não se preocupe. Eu vou na menor.

Ele pegou na bicicleta cor-de-rosa, montou nela e saiu pedalando. Fiquei boquiaberta com aquela prontidão. Peguei a outra azul e fui pedalando atrás dele. Era deliciosa a imagem daquele mais de um metro e oitenta de corpo encolhido em cima de uma bicicleta pequenina e ainda mais cor-de-rosa.

— Só não me ofereço para trocar contigo porque estou adorando te ver nessa bicicleta. *Eu disse assim que o ultrapassei.*

— Eu também não trocaria. Esta é bem mais divertida.

Continuei pedalando ao lado dele, com a noção de que o esforço dele era maior do que o meu e por isso não podia acelerar muito. À medida que galgávamos os metros de estrada, eu me sentia fazendo uma autêntica viagem no tempo, como se aos poucos eu fosse rejuvenescendo até os meus tempos de criança, em que eu fazia aquele mesmo percurso. Mais de quinze anos depois eu estava de volta e com uma companhia muito improvável. Pelas feições de Leonardo, também me parecia estar desfrutando tanto quanto eu daquela viagem em duas rodas, ou não tivesse sido uma ideia sua, e isso me deixou ainda mais animada. À nossa frente a estrada começava a subir para dar acesso ao topo da colina onde estava o moinho de vento e decidi parar. Leonardo parou logo à frente.

— Não será demais para o seu coração subir isto? *Perguntei.*

— Não se preocupe, não vou cair para o lado. Vou me cansar mais do que qualquer outra pessoa com a minha idade e com o meu físico, mas, se vir que é demais, saio e levo a bicicleta na mão.

— Leva a minha, que é mais fácil para você.

Ele ignorou a minha sugestão e retomou o andamento. Fiquei por um segundo vendo-o se afastar de mim. Não sei se ele falava daquela forma porque não tinha noção da doença que tinha ou precisamente porque tinha um profundo conhecimento dela. Decidi arriscar na segunda. A inclinação no início era mínima, mas, pouco antes de chegar ao topo, onde estava o moinho, a subida ficou um pouco mais íngreme e percebi que Leonardo estava se esforçando demais, mas talvez, para não dar o braço a torcer, não disse nada.

— Já chega, Leonardo. *Eu disse, parando a bicicleta e descendo dela.* Vamos parar e descansar, voltar ou continuar a pé.

— OK. *Ele disse, ofegante, em jeito de rendição.* Continuamos a pé com elas na mão. Voltar está fora de questão, e esperar aqui só fará com que comece a chover antes de chegarmos ao objetivo.

Continuamos o percurso, levando as bicicletas pela mão, e não demorou muito até alcançarmos o topo da colina, que era também o expoente máximo da minha regressão temporal. Ver aquele moinho de vento, consideravelmente mais degradado, mas não tanto como eu imaginara, me fez sentir de novo a pequenina Beatriz que se lembrava de pedalar e pedalar até se perder nas horas e na distância. Demos uma volta no moinho e expliquei a Leonardo o que eram e de quem eram as habitações que conseguíamos ver de lá de cima, como se isso fosse importante para ele. Olhei para a erva verde e aparada da ladeira que rodeava o moinho e não resisti em me deitar sobre ela de olhos postos no céu, que, apesar das nuvens, estava lindo. Leonardo me fez companhia e se deitou também.

— O que você acha da paisagem? *Perguntei.* Vale o esforço de ter pedalado isto tudo numa bicicleta de criança?

— Claro que vale, mas eu não fiz isto pela paisagem, fiz pela companhia. *Ergui o meu tronco, apoiei-me no cotovelo e olhei para ele.* Que cara é essa? *Perguntou.* Quer me dizer alguma coisa?

— Há coisas que não foram feitas para serem ditas porque se forem ditas não conseguem dizer tanto. Além disso, sou mulher...

— E então? Você é mulher, mas não perdeu a boca e a língua.

— Perdoem-nos vocês homens, mas nós mulheres temos esta mania de esperar sempre que vocês adivinhem o que queremos. Isto acontece porque temos sempre a sensação de que se falarmos, pedirmos ou perguntarmos já não será a mesma coisa. Vivemos agarradas à ideia de que tudo tem de acontecer naturalmente e no final acabamos sempre naturalmente desiludidas, porque, mesmo que até adivinhem o que queríamos, nunca será da forma que imaginávamos. Enfim, olha, só nos resta aprender a conviver com isso.

Assim que terminei o desabafo voltei a me deitar.

— Quer dizer que eu vou continuar sem saber, não é?

Antes que eu pudesse responder, uma gota de água caiu na minha bochecha e eu percebi que a chuva ia estragar o nosso momento.

— Acho que vai começar a chover, senti uma gota no rosto.

— Quer que eu te abrigue? *Perguntou, ao mesmo tempo que ergueu o tronco e colocou o seu rosto por cima do meu.*

O meu coração disparou com aquela visão, e Leonardo começou a aproximar o seu rosto do meu e de olhos fixos na minha boca.

— O que é que você vai fazer, Leonardo?

— Vou te dar um beijo...

— Eu não estou ansiosa agora.

— Mas eu estou.

Os lábios dele tocaram levemente nos meus, com as nossas bocas semiabertas sentindo a respiração ofegante uma da outra, e logo depois as entregamos por completo num beijo violento que fez o meu corpo todo se arrepiar. Leonardo colocou a sua perna entre as minhas e deixou o seu corpo cair sobre o meu, pressionando-o na dose certa para conseguir eletrizá-lo até os cabelos. Agarrei seu rosto com as duas mãos e vivi aquele beijo como se fosse o primeiro e último que existiria entre nós. Desci as mãos para sentir o seu tronco e percebi que as costas dele já estavam ficando muito molhadas com a chuva que ele estava levando por mim.

— Meu Deus! Você está ficando molhado. Temos de fugir daqui.

Eu me esquivei por baixo dele e me levantei. Leonardo ficou no chão olhando para mim e com os olhos semicerrados para protegê-los das gotas que começavam a se intensificar a cada segundo.

— Não adianta muito, nunca chegaríamos em casa enxutos.

— Sim, mas, quanto mais depressa chegarmos, menos tempo permanecemos molhados. Vamos! Agora para descer é mais rápido.

Corremos para as bicicletas, subimos nelas e arrancamos pela estrada abaixo. Leonardo vinha um pouco atrás de mim, gritando como se tivesse a idade das crianças que usariam uma bicicleta daquelas, ao mesmo tempo que ia desviando dos buracos que encontrava pelo caminho. E eu achava aquilo tão hilariante que tive de entrar na brincadeira. A chuva, que se intensificava cada vez mais, já tinha nos ensopado as roupas quando ainda nem tínhamos chegado ao sopé da colina e fizemos o restante do percurso até em casa debaixo de uma chuva intensa que enlameou todo o caminho. Quando chegamos parecíamos duas verdadeiras crianças todas molhadas, sob o olhar incrédulo dos avós. Apressamo-nos a tomar um banho e voltamos para jantar. Durante a refeição, eu e Leonardo não parávamos de trocar olhares um com o outro, mas não passamos disso. No final da noite subimos para os quartos e nos despedimos somente com um boa-noite que tinha subentendido um milhão de outros desejos que nenhum dos dois teve coragem de revelar. Fui para o meu quarto, deitei-me na cama, tentei adormecer, mas não parava de pensar nele, que estava ali tão perto de mim e ao mesmo tempo tão longe. Afastei os pensamentos, tentei voltar a adormecer, mas não demorei muito a perceber que era impossível. Levantei-me da cama, completamente dominada pela vontade que me consumia o corpo todo, percorri lentamente o soalho do corredor, que rangia a cada passo meu, e parei diante da porta do quarto dele. Sentia que nenhum daqueles passos que dei desde o meu quarto até aquela porta tinha sido racional. Não era a razão a responsável por aquilo que estava prestes a fazer. Era o coração, que tinha acabado de tomar de assalto o controle do meu corpo e tinha me conduzido até ali. Respirei fundo, sentindo o batimento do coração no meu pescoço, e levantei a mão para bater na porta.

Eu me acovardei no último segundo e não fui capaz de bater na porta. Comecei a pensar que aquilo era uma loucura. Não fazia qualquer sentido. O que é que eu ia dizer quando ele abrisse a porta para mim? Como ia justificar a minha ida até ali se nem sequer tinha pensado numa boa desculpa? Se ainda tivesse alguma coisa naquele quarto de que eu precisasse urgentemente, e com certeza não lhe diria que era ele mesmo, ou se tivesse esquecido de lhe dizer alguma coisa que não podia esperar para o dia seguinte, mas não tinha nada. Tudo o que eu tinha era um mero impulso de voltar a sentir as mãos dele no meu corpo e a sua boca na minha. Ele ia abrir a porta e eu ia dizer que se apoderasse de mim e fizesse o que tivesse de ser feito? Não tinha coragem. Iria me sentir uma depravada qualquer e isso não tinha nada a ver com a minha personalidade. Por mais vontade ou desejo que tivesse, ele ainda não conseguia ser maior do que a minha vergonha. Talvez estivesse sendo covarde ao reprimir os meus instintos. Já tinha admitido para mim mesma aquilo que eu sentia por ele e aquilo que eu desejava dele. Já tinha me rendido às evidências e já tinha deixado de lutar contra elas, mas ainda não tinha atrevimento suficiente para subir o último degrau. Voltei para o meu quarto e cerrava os dentes a cada passo que dava como se de alguma forma isso diminuísse o ranger das tábuas por baixo de mim. Regressei ao meu quarto. Fechei a porta e fui até a janela. Continuava a chover com intensidade e era reconfortante ouvir a chuva cair lá fora. Lembrei então da sensação de proteção de que Leonardo havia falado quando vimos a sua fotografia com a capa amarela e pude sentir o mesmo que ele me descrevera. O que me deixou ainda pior, porque já bastava todo o meu corpo estar pedindo por ele naquele momento, não precisava me identificar também com as sensações que ele tinha em relação ao tempo que estava fazendo lá fora. Fechei as janelas e me sentei na cama de costas contra a cabeceira e pousei os meus braços sobre os joelhos. Fiquei por momentos pensando na minha vida na companhia da luz fraca do candeeiro antigo pousado na mesinha e do ruído da chuva que caía no exterior. Concluí que é mais pesado o medo do arrependimento do que o próprio arrependimento. O arrependimento é a prova de que erramos, mas também de que vivemos e aprendemos. E o medo do arrependimento é a prova de que somos covardes demais para errar e por isso viver e por isso aprender. Ninguém é digno da vida que tem se não tiver a coragem e o atrevimento de errar, porque viver é precisamente caminhar na corda bamba entre a sorte e o azar. Já estava começando a acreditar que eu era uma dessas pessoas que não eram dignas da grande dádiva que é a vida quando me pareceu ouvir alguém bater na porta do quarto. Estava tão concentrada nos meus pensamentos que não consegui distinguir se tinha sido alguém batendo na porta ou um barulho semelhante no exterior. Fiz silêncio, apurei a audição e ouvi de novo três toques leves na porta. Perguntei quem era, e do lado de fora, baixinho, responderam.

— É o Leonardo. Posso entrar?

O meu coração voltou a disparar e olhei sobressaltada à minha volta para ver se tinha alguma coisa exposta que não convinha ser vista por ele. Ao perceber que não, sentei-me na beira da cama, ajeitei o top e o short do pijama e disse para ele entrar. Assim que lhe dei a indicação, olhei para baixo e reparei que os meus mamilos se notavam por baixo do top e cruzei os braços no instante antes de ele abrir a porta, me esforçando para parecer o mais natural possível.

— Aconteceu alguma coisa? *Perguntei, e engoli em seco.*

— Ouvi uns passos no corredor até a minha porta. Era você?

— Sim. *Admiti sem pensar duas vezes.* Eu ia falar com você, mas recuei, pois não queria que pensasse coisas erradas de mim.

— O que você ia fazer lá? *Perguntou, segurando a maçaneta da porta entreaberta e com o corpo já todo do lado de dentro.*

— Ia te ver. Falar com você. Na verdade, não sei bem.

— Se eu fechar agora esta porta, você vai me expulsar do quarto?

Eu conseguia ouvir o batimento acelerado do meu coração, o peito arfava e as mãos ficavam cada vez mais trêmulas.

— Não... *Desviei o olhar para o chão, envergonhada.*

Ouvi depois o som da porta se fechando e pelo canto do olho acompanhei os pés dele se aproximando de mim, até que parou bem na minha frente. Pegou no meu pulso, afastando o meu braço do meu peito, e o puxou para si, me erguendo. Mas por algum motivo eu não conseguia olhá-lo nos olhos e mantinha o meu olhar no chão. Depois levou as duas mãos ao meu rosto e ergueu-o para si. Olhou-me intensamente nos olhos e senti a sua respiração tão ofegante quanto a minha. Logo a seguir me deu um beijo demorado, beijou meu pescoço, a clavícula, e, quando começou a subir meu top, agarrei sua mão num movimento automático.

— Os meus avós, Leonardo. *Sussurrei.* Eles podem ouvir.

Ele colocou o dedo junto aos meus lábios, me fazendo calar, e eu só podia obedecer. Voltou a pegar o meu top e o tirou, deixando-me nua da cintura para cima. Baixou a cabeça, pegou um dos meus seios, levou-o à sua boca e lambeu-o delicadamente. Deixei cair a cabeça para trás, consumida pela excitação, e deliciei-me com as formas das nossas sombras projetadas nas paredes. Envolveu o meu tronco com um só braço, levantou-me e eu me agarrei à cintura dele com as minhas pernas. Apoiou-se na cama com um joelho e uma mão e deitou o meu corpo sobre ela. O ranger das juntas da madeira antiga da cama me fez cerrar de novo os dentes, mas isso parecia não incomodar Leonardo. Ele começou a me beijar no peito, na barriga, sempre com a maior delicadeza do mundo, depois o baixo-ventre, até que não aguentei mais aquela excitação e tive de puxá-lo para cima e beijar sua boca para acalmar o fogo e respirar um pouco. Mas ele não queria saber se eu aguentava ou não. Despiu a camiseta que vestia e logo a seguir tirou o short do pijama e a cueca. Durante uma fração de segundo me senti desprotegida e tive o impulso de esconder o meu sexo com as mãos. Mas rapidamente ele começou a beijar minhas coxas e em vez disso decidi me agarrar aos lençóis para tentar libertar através deles a energia que se acumulava em mim. Quando finalmente me beijou o sexo, tive de levar as mãos à boca para não soltar um gemido que nos denunciasse. Comecei a pensar nos meus avós, que estariam dormindo tranquilos no andar de baixo e certamente longe de imaginarem o que estava acontecendo no andar de cima, e isso me deixou com um sentimento que era uma mistura de rebeldia com medo e que inexplicavelmente me excitou ainda mais. Quanto mais Leonardo me beijava e lambia o sexo, mais força eu fazia com as mãos na minha boca para conter os gemidos. Comecei a estremecer toda e a perder o controle sobre os meus músculos, que se contorciam com o talento da boca dele. Apesar dos relacionamentos sérios que tivera na minha vida, aquelas sensações pareciam inéditas para mim, e isso estava me deixando nas nuvens. Leonardo se ergueu, limpou a boca na camiseta que tinha acabado de despir, desceu a sua roupa, expondo o seu sexo ereto, debruçou-se sobre mim, ficando os seus olhos no nível dos meus, e me penetrou. A minha boca se abriu, sem soltar qualquer som, ao senti-lo dentro de mim e o meu impulso foi beijá-lo. Eu precisava dos lábios e da língua dele na minha boca, precisava do seu olhar fundo nos meus olhos e da sua respiração junto à minha pele para sentir que aquilo tinha um significado maior que sexo, maior que a satisfação de dois corpos, maior que o próprio desejo e o prazer. Leonardo deixou-se estar imóvel durante alguns segundos, dentro de mim, enquanto nos beijávamos. Depois começou os movimentos pélvicos, calmos e pausados para não fazer muito barulho, e ainda que eu o quisesse beijar não conseguia. Prendeu os meus braços contra o colchão e eu tive de virar o rosto de um lado para o outro para controlar a excitação. Os minutos que se seguiram foram de pura entrega e magia. Leonardo foi meigo comigo em todos os momentos como nenhum homem tinha sido, e aquilo me fez me apaixonar ainda mais. Tudo parecia irreal e sem qualquer sentido, tendo em conta a forma como entramos na vida um do outro e o propósito que tínhamos em cada uma. Era como se o universo gritasse para pararmos com aquilo, pois não tinha sido para isso que nos encontramos, e quanto mais eu pensava nisso mais vontade tinha de me entregar. Ao mesmo tempo sentia que todas as experiências que tínhamos vivido juntos tinham muito mais sentido depois daquela suprema entrega mútua de nós dois. Em silêncio, e enquanto os nossos corpos relaxavam nus sobre os lençóis, agradeci a ele em silêncio ter vencido por mim aquele último degrau que nos separava.

— Por que a demora se já queríamos isto há tanto tempo? *Perguntou Leonardo, ainda com a respiração acelerada.*

— Prefiro acreditar que se não foi antes é porque não devia ter sido, porque talvez ainda não estivéssemos preparados para tirar da experiência o máximo de sensações e lições. A verdade é que, se foi bom e nos fez feliz, então não importa se foi na ocasião certa, no momento certo, no local certo ou com a pessoa certa. Se nos fez feliz e não prejudicamos ninguém, então tudo está certo.

— Isso só vamos descobrir amanhã, quando falarmos com os seus avós e descobrirmos se eles conseguiram dormir sossegados.

Demos uma gargalhada em uníssono e depois voltamos a mergulhar num silêncio que era embelezado pelo som da chuva. Procurei a boca dele com a minha e depois deitei o meu rosto no colchão, olhando deliciada para as linhas do rosto dele.

— Há alguma coisa que eu deva dizer neste momento?

— Sério que você nunca esteve num momento assim com as tantas namoradas que já teve? Aparentemente. É que pelo menos no resto... parece que você sabe muito bem o que fazer.

— Eu não costumo ficar assim depois do sexo. Normalmente me visto e vou embora. Por isso não sei o que devo fazer agora.

— Não faça nada. Deixe-se só ficar aqui. Às vezes é o melhor que podemos dar a alguém. A nossa presença.

Comecei a sentir o corpo esfriar foi nesse momento que me lembrei de que ainda estava nua. Ergui-me, vesti o meu pijama e voltei para junto dele, que era o lugar onde só queria estar.

— Posso me deitar no seu peito? *Perguntei sob o olhar intrigado dele*. Sim, também é algo que costuma acontecer entre duas pessoas que gostam uma da outra. Mas se não quiser...

Fez sinal com a cabeça dizendo que podia e eu achei graça na forma como olhava para mim como se tudo aquilo fosse novidade para ele e eu estivesse o ensinando a se comportar. E não era mentira. Eu me deitei sobre o seu peito e não demorei muito para adormecer. Devo ter acordado uma hora depois e vi que Leonardo também tinha adormecido. Ponderei convidá-lo para dormir comigo naquela cama, mas depois lembrei que a minha avó podia vir ao quarto de manhã e nos ver ali e não queria que ela ficasse com aquela imagem de mim. Sacodi Leonardo e acordei-o.

— É melhor ir para a sua cama.

Ele concordou com a ideia, exibindo-me o polegar e um ar ensonado, pegou suas roupas e saiu cambaleando. Eu me enfiei debaixo do lençol e voltei a adormecer. No dia seguinte acordei com um sorriso tão largo que parecia ser esse o meu dia de aniversário. Não era difícil perceber a razão. Eu me arrumei, voltei a fazer a mala para ir embora e desci para tomar o café da manhã. Leonardo ainda não tinha descido e a minha avó, que pelo seu ar natural parecia não ter ouvido nada de estranho na noite anterior, sugeriu que fosse chamá-lo. Voltei a subir a escadaria, fui ao quarto dele e o encontrei com o lençol pela cintura, febril, tremendo e mergulhado numa poça de suor.

— Preciso ir para o hospital. *Disse*.

— Oh, meu Deus!

Corri para ele, pus a mão na sua testa e estava fervendo. Fui ao banheiro, molhei uma toalha, torci-a e coloquei na sua testa. Desci até o andar de baixo e entrei pela cozinha com alvoroço.

— Onde está o avô? *Perguntei à minha avó, deixando-a em pânico.*

— Está lá fora, filha! O que foi que aconteceu?

— Não foi nada de grave. *Tranquilizei-a, tentando-me convencer do mesmo.* Diga para ele se preparar porque vamos ter de levar o Leonardo ao hospital. Ele está ardendo em febre. Rápido, avó!

Voltei a correr para cima e fui ao banheiro pegar outra toalha, desta vez seca. Quando cheguei ao quarto, Leonardo já estava sentado na beira da cama. Tirei sua camiseta encharcada, sequei-o com a toalha e ajudei-o a vestir uma roupa seca.

— Consegue andar? *Ele me fez um sinal afirmativo com a cabeça, mas sem tirar os olhos do chão.* Então vamos para baixo.

Eu o ajudei a levantar e ele começou a caminhar amparando-se nos móveis. Eu me apressei a juntar as coisas dele dentro da mochila e a trouxe comigo na eventualidade de ele ter alguma coisa de que fosse precisar ali dentro. Pus um dos seus braços por cima do meu ombro para que se amparasse em mim e descemos a escadaria. Quando chegamos à porta de saída, já lá estavam a minha avó e o meu avô com as chaves do furgão na mão.

— O que foi que aconteceu? *Perguntou o meu avô sob o olhar preocupado da minha avó, que não conseguiu dizer nada.* Com certeza foi aquela chuva que apanhou ontem. Ficou cozinhando dentro dele durante a noite e acordou assim. Coitado do rapaz. Vamos lá!

    Ele se adiantou na nossa frente para o furgão e eu acompanhei Leonardo, entrando com ele no banco detrás. O meu avô arrancou a toda velocidade e eu olhei pela janela para me despedir com um olhar da minha avó, que me levantou a mão antes de a levar de novo ao peito. Leonardo encostou a cabeça para trás no banco e eu segurei seu braço para manter o seu corpo direito e não fugir nas curvas apertadas e nos solavancos que encontraríamos pelo caminho. Levou cerca de meia hora até chegarmos ao hospital mais próximo. Parecia mais um centro de saúde do que um hospital, tendo em conta os tão poucos serviços que ali funcionavam, mas era o mais próximo de nós e não havia tempo a perder. Quando chegamos, Leonardo parecia ainda mais debilitado e mal conseguia caminhar. Um enfermeiro trouxe de imediato uma cadeira de rodas assim que nos viu entrar, levou-o para dentro e me pediu para aguardar. Liguei para Lurdes para deixá-la a par do que estava acontecendo e ela se prontificou de imediato a vir ao nosso encontro. Tentei tranquilizá-la dizendo que não acreditava ser nada grave e que ele ia ficar bem rapidamente. Disse que não valeria a pena viajar todos aqueles quilômetros, pois, caso não fosse nada de grave, eles seriam capazes de tratar dele naquele hospital e com rapidez e, caso fosse algo mais grave, certamente ele teria de ser transferido para outro hospital e acabaríamos todos desencontrados. Durante os minutos que se seguiram, eu não soube nada de Leonardo, e Lurdes continuava a me ligar de cinco em cinco minutos para saber novidades. Eu não conseguia parar de pensar no que Leonardo estaria sentindo, como é que estaria e onde estaria. Já começava a imaginá-lo com uma máscara de oxigênio, cheio de fios por todo lado e muitos médicos à sua volta. Sabia que estava exagerando e mesmo assim não conseguia pôr uma trava na minha imaginação. A mente de uma mulher é como um armário que ela tem em casa. Se houver nesse armário uma prateleira vazia, ela vai inventar alguma coisa para pôr ali só para ela não ficar vazia. Na sua mente acontece o mesmo. Se por acaso não tem uma resposta para alguma pergunta, essa pergunta é como se fosse uma prateleira vazia. E, se não lhe dão uma resposta, então ela vai inventar uma para pôr ali. O que é pior, porque por norma é sempre uma resposta exagerada, seja para o bem ou para o mal. E há dois momentos em que a imaginação de uma mulher atinge o seu auge, quando ela está preocupada e quando ela está desconfiada. E eu naquele momento tinha demasiada preocupação e muito pouca informação, o que fez disparar a minha imaginação. Entretanto, do alto-falante da sala de espera ouviu-se a chamada pelos acompanhantes de Leonardo Lacroix e eu me precipitei para junto da porta, onde me aguardava uma médica. Ela me explicou que o que Leonardo tinha não era, por norma, nada de grave para qualquer pessoa dita saudável, mas que dado o problema que ele tinha no coração era necessário um cuidado especial, além de alguns exames extras que eles não conseguiam fazer naquele hospital. Ele teria, por isso, de ser transferido para a unidade hospitalar onde era habitualmente atendido e onde receberia o tratamento adequado.

— A senhora vai acompanhá-lo na ambulância?

— Sim. Vou! *Respondi, de prontidão.*

— Então siga-me, por favor. *Disse, começando a se afastar.*

O meu avô, que nos observava de longe, aproximou-se de mim assim que viu a médica se afastar, para saber de novidades.

— O que é que ele tem? Ela disse?

— Não entendi bem, mas senti que ela não me disse tudo. Não sei se por não ter certeza ou se foi apenas para não dramatizar desnecessariamente. Estou com um mau pressentimento, avô...

— Oh, filha! Deve ser uma constipação ou qualquer coisa assim. Ontem vocês chegaram em casa molhados e você sabe que uma pessoa fica sempre sujeita numa situação dessas. Mas ele é um rapaz jovem e saudável e vai ficar bem num instante.

— Vamos acreditar que sim. Eu vou com ele na ambulância. Ele vai agora para o hospital onde costuma ser atendido. O avô pode ir tranquilo para casa. Dê um beijo por mim na avó. *Despedi-me dele e corri para junto da médica.*

As palavras do meu avô eram reconfortantes, mas incapazes de me tranquilizarem e afastarem os cenários mais negativos que continuavam a surgir na minha cabeça. Gostaria de acreditar que era apenas uma constipação, mas a própria médica fez questão de frisar o problema que Leonardo tinha no coração e era isso que estava a me perturbar. Liguei para Lurdes e disse a ela qual o hospital para onde seria transferido o filho e que iria acompanhá-lo na ambulância. Transmiti a ela o que a médica tinha dito sobre o estado dele e tentei ao máximo fazer uma voz de quem estaria confiante de que não era nada de grave, o que pareceu não ajudar muito. Assim que desliguei a chamada, voltei a cair em mim e foi como se tivesse transmitido tanta confiança àquela mãe que eu mesma tinha ficado sem ela. Quando voltei a ver Leonardo, ele estava sendo transportado numa maca para a ambulância com uma máscara de oxigênio no rosto, e era tão cinematográfica aquela imagem que não parecia verdade. Numa questão de horas tinha descido do céu ao inferno e estava sendo difícil lidar com aquele turbilhão de sensações. Entrei na ambulância e agarrei a mão dele numa tentativa de transmitir um pouco da minha energia. Assim como os choques elétricos que ele me dava sempre que tocava em mim.

— Vai ficar tudo bem. *Eu disse a ele, e ele virou o rosto ligeiramente para mim.* Vou estar sempre por perto e a sua mãe também já está à nossa espera. Está vendo? É em momentos destes que é bom ter alguém que goste de nós. *Eu disse, com o sorriso dolorido.*

Leonardo tentou comentar o que eu tinha dito, mas o enfermeiro que nos acompanhava desaconselhou-o, lembrando-o que devia permanecer no máximo de repouso. Eu me limitei também a segurar sua mão e a olhar para ele durante o resto da viagem. Quando chegamos ao hospital, Lurdes, que nos aguardava na entrada das urgências, correu ao nosso encontro e ainda conseguiu trocar umas palavras com Leonardo e passar a mão no seu cabelo, mas rapidamente ele foi levado para o interior e barraram a sua entrada com a indicação de que receberia informações acerca do estado do filho quando fosse oportuno. Destroçada, ela se sentou na primeira cadeira vaga que encontrou e eu me sentei ao lado dela e a abracei para dividir um pouco da dor dela comigo. Começou a chorar e eu fiz um esforço enorme para aguentar as minhas lágrimas. O doutor Brandão aproximou-se de nós e se ajoelhou ao lado de Lurdes, agarrando sua mão. Dava para ver que tinha sido ele a trazê-la para o hospital, pois ela não estava em condições de dirigir, mas percebi que se resguardou na hora em que a ambulância chegou para não ser visto por Leonardo. Começou a me possuir um sentimento de culpa ao lembrar que tudo aquilo era culpa minha, pois tinha sido minha a ideia de irmos para os meus avós.

— Eu não devia tê-lo levado para o campo. Ele é um rapaz da cidade. É claro que o corpo dele ia estranhar. Perdoe-me, dona Lurdes. Ele estava se divertindo tanto que eu nem pensei nas consequências. *Lamentei, levando as mãos à cabeça.*

— A menina não tem culpa nenhuma. *Ela disse, erguendo o rosto e os olhos lacrimejantes para mim.* Eu mesma gostei da ideia e acreditava que ia fazer bem para ele. Aliás, tenho certeza de que fez, mas ele deve ter apanhado qualquer coisa que o deixou assim. Mas não vamos pensar nisso, vamos só rezar para que fique tudo bem.

Eu me afastei, fiz sinal ao doutor Brandão para tomar o meu lugar e vim para a rua. Quando saí, agachei-me contra a parede e expulsei a culpa e o medo que estava sentindo num choro compulsivo. Só tivemos mais notícias de Leonardo ao final do dia e não foram boas. Explicaram que o seu estado clínico tinha piorado e que a situação dele era mais grave do que aquela que tinha sido comunicada pelo hospital anterior, tendo sido encaminhado para os cuidados intensivos. Lurdes desatou a chorar e eu também não me contive. Não conseguia acreditar que aquilo estava mesmo acontecendo. Não fazia sentido que de um momento para o outro Leonardo tivesse ficado num estado que justificasse os cuidados intensivos.

Lembrei-me então de quando Leonardo me contou que tinha um problema no coração e que poderia morrer a qualquer momento. Sacudi imediatamente aquele pensamento, contudo, logo depois, me veio à memória a conversa que tive com Lurdes no terraço sobre a doença dele. Ele me revelou nessa conversa que era improvável que morresse de repente, mas que se não fosse cuidadoso poderia desenvolver complicações que resultariam na sua morte. Uma lembrança que não melhorou o meu estado de espírito. Durante os três dias que se seguiram, Leonardo permaneceu nos cuidados intensivos e tudo o que nos diziam era que estava em observação. Até que no quarto dia um médico surgiu na entrada da sala de espera e chamou pelos familiares do Leonardo. Corremos para junto dele e ele nos pediu para acompanhá--lo até uma sala para falarmos reservadamente. Tive um déjà-vu aterrorizante naquele momento ao perceber que tinha acontecido exatamente o mesmo quando soubemos da situação de Nicolau e começamos a temer o pior. Sentamo-nos, demos as mãos e ouvimos com atenção.

— Antes de mais, deixe-me dizer que o seu filho saiu hoje dos cuidados intensivos e passou para os cuidados intermediários. *Começou a dizer o cardiologista que acompanhava Leonardo desde que viera para Portugal.* Além disso, tudo o que vou dizer agora a vocês já disse também a ele. Há quatro dias o Leonardo deu entrada aqui no hospital com uma infeção respiratória grave. Entretanto, já detectamos a bactéria que a despertou e ele agora está tomando o antibiótico específico para combatê-la. Contudo, não é a infeção que me preocupa, mas sim o coração dele. Eu já acompanho a miocardiopatia do seu filho há muitos anos e sempre conseguimos mantê-la estável, mas esta infeção exigiu um esforço muito grande do seu organismo e teve sequelas. Nomeadamente uma descompensação da função cardíaca, que neste caso é uma alteração irreversível. Neste momento é a medicação que está fazendo o coração dele trabalhar, mas só porque ele está em estado de repouso.

— O que é que isso significa, doutor? *Perguntou Lurdes.*

— Significa que, para o seu filho voltar a ter uma vida normal, tudo indica que ele vai precisar de um coração novo.

No momento em que o médico partilhou aquela informação, tive vontade de chorar por saber que Leonardo não tinha condições de ter uma vida normal com o seu próprio coração, e ao mesmo tempo tive vontade de sorrir porque ele tinha melhorado e havia a possibilidade de ficar tudo bem caso fosse transplantado. Supus que Lurdes estivesse passando pela mesma confusão emocional que eu porque ficamos ambas sem reação durante alguns segundos. O cardiologista nos deu algum tempo para digerir a notícia e depois explicou que o transplante não era uma imposição médica, mas sim uma necessidade para ele voltar a ter uma vida normal. Disse ainda que, por Leonardo ser jovem e a sua situação ser urgente, subia na lista de prioridades para receber um coração, mas que ainda assim deveria contar com alguns meses na lista de espera. Meses esses que teriam de ser passados ali no hospital para ser monitorizado e medicado constantemente de forma a manter a sua situação estável até o momento do transplante. Finalizou dizendo que ele já poderia receber visitas, mas que teria de ser pouco tempo e uma pessoa de cada vez. Regressei para a sala de espera e o médico acompanhou Lurdes até o quarto onde ele estava. Recebi logo a seguir uma chamada do doutor Brandão dizendo que tinha acabado de chegar ao hospital, mas que Lurdes não atendia o celular. Indiquei a ele onde estava e ele se juntou a mim. Contei a ele o que o médico tinha dito e aguardamos juntos pela vez da minha visita. O diretor do lar contratara uma terapeuta ocupacional temporariamente para o meu lugar só para que eu pudesse apoiar Lurdes quando ele não podia, e também para eu seguir de perto o estado de Leonardo, uma vez que ele sabia da nossa proximidade.

Sempre que o serviço no lar abrandava, regressava de imediato ao hospital para nos fazer companhia, o que mais uma vez demonstrava a boa pessoa que era. Nem trinta minutos depois, Lurdes surgiu na sala e eu corri para ela.

— Como é que ele está?

— Bem-humorado, pelo menos, e perguntou por você. Venha. *Disse, estendendo-me a mão.* Vou lhe mostrar o caminho.

Ela me deixou na porta do quarto e se afastou com um sorriso de força como se compreendesse o receio que eu estava sentindo de vê-lo numa cama de hospital. O quarto era bastante amplo e tinha quatro camas alinhadas e espaçadas umas das outras. A de Leonardo ficava num dos cantos, e eu me dirigi até junto dela sem que ele percebesse minha aproximação. Estava com a máscara de oxigênio colocada e assim que me viu a retirou.

— Fique com a máscara. É melhor. *Eu disse.*

— Sou mais bonito sem ela. Além disso, quero te dar um beijo. Debrucei-me sobre ele e lhe dei um beijo demorado. Ajeitei seu cobertor e passei a mão pela sua barriga e pelo braço estendido ao longo do corpo. A cor dele não era a melhor, mas o seu sorriso emanava uma energia positiva que me tranquilizou. Queria lhe dizer alguma coisa, mas não sabia por onde começar uma conversa tendo em conta aquele cenário. Ele percebeu isso e deu uma ajuda.

— Lembra-se do diálogo que tivemos no regresso para casa depois de termos levado a Mika ao hospital?

— Mais ou menos, por quê?

— Acho que foi nesse momento que eu te disse que a maioria dos nossos locais em comum não tinha bom agouro, visto que eram lares, hospitais e cemitérios. Parece que a saga se mantém.

— Está dizendo isso porque desprezou todos os outros locais bons e agradáveis onde esteve... Incluindo a minha cama.

— Sim, de fato na sua cama passei momentos muito bons.

— Estou falando da cama onde você dormiu. Se você se lembrar bem, essa é que era a minha cama. *Disse, em tom de brincadeira.*

— Claro, claro! Passei momentos muito bons de sono nessa cama. Do que você achou que eu estava falando?

Trocamos olhares atrevidos e logo se apagou o meu sorriso ao lembrar que também foi naquela cama que tudo aquilo começou. Mas não quis alimentar esse pensamento e continuei.

— Lembra que, se nos focarmos só o que de mal nos acontece, vai sempre parecer que a nossa vida é um desastre. Um dos segredos da felicidade é tirar o foco das coisas más, para que não pareçam tão más, e focar as coisas boas, para que pareçam ainda melhores. Penso que foi uma ideia destas que também te transmiti nessa viagem de regresso do hospital veterinário.

— Acho que sim. *Ele fez uma pausa e respirou lenta e profundamente duas vezes.* Eu só disse isso talvez porque sabia que me você ia me dizer alguma coisa positiva para me animar e eu queria ouvir.

Fiz um esforço enorme para sorrir para ele assim que acabou de falar, pois a vontade era de começar a chorar quando vi o brilho nos olhos dele desvanecer enquanto ele me fazia aquela confissão. Era como se momentaneamente tivesse caído a máscara do *faz de conta que não se passa nada* e admitíssemos um ao outro, através do olhar, que a situação era ruim e que estávamos cheios de medo. Contudo, Leonardo parecia não se render assim tão facilmente, vestiu à força um novo sorriso e voltou a falar.

— Como está vendo, sou mesmo uma pessoa com fraco coração.

— Achei que você não iria mais contar essa piada.

Não contivemos uma gargalhada perante a previsibilidade daquelas duas deixas, mas o riso foi esforço demais para ele, que começou a ofegar e teve de voltar a colocar a máscara de oxigênio.

Perante o meu olhar assustado e já atento a uma das enfermeiras, Leonardo levantou o polegar para me dar a indicação de que estava tudo bem e ajudar a me tranquilizar. Ficamos em silêncio durante um momento e as minhas mãos não pararam de tremer. Deixei que fosse ele a me dizer alguma coisa quando se sentisse preparado e quando voltou a fazê-lo foi através da máscara de oxigênio.

— Além de filmes de suspense, parece que também não vou poder ver filmes de comédia durante os próximos tempos.

— Você vai ter muito tempo para ver todo tipo de filme depois de receber um coração novo. Que com certeza será bom e muito mais compatível com o também novo coração da sua alma.

— Viu só? Agora que comecei a usá-lo é que ele foi avariar.

É uma posição um pouco ingrata a minha.

— Por que está dizendo isso? Por favor, responda devagar. Leve o tempo que precisar. Não volte a me assustar como há pouco, senão acho que vai conseguir um doador ainda hoje.

— Ingrata porque, sem querer e sem maldade... acabo desejando que alguém saudável morra para me deixar viver. É como o velho ditado do coveiro... não quer que ninguém morra, mas quer que a sua vida corra. *Fez uma pausa.* Será que se pode dizer que eu tenho um mau coração por querer o bom coração de alguém?

— Não comece com esses trocadilhos porque depois você ri e já vimos que é um esforço grande para você. E é claro que não pode se julgar uma má pessoa por isso. O instinto de sobrevivência tem sempre uma grande dose de egoísmo. É mesmo assim a nossa natureza. E você não está desejando o mal a ninguém, apenas o seu bem.

Uma enfermeira olhou para mim e comprimiu os lábios, me dando a entender que estava na hora de nos despedirmos.

— Acho que tenho de ir embora.

— Não tem nada. *Ele ergueu ligeiramente o cobertor.* Esconda-se aqui debaixo. *Respondeu com um piscar de olhos apaixonante.*

Segurei na mão dele e me debrucei para olhar nos seus olhos.

— Acredite que eu adoraria poder ficar, mas não me deixam. Prometo vir te visitar todos os dias enquanto você estiver aqui. Vai correr tudo bem. Aliás, tem de correr. Até porque temos uma última tarefa para cumprir, que é reencontrar o seu pai. Ou já esqueceu?

— E se eu não tiver mais tempo?

— Chiu! *Encostei o dedo indicador nos meus lábios.* Eu garanto que vou contigo a Paris encontrar o seu pai. Por isso você não tem outra solução que não seja ficar bom. Entendeu? *Abanou a cabeça e eu lhe dei um leve beijo na testa.* Volto amanhã.

Assim que cheguei ao corredor, respirei tão profundamente que parecia que tinha prendido a respiração durante o tempo em que estive junto de Leonardo. Mas percebi logo que o alívio que estava sentindo não era por poder respirar um novo ar, mas sim por ter despido a armadura de ferro invisível com que me apresentei a Leonardo. A minha vontade era ter me escondido debaixo do cobertor e ficar ali como ele tinha sugerido ou então trazê-lo embora comigo. Não poder estar perto dele naquele momento em que tanto precisava me matava por dentro. Estive em tantos outros momentos ao seu lado, momentos em que ele não precisava, não merecia e até nem eu queria, e logo naquele eu não podia estar. Comecei a caminhar pelo corredor, de olhos no chão e me guiando pela parede, e mergulhei tão fundo nos meus pensamentos que deixei de ouvir os barulhos à minha volta. Lembrei-me de Nicolau, lembrei-me da receita, lembrei-me da ideia de ser feliz no amor e depois juntei tudo no mesmo saco onde já estava Leonardo. Olhei para dentro dele e alguma coisa não batia certo. Tinha me apaixonado por ele enquanto lutava para merecer a receita para ser feliz no amor que me tinha sido dada pela pessoa que me fez entrar nessa luta. A dada altura deixei de ter vontade de conhecer a receita com medo de que o que estivesse lá não correspondesse ao que tinha vivido com Leonardo e percebesse que, afinal, também não era por ali o caminho e não seria ele o meu grande amor. Por outro lado, quando começava a acreditar que o destino tinha conspirado a meu favor para me fazer feliz no amor e que eu já tinha descoberto a receita mesmo sem a ter lido, ele decidiu me pregar aquela rasteira. Eu me senti perdida e desamparada por instantes e depois me lembrei de que estava, mais uma vez, inventando problemas desnecessários na minha cabeça e me preocupando com coisas que não eram as mais importantes naquele momento.

Os dias que se seguiram foram de espera, incerteza e receio. A qualquer momento Leonardo podia encontrar um doador compatível. Por um lado, eu queria muito que acontecesse o mais depressa possível para ele ficar logo bom e por outro tinha medo que a operação corresse mal e aquilo que podia ser a sua salvação fosse, afinal, a sua perdição. Mas não havia muito por onde fugir, por isso era mais uma preocupação desnecessária, mas incontornável.

Tal como lhe prometi, visitei Leonardo todos os dias em que me foi permitido. Quando voltei a trabalhar, ajustei os meus horários no lar e nos domicílios que fazia para estar sempre livre na hora das visitas, e aquele hospital virou a minha segunda casa. Comigo tinha sempre Lurdes e não muito menos vezes o doutor Brandão, que insistia em nos fazer companhia, mesmo sem nunca sequer ousar visitar Leonardo. Os dias foram passando e já se contavam semanas. Os escassos minutos que me permitiam estar junto dele não davam para muito a não ser uma curta conversa que muitas vezes não passava de um resumo do meu dia de trabalho. Era ele mesmo que o pedia e ouvia sempre com muito entusiasmo como se fosse a melhor ligação que ele podia ter com o mundo lá fora. Gostaria de fazer alguma coisa de diferente com ele, mas me sentia limitada por todos os lados. No entanto, certo dia, tive uma ideia que, não sendo nada de outro mundo, era muito boa e nem sei como é que não tinha me ocorrido mais cedo. Ela me exigiu uma ligação, um pequeno disfarce na hora de entrar no quarto e, claro, um rápido e inofensivo *suspense*, antes de revelar a surpresa que tinha trazido para ele.

— Tenho uma surpresa para você.

— Não é muito difícil me surpreender aqui. *Disse ele, com um sorriso.* Tendo em conta o tédio deste espaço, acho que ver uma mosca já é considerado surpresa. Mostre-me.

Lucas, que tinha caminhado agachado até junto da cama para não ser visto, ergueu-se e soltou um vigoroso *olá*.

— Olha quem é ele! *Rejubilou Leonardo, levantando logo a mão para um high five.* Dá cá mais cinco. Como você está?

— Estou bem, e você? *Respondeu, sorridente.*

Em pouco tempo já estavam falando de futebol e das novidades que o pequeno Lucas trazia do exterior. De repente era como se eu já não estivesse ali, um pormenor que não me incomodava nada, pois estava deliciada a vê-los conversar animados um com o outro. Desde que fora para o hospital, Leonardo nunca tinha tido contato com mais ninguém além de mim, a mãe e os médicos, e era bom lembrá-lo de que havia mais pessoas que gostavam dele e de quem ele gostava também. Com o tempo, Leonardo foi se habituando mais à sua condição física e já conseguia gerir melhor o esforço e não estar tão dependente do oxigênio. A conversa que mantinha com o rapazinho parecia, por isso, uma conversa perfeitamente normal, com a particularidade apenas de estar numa cama. A dada altura, Lucas começou a perguntar o que eram e para que serviam as máquinas e os instrumentos que estavam junto à cama, e Leonardo ia explicando da melhor forma que sabia, até que fez uma pergunta que deixou nós dois olhando um para o outro.

— Será que o meu pai também estava numa cama destas quando morreu? *Perguntou, com uma inocência doce.*

— Por que pergunta isso, Lucas?

— A minha mãe disse que o meu pai morreu no hospital porque estava muito doente. Devia estar numa cama assim cheia destas máquinas à volta. *Disse, com um encolher de ombros.*

Voltamos a trocar olhares ao perceber que a mãe tinha finalmente contado a verdade a ele acerca do pai. Ou, pelo menos, parte dela. Lucas falava com o seu jeito naturalmente ingênuo, mas genuíno, o que me deixou um pouco mais tranquila, por saber que ele já sabia a verdade, e que de certa forma a sua ingenuidade o estava protegendo dela. Decidi assumir eu a responsabilidade de lhe dar uma resposta e senti que Leonardo me agradeceu.

— Sabe, estas máquinas e estas camas servem para as pessoas não sofrerem muito. Com certeza o seu pai estava numa destas ou ainda melhor e por isso não lhe doeu tanto. E com certeza ele gostava muito de você e está olhando por você lá de cima.

— Eu sei. *Respondeu rapidamente.* A minha mãe me disse. Mas eu já pedi um pai novo a ela. Um daqueles que me leve a ver um jogo de futebol como os pais dos meus amigos lá da escola.

— Você pediu um pai novo a ela? *Perguntou Leonardo, intrigado.*

— Já que o meu não vai voltar, então quero um novo.

— E não ia ser estranho ter um pai que não é o teu?

— Não! Desde que me leve ao futebol e me dê Bollycaos.

— Já vi que você só quer um pai para te dar coisas. *Contestou Leonardo em tom de brincadeira, afagando seu cabelo.*

— Estou brincando. *Respondeu Lucas, envergonhado.*

— Está vendo como ele não se importa que a mãe tenha um amigo novo?

Acho que você podia aprender umas coisas com ele. *Eu disse.*

Leonardo ficou olhando para mim, mas eu fiz de conta que não reparei e comecei a brincar com Lucas.

— Alguma vez você falou com ele sobre mim? *Ele me perguntou.*

— Sim. Muitas vezes. Quando a sua mãe vem te visitar, eu fico na sala de espera conversando com ele. Quase sempre sobre você.

— Na sala de espera falando com ele? Como assim?

Fiz uma pausa, respirei fundo e me virei para Lucas.

— Meu amor, eu vou precisar falar a sós com o Leo, está bem? Vou te pedir que você se despeça dele e depois vou te levar para a sua mãe, que está lá fora à sua espera. Dê um abraço no Leo.

Lucas abanou a cabeça afirmativamente e se debruçou sobre a cama, encostando o rosto na barriga de Leonardo e abraçando-o. Depois se despediu dele com o habitual high five e eu lhe dei a mão para acompanhá-lo até a saída do quarto. Antes de sair ainda teve tempo de me fazer uma pergunta que me abalou.

— O Leo não vai morrer como o meu pai, vai?

Agachei-me ao lado dele para poder olhá-lo nos olhos e lancei a ele um sorriso forçado, mas cheio de esperança.

— Vou te pedir que deseje muito, muito, muito que ele fique bom e que vocês possam voltar a jogar videogame juntos. Pode fazer isso?

Ele disse que sim com a cabeça, depois lhe dei um beijo na testa, abri a porta para que fosse falar com a mãe e regressei para junto de Leonardo. Apesar de todas as restrições e limitações que não podia contornar, os médicos e enfermeiros já me conheciam e me davam um pouco mais de liberdade de tempo para estar com ele.

— Não sabia que a mãe dele estava lá fora, podia ter vindo.

— Ela preferiu não vir, mas te mandou muita força. *Olhei à minha volta antes de continuar num tom de voz mais calmo.* Em relação ao doutor Brandão... Ele vem para cá sempre que pode só para nos fazer companhia durante o período da visita. Além disso, nos primeiros dias em que ficou nos cuidados intensivos, ele contratou de propósito uma terapeuta para me substituir e me permitir estar aqui o dia todo para o caso de ser necessário alguma coisa e mesmo que não fosse só para eu poder estar perto de você. Depois, como se não bastasse, facilitou a alteração do meu horário lá no lar para que eu pudesse estar livre nas horas da sua visita. Ele tem sido o verdadeiro suporte da sua mãe durante todo este tempo, e se ela muitas vezes chega aqui com um sorriso para te dar é muito por causa dele também.

Leonardo desviou o olhar e ficou pensativo.

— Tenho sido muito injusto com eles, não tenho?

— Não gosto desse termo. É pesado demais. Só acho que você deve ter em atenção tudo o que ele tem feito sem exigir nada, só para que a sua mãe tenha um pouco mais de conforto e alegria. Ele tem sido um pilar para ela, e tenho pena que uma relação tão bonita não seja aprovada por você. Eu te confidenciei tudo isso sobre o doutor não com a intenção de te fazer mudar de ideia, mas para você saber que ele é uma boa pessoa. Se você gosta da sua mãe, vai gostar dele também porque ele faz muito bem a ela. Você devia lhe dar uma oportunidade...

— Eles estão lá fora? *Perguntou, inseguro.*

— Sim... Devem estar na sala de espera. Por quê?

— Porque talvez esteja na hora de eu deixar de ser teimoso.

— Não tem de fazer nada agora. Eu só falei neste assunto porque a conversa para lá me levou. Você tem tempo para cuidar disso.

— Eu não sei quanto tempo tenho, Beatriz...

Eu me agarrei a ele de imediato e encostei o meu rosto no seu.

— Você sabe que eu não gosto que diga essas coisas. *Passei a mão no seu rosto e Leonardo segurou no meu pulso.* Mas tudo bem. Se é isso que você quer... Eu tenho de ir embora e quando cruzar com eles peço que venham te ver. Só me diga que tem a certeza de que quer mesmo fazer isso agora.

— Se há uma coisa que aprendi desde que fiquei preso a esta cama é que o depois não existe. O depois é um lugar imaginário para onde gostamos de empurrar as decisões da nossa vida. O depois é o lugar favorito dos indecisos, que só empatam a vida de quem já sabe o que quer. E eu sei que não quero ser mais essa pessoa.

Fiquei feliz ao ouvir aquela declaração tão bonita que acabava de fazer, mas fiquei ainda mais feliz por ele ter chegado àquela conclusão. Despedi-me dele com um beijo e fui ao encontro de Lurdes, que estava acompanhada pelo doutor Brandão. Quando lhes disse que Leonardo queria falar com eles, ficaram os dois boquiabertos.

— Tem certeza, Beatriz? *Perguntou Lurdes.* Não acha que é melhor esperar que ele saia daqui para falarmos com calma? Ele não reagiu nada bem da última vez. Não me parece boa ideia.

— Não é uma questão de momento certo ou de timing ou se é boa ou má ideia. É mais do que isso. É uma necessidade dele e de certa forma também sua. E a necessidade não espera. A necessidade automaticamente define que o momento certo é agora. Este é o seu momento. Podem ir. Ele já está esperando. Fui embora com um leve receio, mas ao mesmo tempo confiante de que aquela história teria um final feliz. E Lucas iria ser, quem diria, o seu herói improvável, pois tinha sido ele a provocar o derradeiro clique para Leonardo tomar aquela decisão. No regresso para casa vinha pensando nas bonitas palavras que Leonardo me disse antes de vir embora e percebi que talvez o seu grande mal não tivesse sido a indecisão, a dúvida ou o medo, mas sim a falta de noção da brevidade do tempo. Um tempo que caminha inevitavelmente de mãos dadas com o limbo imprevisível da vida. Ele me dizia que estava sempre contando que a qualquer momento poderia morrer, mas começava a acreditar que era uma ideia mais habituada e mecanizada do que propriamente sentida. No fundo ele deixara de acreditar que de fato poderia mesmo acontecer e talvez por isso foi sempre adiando as decisões e valorizando pouco as coisas que só a falta de tempo nos mostra o quanto são importantes. Mas talvez aquele fosse um defeito de fábrica de todos nós. Se por um lado a ideia de que ainda temos muito tempo nos ajuda a viver mais descontraídos, por outro apela ao vício de empurrar tudo para depois. O que nos deixa constantemente suscetíveis ao abismo dos *tardes demais* da vida. Quando cheguei em casa e abri a porta de entrada reparei que a porta do meu quarto estava entreaberta. Não era normal. Quando a empurrei para trás, encontrei a minha irmã sentada na cama lendo aquilo que aparentava ser a receita que Nicolau me deixara.

— O que você está fazendo, Leonor? *Perguntei ao mesmo tempo que lhe tirei o papel das mãos.*

— Desculpe! Pensei que não tinha mal nenhum. Eu vim ao seu quarto procurar aquele seu esmalte bordô e encontrei este envelope na gaveta. Como já estava aberto, achei que não fazia mal ler.

— Puxa! Também herdou a curiosidade da mãe. Isto não é para você ler. *Disse enquanto guardava o papel dentro do envelope e depois o envelope dentro da minha bolsa.*

— Pronto, desculpe! Também só li o início. Além disso, essa letra não dá para entender nada. Não precisa ficar assim.

Lancei a ela um olhar de repreminda e logo depois amansei.

— Lembra que eu te disse que não ia tentar descobrir aquele rapaz com quem você andava para ter uma conversa séria com ele, pois, apesar de tudo, respeitava a sua privacidade?

— Eu sei. Desculpe. Já aprendi e não volta a acontecer.

— Acho bom. Aliás, como é que ficou essa história com ele?

— Fiz aquilo que você me disse para fazer. Ele voltou a me procurar e eu disse que não. Apesar de gostar dele. Ganhei coragem e disse que não. Porque sabia que ele só me queria para aquilo.

— Boa! É isso mesmo. E como é que você se sentiu depois disso?

— Muito melhor. Foi difícil no início, claro, mas depois foi como se me sentisse outra pessoa. Mais independente, mais crescida, mais confiante. Obrigada, mana!

Ela me deu um abraço demorado e foi a melhor forma de terminar o meu dia. Antes de sair não resisti a perguntar.

— O que foi que você conseguiu ler naquele papel?

— Quase nada, qualquer coisa sobre consciência e tabus, mas, como eu disse, foi só o início. Nem deve ter muito a ver com o resto.

Os dias e as semanas continuavam a passar e a situação de Leonardo se mantinha inalterada. Já tinham passado mais de dois meses desde que tinha sido internado e, embora nos dissessem que era mais do que normal aquele tempo de espera, mesmo sendo um caso prioritário, era inevitável começar a se desesperar com tanta demora e indefinição. No entanto, Leonardo parecia cada vez mais tranquilo e conformado. Talvez porque a sua condição o fizesse deixar de olhar para o tempo como uma unidade de medida, e sim como uma dádiva. Os seus dias não eram mais dias em que estava à espera de alguma coisa, eram dias em que podia estar junto de quem mais gostava. E isso lhe dava a paz e a paciência de que ele precisava para não desanimar com aquela espera. Parecia que os papéis tinham se invertido e agora era a minha vez de aprender com ele que as coisas acontecem mais depressa quando fazemos as pazes com a lentidão do tempo. E, mesmo que não aconteçam mais depressa, pelo menos conseguimos aguentar melhor a sua demora. Quem também teve de ser internado foi o meu Opel, que, mais uma vez, acusou a idade e tive de deixá-lo na oficina entregue aos mecânicos. Por isso, nesse dia fui de transporte público do lar até o hospital e pedi à minha mãe que depois passasse por lá para me buscar no final da visita. Quando cheguei junto de Leonardo, ele me recebeu com um sorriso e uma paz que me intrigaram.

— Está muito bem-disposto ou é impressão minha? Não me diga que uma doutora bonita e jeitosa roubou seu coração. *Perguntei, com um ar ciumento, depois de lhe dar um beijo.*

— Por acaso, foi. E está mesmo aqui do meu lado?

— Ai é? Segundo o que você me disse uma vez, uma terapeuta ocupacional de doutora não tem nada. Deixou de pensar assim?

— Só deixei de ser idiota. Por que está me dizendo que estou bem-disposto?

Eu fico sempre assim quando te vejo chegar.

Fiquei um momento em silêncio a saborear aquela frase.

— Não sei. Talvez seja só uma invejazinha minha por parecer que você está lidando com isto melhor do que eu. Também gostaria de me sentir tranquila como você, mas não estou conseguindo. Ver você assim é estranho. Fico contente porque está calmo, mas ao mesmo tempo é como se tivesse se rendido e não lhe importasse mais se o desfecho desta história não for... o melhor.

Leonardo pegou minha mão e olhou tão seriamente para mim que me deu um aperto no peito e me fez lacrimejar.

— Você me disse para focar as coisas boas para as coisas más parecerem menos más. É só aquilo que tenho tentado fazer. É claro que eu quero um final feliz, mas também sei que se não for feliz já não se perdeu tudo porque ainda tive tempo de perceber aquilo que realmente importa. Ainda tive tempo de te conhecer, por exemplo. Agora percebo o desperdício que seria vir ao mundo e não ter conhecido alguém como você. Junto com você todos os minutos são lucro. E estou grato por ainda ter tido tempo de perceber isso.

— Isso foi tão bonito, Leonardo... *Eu disse, olhando-o nos olhos.* Mas eu nunca me vou perdoar se te perder.

— Não vai se perdoar? O que você quer dizer com isso?

— Porque me sinto culpada por tudo isto. Fui eu que dei a ideia de irmos para o campo e foi lá que você pegou a bactéria que resultou na infeção, que te debilitou o coração e que pode...

— Pare, Beatriz! Não vá por aí, por favor! *Avisou, puxando-me a mão para ele.* Você deu a ideia porque de certa forma fui eu que pedi e eu a aceitei. Você não me obrigou a fazer nada. Fiz porque quis e porque achava que devia. Aliás, a ideia de irmos andar de bicicleta mesmo sabendo que poderia chover foi minha. Eu sempre soube os riscos que corria e não deixei de fazer nada por causa disso. *Fez uma pausa.* Fiz tudo o que fiz porque queria, porque precisava, porque estava gostando e porque estava me sentindo como nunca tinha sentido. Foi lá, mas podia ter sido noutro local qualquer, noutra altura qualquer com outra pessoa qualquer. E, sabendo o que sei hoje, sinceramente, voltaria a fazer tudo outra vez.

— Mas agora você está preso aqui a esta cama à espera da sorte de que alguém saudável tenha o azar de morrer. E, se isso não acontecer, quem pode morrer é você, e eu também serei culpada.

A minha voz ficou embargada e as lágrimas começaram a escorrer lentamente pelo meu rosto. Eu me virei para o lado para ele não me ver chorar, e Leonardo soltou minha mão para me segurar no rosto e com o polegar limpar minhas lágrimas.

— Olhe para mim. Você não é a culpada por eu morrer. Você é a culpada por eu ter vivido. E deve se sentir orgulhosa por isso porque eu me sinto um sortudo porque você conseguiu. Eu pensava que vivia, mas não. Eu apenas existia. Agora vejo a diferença entre existir e viver. E a diferença é sentir. Umas coisas boas e outras coisas más, mas acima de tudo sentir. E eu fui me privando disso ao longo dos anos até que você apareceu.

— Quero tanto acreditar nisso, Leonardo. Quero tanto focar esse lado bom para que o lado mau pareça menos mau, mas...

— Você tem de começar a aplicar também aquilo que diz. Se você diz mas não faz, vou começar a acreditar que esses seus momentos filosóficos não passavam de conversa-fiada. *Disse ele, sorrindo.*

Tentei devolver um sorriso, mas uma estranha sensação de despedida foi se impregnando em mim à medida que fomos falando. Começava a sufocar numa espécie de choro misturado com um grito de revolta e uma enorme declaração de amor. Era como se tudo aquilo quisesse sair ao mesmo tempo e tivesse empacado na minha garganta. Precisava urgentemente de uma atmosfera diferente e respirar ar fresco, mas precisava ainda mais da sua companhia, do olhar e do toque dele. Prendi o cabelo, desabotoei um botão da camisa e bebi o que restava de uma pequena garrafa de água que trazia na minha bolsa.

— Por que você sempre me tratou bem? *Perguntou, para mudar de assunto.* Por que você sempre foi tão boa comigo, mesmo quando eu era injusto contigo ou não me esforçava como devia?

— Porque se eu retribuísse o desprezo, ou o desleixo, ou o que quer que fosse de mau, só iria alimentar isso em você e em mim. Se eu queria que você fosse bom, eu tinha de ser boa contigo. Tentar vencer o mal com o mal é o mesmo que tentar apagar um fogo com gasolina. Só vai piorar tudo. Nenhuma discussão se vence gritando mais alto que o outro. Eu não posso esperar um beijo ou um abraço de alguém em quem dei um murro. Mas é quando essa pessoa me dá um beijo ou um abraço depois de eu lhe ter dado um murro que eu consigo perceber quão errado estou. E foi isso que eu fiz com você. Além de que o seu avô me disse que eu não deveria esperar nada de você.

— Acho que o meu avô estaria orgulhoso de nós.

— Ou então um pouco chateado por termos nos desviado do foco. Penso que não devíamos ter nos aproximado tanto.

— Talvez fosse preciso essa proximidade entre nós para que a mudança acontecesse em mim.

— Ou talvez a proximidade tenha acontecido porque houve uma mudança em você. Ou afinal era tudo destino e independentemente da ordem isto tinha mesmo de acontecer de uma forma ou de outra.

— Você acredita em destino?

— Já acreditei menos. Às vezes surgem pessoas na nossa vida que parece que foram colocadas no nosso caminho por uma daquelas máquinas de tirar pelúcias que são controladas por um *joystick*. Às vezes parece que a pessoa que controla esse joystick está entediada e decide juntar duas pessoas incompatíveis só para dar conflito e ela ter com que se entreter lá em cima. Outras vezes parece que está bem-disposta e faz cruzar duas pessoas que se dão bem e acabam ficando juntas para sempre. Mas, num caso ou no outro, eu prefiro acreditar que ela sabe o que está fazendo e que tira e põe as pessoas certas nos momentos certos. Às vezes encontramos pessoas e passamos por situações que nos magoam que no fundo são como aquelas vacinas que tomamos quando somos crianças. Não queremos tomá-las porque sabemos que vai doer e algumas até deixam cicatrizes, mas também sabemos que depois de as tomarmos estaremos protegidos de dores e males muito maiores.

— E você acha que a pessoa que controla esse joystick é o destino?

— Não sei qual o nome mais adequado. Não sei se lhe chamo destino, universo, Deus, O Todo ou simplesmente amor. Só sei que não chamo de acaso. Não é o acaso que controla tudo isto.

— Não sabemos o nome da pessoa que controla esse joy-stick, mas sabemos pelo menos o nome do seu intermediário. *O olhar que trocamos deu para perceber que tínhamos pensado na mesma pessoa, Nicolau.* E estou eternamente grato a ele por isso.

— Resta-nos desejar que o responsável pelo joystick se esqueça de nós dois e acabemos por ficar juntos para sempre.

Leonardo sorriu para mim com a mesma aura de quando me viu chegar e não resisti a lhe dar um beijo demorado.

— E por falar no meu avô... Você já leu a tal receita?

— Não. Ainda não li. Quer dizer, já conheço algumas palavras, mas não as suficientes para saber propriamente o que lá diz.

— Por que a demora? Você disse que era até eu ficar diferente.

— Não tenho pressa. Talvez porque já sou feliz no amor... *Fizemos silêncio.* E porque ainda não fiz tudo o que podia por você.

— Falta o regresso oficial à minha infância e o reencontro com o meu pai, não é? Eu estive a pensar nisso, e, se eu me livrar desta e conseguir encontrá-lo, não vou conseguir dizer a ele tudo o que queria. Porque com os nervos ou a emoção vou esquecer tudo e não vou conseguir dizer nada.

— Em primeiro lugar, você vai se safar desta. E, em segundo lugar, se é essa a sua preocupação, isso se resolve facilmente. *Fui à minha bolsa e tirei o meu caderninho e uma caneta.* Pode me ditar tudo o que você diria a ele se o encontrasse agora, eu escrevo aqui e no dia em que o reencontrar é só ler o que escrevi e pronto.

Leonardo gostou da ideia e os minutos seguintes foram um autêntico regresso à infância. Da parte dele porque estava se recordando dos seus tempos em Paris e da minha parte porque estava me lembrando de quando fazia ditados na escola primária. Terminada a redação, aproveitei o tempo que ainda me restava da melhor forma até a minha mãe me ligar e dizer que já estava à minha espera no exterior do hospital para irmos embora. Despedi-me dele com um beijo e com a promessa de que no dia seguinte estaria lá à mesma hora, como sempre fazia, e saí ao encontro da minha mãe.

— Como é que ele está? *Perguntou ela, mal entrei no carro.*

— Está estranhamente bem e calmo. Fiz de tudo para parecer natural, mas hoje alguma coisa estava me deixando desconfortável. Era como se ele já estivesse preparado para partir...

— Filha, eu não quero te assustar, mas já disse a ele tudo o que tinha para dizer? Já disse a ele que o ama, por exemplo?

— Nunca disse. Ele também nunca me disse. Talvez nunca tenha sido necessário. Você sabe bem que as últimas vezes que eu disse essas palavras não deram em nada. Talvez seja melhor deixar as coisas amadurecerem e, quando tivermos certeza, então aí dizer tudo.

— Beatriz, você sabe que nunca se sabe quando é que ele... Além disso, há muitas formas de dizer que se ama alguém.

Fiquei olhando para ela e percebi que talvez tivesse razão.

— OK. Tudo bem. Talvez seja um erro estar adiando. Mas para isso vou precisar que você faça um desvio pelo supermercado.

— Pelo supermercado? O que é que vamos lá fazer agora?

— Vou preparar uns bombons com um recheio especial. Mas preciso comprar chocolate e... romãs.

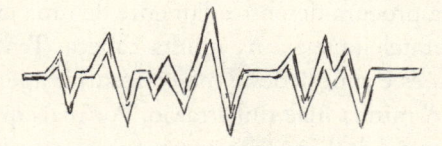

De fato, nunca tínhamos dito um ao outro que nos amávamos. Não que fosse uma obrigatoriedade ou requisito fundamental, mas também não seria completamente descabido se já o tivéssemos feito. Talvez já tivéssemos dito várias vezes que nos amávamos com o olhar, com gestos, atitudes e até nas entrelinhas, que, convenhamos, valem muito mais do que palavras, mas enquanto não verbalizássemos era como se não fosse oficial. Eu deixara de valorizar as palavras *te amo* à medida que as desilusões amorosas foram se acumulando, mas ainda não tinha deixado de acreditar nelas, de ter vontade de dizer e, principalmente, de ouvir. No entanto, aquela observação da minha mãe me fez repensar a forma como eu estava lidando e expressando aquilo que sentia. Já tinha reparado que por várias vezes tinha bloqueado na hora H e comecei a perceber que talvez não fosse só uma questão de medo da falta de reciprocidade. Era, porventura, um bloqueio que desenvolvi depois de todas as minhas decepções. Já tinha admitido várias vezes para mim mesma aquilo que queria e sentia por Leonardo, mas por nunca ter verbalizado era como se eu ainda pudesse voltar atrás e ainda fosse a tempo de não sofrer caso desse errado. Contudo, ao mesmo tempo era como se o sentimento não conseguisse avançar porque teoricamente não era oficial dentro das nossas cabeças. Conscientemente parecia ridículo pensar naquilo desta forma, mas por mais ridículo e sem sentido que fosse era algo que eu não conseguia controlar. Comecei depois a ponderar que talvez Leonardo nunca tivesse me dito que me amava porque de fato não amava, até que me lembrei de que ele tinha me dado a entender que nunca tinha amado ninguém e talvez nem ele soubesse que aquilo que sentia por mim era amor. O que é certo é que nós nunca tínhamos dito um ao outro e eu já estava à procura desenfreadamente de uma explicação para pôr naquela prateleira vazia na minha cabeça. Tentei abstrair de todas as questões e suposições e me concentrar apenas em fazer a minha parte. A minha mãe tinha razão. Por mais que me custasse admitir, a situação de Leonardo era incerta e a verdade é que eu ainda não tinha dito tudo a ele. Lembrei-me então da receita de bombons que ele me mostrou quando fomos ao laboratório de Nicolau, cujo recheio que eles descobriram estar relacionado com o amor era o de romã, e pensei que era uma forma bonita de lhe dizer o que sentia. Assim que cheguei em casa com a minha mãe, concentrei-me na receita que tinha fotografada no celular e peguei os ingredientes. Ela ficou me olhando, curiosa, e comentou.

— Você tem sido posta à prova com este rapaz.

— Posta à prova? Como assim?

— Eu digo isto porque você tem passado por tantas coisas com o filho da dona Lurdes. Parece uma autêntica travessia do deserto.

— Desde o início encarei isto como uma missão porque também foi nesse sentido que me foi atribuída, mas também não esperava que fosse tão difícil e tivesse tantas peripécias.

— O que eu quero dizer é que olho para a sua história como algo superior. Mas talvez seja por não ter sido convencional. Pelo menos comparado com os seus outros namorados. Eu sei que você faz tudo isso porque começou a gostar do rapaz e já tem esse instinto de ajuda dentro de você. Só que também acho difícil ver você passar por estas coisas porque me lembro de tudo o que já viveu e sofre e você sabe que aquilo que dói em você dói em mim em dobro por ser sua mãe.

Parei o que estava fazendo e olhei para ela. Vi a compaixão nos seus olhos e o amor que só uma mãe pode sentir. Nesse instante me lembrei de outra mãe, Lurdes, que tinha deixado tudo para trás por um homem que acreditava ser o amor da sua vida e que lhe dera o seu único filho. Um homem que viria a trocá-la por outra mulher mais nova. Viu-se novamente obrigada a deixar tudo para trás e regressar ao seu país com um filho ainda criança. Um filho que trazia uma bomba-relógio no peito. Era ele que estava mal, mas quem sofria era a mãe, porque sentia. E logo uma mãe que, como a minha acabava de me dizer, sofria dobrado pelos filhos. Durante anos evitou o amor para se dedicar exclusivamente ao filho e quando o reencontrou viu-se obrigada a escondê-lo. Não muito depois viria a perder outro dos seus pilares. O homem que a acolheu e fez tudo o que podia por ela e pelo filho, o seu pai. Agora tinha o filho numa cama de hospital mergulhado na dúvida agonizante se cada visita seria a última. Pensei depois em mim e em tudo o que eu tinha passado e me senti uma adolescente que faz do fim de um namorico um autêntico fim do mundo. Apesar de todas as coisas menos boas que tinha vivido antes de Leonardo, mas principalmente desde que ele entrara na minha vida, eu olhava para ele e para a nossa história como uma bonita e positiva história. Pelo menos por termos crescido e aprendido tanto com ela.

— Não pense assim. *Respondi, por fim, à minha mãe e me lembrei de algo que Leonardo tinha dito algumas horas antes e que se aplicava em perfeição àquele momento.* Sabendo o que sei hoje, acredite que eu voltaria a fazer tudo outra vez.

Voltei a me entreter com os bombons, e a minha mãe saiu da cozinha conformada e confortada com a minha resposta. Pouco depois voltou a surgir na porta da cozinha com um ar intrigado.

— Esses bombons são para o Leonardo comer, certo?

— Não necessariamente, são apenas simbólicos. Mas, sim, seria bom ele prová-los para poder associar o recheio à mensagem que tinha pensado em transmitir a ele. Por que a pergunta?

— Mas os médicos não controlam tudo o que ele come?

— Sim, controlam. Não tinha pensado nesse pormenor.

Contudo, não tive tempo de responder à minha mãe porque o celular tocou com uma chamada de Lurdes. Atendi de imediato e assim que ela começou a falar congelei e deixei cair a colher de pau que tinha na mão, para espanto da minha mãe.

— O que foi que aconteceu, filha? *Perguntou, preocupada.*

Desliguei a chamada com o coração tentando me fugir do peito e engoli em seco antes de conseguir responder.

— Foi encontrado um doador compatível para o Leonardo. Será operado dentro de horas, a dona Lurdes me disse agora. *A minha mãe ficou olhando para mim sem saber o que dizer.* Vou buscar a minha bolsa. Vou apanhar um táxi até o hospital.

— Não precisa ir de táxi, eu levo você lá.

— Corri para o quarto, peguei minha bolsa, confirmei de repente se não me faltava nada e me preparei para sair de casa.

— Não. Você já foi me buscar e não quero que você ande para lá e para cá por minha causa. Darei notícias assim que tiver.

Dei um beijo nela, apanhei um táxi e fui direto para o hospital fazer companhia a Lurdes. Quando lá cheguei e ela me viu, veio logo falar comigo e me embrulhou num abraço demorado. Assim que me soltou, segurou minhas mãos e as apertou, ao mesmo tempo que me lançava um olhar lacrimejante, carregado de medo, mas também de fé. Não era preciso dizermos nada uma à outra para sabermos o que cada uma estava sentindo. Ela me levou pela mão para um corredor onde estava sentado o doutor Brandão. Assim que chegamos, ele se prontificou a ir buscar qualquer coisa para comermos durante as horas de espera que se aproximavam e nos deixou a sós. Lurdes se sentou de olhos fixos no chão e ia esfregando os próprios braços para sacudir o estresse que se acumulava dentro de si. Tentei pensar em alguma coisa para iniciar um diálogo de forma a abstrairmos do que estaria a acontecer com Leonardo numa daquelas salas, mas Lurdes adiantou-se.

— Talvez seja ridículo isto que vou dizer, mas sabe em quem estou pensando agora, Beatriz? *Perguntou, com uns olhos que emanavam uma mistura de raiva e tristeza.* No pai do Leonardo. Quando o médico, ainda na França, nos disse que ele sofria desta doença, o Raphael estava lá. E hoje, neste dia tão importante para o filho, neste dia em que podemos nos ver livres desta doença, ele não está aqui. *Faltou-lhe a voz e fez uma pausa.* Lembro que nesse mesmo dia, quando regressamos para casa, nos comprometemos um com o outro de que faríamos tudo para que o Leonardo tivesse uma infância o mais parecida possível com a dos outros meninos. E que, das brincadeiras, pensaríamos numa forma de ele participar delas sem que se sentisse menos capaz por causa do problema que tinha. Isso aconteceu por exemplo com o futebol. Sabíamos que era inevitável ele vir a gostar de jogar bola, então o Raphael lembrou-se de lhe incutir o gosto de ficar no gol. Assim, ele podia participar dos jogos com os outros meninos sem perceber as suas próprias limitações. E a verdade é que o gosto foi tanto que se tornou um sonho e depois virou um problema. A doença que tinha não o iria deixar ser jogador de futebol, e o Raphael evitava alimentar aquela ideia para protegê-lo de uma desilusão. Recordo-me de que sempre adiava levá-lo para ver um jogo do maior clube da cidade, que até hoje é o clube do coração dele, por causa disso.

Assim que ela me disse aquilo, fui atirada para trás no tempo até o momento em que eu e Leonardo nos encontramos pela primeira vez no balanço. Ele me confidenciara que tinha sido o pai que lhe tinha passado o gosto por ficar no gol, mas que nunca chegara a levá-lo ao estádio para ver um jogo do seu clube do coração. Depois de ouvir aquele desabafo, tudo fazia mais sentido na minha cabeça.

— Eu acredito que, se o pai dele tivesse conhecimento, não ficaria indiferente a este momento. E, já que tocou nesse assunto, deixe-me dizer que me comprometi com o seu filho a ajudá-lo a encontrar o pai. Por isso, a primeira coisa que vamos fazer quando ele se recuperar desta operação será uma viagem a Paris.

— Por essa eu não esperava agora... *Respondeu, atrapalhada.*

Eu nunca pensei que ele quisesse voltar a ver o pai.

— Eu penso que essa seja a derradeira pedra do muro que ele tem de derrubar. Ele precisa fazer as pazes com o seu passado.

— Tem toda a razão, Beatriz. Você é um anjo!

— Não sou. Não sou mesmo. E, se quer me agradecer, agradeça continuando a ser quem é. Se há uma pessoa que merece ser feliz é a dona Lurdes, e eu só posso me sentir grata por contribuir para isso. E não se importe com quem não veio, porque quem importa é quem se importa e quem se importa sempre está. O seu pai me disso isso tantas vezes que com certeza é uma das pessoas que estão aqui hoje nos dando força. A nós e principalmente a Leonardo.

Lurdes voltou a me abraçar calorosamente e se recolheu logo depois no seu silêncio e orações. As horas que se seguiram foram de uma exigência emocional e psicológica extrema para conseguir me manter calma e de pensamentos positivos. Foram mais de cinco horas de espera até surgir um médico caminhando de olhos postos em nós até parar à nossa frente de mãos nos bolsos do jaleco.— São os familiares do Leonardo Xavier? *Perguntou.*

Passaram-se setenta e seis dias desde a operação e cada um foi uma autêntica batalha de superação. Nos últimos dias tinha falado com Lurdes sobre tudo o que ela sabia de Raphael e estavam reunidas as condições para cumprirmos aquela que eu acreditava ser a última etapa de transformação de Leonardo. Abri a bolsa e confirmei que tinha os bilhetes de avião comigo e ainda os bilhetes para vermos um jogo do PSG na liga francesa que tinha comprado pela internet para fazer uma surpresa a Leonardo. Olhei por fim para o envelope aberto que Nicolau tinha me dado e que desde que a minha irmã o descobrira andava sempre comigo na bolsa. Feitas as confirmações, peguei a mala e me dirigi para a porta de saída, onde já me esperava a minha mãe, de chaves na mão. Ia me levar ao aeroporto, mas antes ainda tínhamos de passar na casa de Leonardo. Olhou para mim como, mais uma vez, só uma mãe consegue olhar. Dos olhos lhe brotava uma angústia enorme, mas também um brilho de orgulho que foi como uma injeção de força que me daria muito jeito nos dias que se aproximavam. Seguimos até a casa de Leonardo e durante o percurso ela ia com o olhar colado no infinito imaginando tudo o que me esperava, até que a minha mãe me interrompeu a viagem que já estava a acontecer na minha cabeça.

— Aquilo que você está fazendo é muito bonito. Não tenho palavras para expressar o orgulho que estou sentindo de você. Tomara que corra tudo bem e você cumpra com sucesso essa missão.

— Vou fazer o que tem de ser feito, mãe. Comprometi-me com o Leonardo que o faria e vou cumprir a minha palavra.

Quando chegamos à casa da família Vilar, a minha mãe aguardou no carro e eu fui tocar a campainha. Foi o doutor Brandão que me recebeu, pois tinha se mudado para lá, e chamou logo a Lurdes mal viu quem era. Enquanto aguardávamos que ela chegasse, aproveitei para agradecer a ele as férias extras que me deu no lar para que eu pudesse fazer aquela viagem.

— São merecidas, Beatriz. Boa sorte nessa jornada e já sabe que tudo o que for preciso é só ligar. Estaremos sempre disponíveis.

Atrás dele surgiu Lurdes, que não demorou a me dar mais um dos seus sempre tranquilizantes abraços. Parecia estar fazendo um enorme esforço para não chorar e, apesar de eu sentir que queria desabafar alguma coisa, acabou por não o fazer.

— Pode subir. *Limitou-se a dizer.* Fique à vontade.

Lancei a ela um sorriso e me dirigi para a enorme escadaria que dava acesso ao piso superior. A cada degrau que subia era como se fosse ficando cada vez mais pesada, e, quando finalmente cheguei ao andar de cima, tive de respirar fundo para aliviar algum daquele peso. Dirigi-me para o antigo quarto de Leonardo e quando abri a porta encontrei-o, sentado na beira da cama, de costas para mim e segurando o porta-retrato que nunca chegara a oferecer ao pai. Como se adivinhasse quem tinha acabado de entrar, nem se deu ao trabalho de olhar para trás e fiquei por momentos em silêncio a observá-lo. Depois me dirigi para junto dele e me sentei do seu lado.

— Vamos fazê-la chegar ao seu destinatário. *Eu disse.*

— Embora uns anos mais tarde do que aquilo que eu pensava.

— Certo... mas agora essa moldura tem vinte vezes mais significado do que naquela altura. Hoje ela representa muito mais.

— Representa mais de uma década de abandono. No fundo é o que ela representa. Mas já me conformei com essa ideia há muito tempo. Agora é hora de enfrentar o meu passado e resolver isto.

— Gosto mais dessa forma de pensar. Já tem tudo pronto?

— Sim. Já preparei uma mochila. Só falta guardar isto.

— Eu guardo. *Eu disse, pegando o porta-retrato.* Onde está a mochila? Eu te ajudo a carregar.

—Não. Não é preciso. Não quero que você seja uma bengala. Quero que seja uma companhia. Já chega de preocupações, senão não valia a pena ter um coração novo.

Lembrei-me da conversa que tive com Lurdes no momento da operação, em que ela me falou do cuidado que teve, juntamente com Raphael, para que Leonardo tivesse uma infância o mais normal possível e não se sentisse menos capaz que os outros meninos da sua idade. Percebi que estava fazendo o oposto ao me oferecer para carregar para ele uma simples mochila e recuei na intenção. Leonardo contornou a cama, colocou a mochila no ombro e saiu do quarto. Segui seus passos e, no momento em que me preparava para bater com a porta atrás de mim, me deu um aperto no peito. Ele parou no meio do corredor e rodou na minha direção.

— Está tudo bem? *Perguntou.*

— Sim! *Respondi prontamente, com um sorriso vestido à pressa.*

— Vamos. É melhor chegar cedo do que correr.

Descemos, despedi-me de todos e seguimos viagem até o aeroporto. Antes de me deixar, a minha mãe me deu um beijo, um abraço e fez um pedido de mãe.

— Avise-me quando chegar e ligue todos os dias.

Quando chegamos aos portões de embarque, olhei para o relógio e ainda faltavam quarenta minutos para o voo. Leonardo sentou-se ao meu lado, colocou a mochila no chão e começou a olhar em volta com um ar muito descontraído. Completamente o oposto de mim. À medida que os minutos iam passando e a hora do voo se aproximava, ficava cada vez mais tensa e as minhas mãos mais suadas. Comecei a ficar irrequieta na cadeira e Leonardo percebeu.

— Você tem medo de andar de avião, não tem? *Perguntou.*

— A última vez que andei ainda não tinham diagnosticado minha ansiedade. Não sei como vou reagir ao fato de estar duas horas fechada lá em cima sem possibilidade de sair para apanhar ar se precisar. Não é propriamente como um trem, em que posso sair na próxima estação caso comece a me dar alguma crise.

— Ei, menina! *Ele disse, apertando minha mão e me eletrizando o corpo*. Não vai acontecer nada lá em cima nem aqui embaixo. Você está comigo e eu vou te proteger e te ajudar. *Abanei a cabeça, tentando me convencer do que ele estava me dizendo*. Sempre que você segurar a minha mão vai estar segura e nada de mal te acontecerá. Ouviu? *Sussurrou no meu ouvido com uma voz que me hipnotizou*.

Repetiu aquela frase mais duas vezes e, sem saber se ele sabia o que estava fazendo, a verdade é que comecei a me sentir mais tranquila e segura com as nossas mãos dadas. Logo depois me deu um beijo na testa e foi o melhor calmante que podia ter recebido. A hora do embarque chegou, entramos no avião e ele ficou com o lugar à janela. Continuei a segurar sua mão, julgando que a esmagava na hora da decolagem, e alguns minutos depois consegui finalmente relaxar e soltá-la. Há, de fato, muitos problemas que se resolvem com uma mão dada, um beijo na testa e um *estou aqui*. E talvez a minha ansiedade fosse um deles. Se as pessoas que dizem nos amar tivessem mais tempo, mais paciência e mais vontade de estar, com certeza seriam precisos menos médicos e remédios.

— Obrigada por me ajudar a lidar com este meu fantasma. *Eu disse enquanto apreciava as nuvens lá embaixo*. Parece que fazemos uma boa dupla. Pelo menos nos ajudamos um ao outro.

— Fazemos mesmo. *Confirmou com um sorriso*. Mas estou muito longe de poder te retribuir tudo o que você fez por mim. Talvez nem mesmo esta segunda vida me permitirá fazê-lo.

— Não, nada isso. Numa relação saudável não se deve nem se cobra nada um ao outro. Tudo é dado sem esperar nada em troca porque se sabe que a outra pessoa fará o mesmo por nós. E, se isso não acontece, cabe a cada um a responsabilidade de ficar ou ir embora. E eu sei que em qualquer momento que eu precisasse você estaria lá para me apoiar. Apenas não quero que o faça porque acha que me deve alguma coisa, faça apenas se sentir que quer, gosta e precisa fazer para estar bem.

— Eu quero, gosto e preciso fazer para estar bem, mas também sei que você me deu muito mais do que eu te dei. Alguém me deu um coração novo, mas foi você que me deu uma nova vida. Bem mais interessante do que a que eu tinha. É mais forte do que eu sentir que estou em dívida com você e não sei como retribuir.

— Se você quer assim tanto retribuir, então esteja e fique. É tudo o que peço. Não fique na minha vida se não for para estar ao meu lado, nem esteja ao meu lado se sentir que não vai ficar na minha vida. Ah! E enquanto estiver nunca me negue o seu peito para eu deitar a cabeça antes de adormecer. Parece justo?

— É bonito, sem dúvida, mas para mim parece pouco.

— Eu sei que parece, mas só parece. Eu faço parte desta fatia tão bonita e incrível da humanidade que se chama mulheres. *Eu disse com um sorriso.* E as mulheres nunca pedem muito, só que exigem tudo do pouco que pedem. E dar tudo de poucas coisas é muito mais difícil que dar pouco de muitas coisas. Uma das grandes diferenças entre homens e mulheres é que os homens querem um bocadinho de tudo e as mulheres querem tudo de um bocadinho. Depois eles andam insatisfeitos porque não conseguem ter tudo e elas andam insatisfeitas porque só recebem um bocadinho.

— OK. Já entendi. Então ainda bem que sou uma exceção e a minha única insatisfação é ainda não estar cem por cento para ser o seu bocadinho inteiro. Ah! E em relação ao meu peito para dormir, ele é todo seu, mas se por acaso quiser fazê-lo agora terá de se contentar com o meu ombro. *Lançou-me um sorriso delicioso.*

Aceitei a sugestão dele, apesar de não acreditar que fosse capaz de adormecer por causa do medo. E, embora não tivesse chegado mesmo a adormecer, consegui desligar por momentos da realidade ao meu redor e esquecer o relógio que estava sendo consultado a cada segundo para perceber se ainda faltava muito.

Quando o avião começou a descer, me ajeitei no acento e Leonardo não tirava os olhos da janela. Era um olhar inexpressivo, e percebi que começava a se apoderar dele uma sensação de nostalgia, incerteza e medo. Era a primeira vez que regressava à cidade desde que tinha vindo para Portugal. O avião pousou no Aeroporto de Orly e pegamos o trem até o centro de Paris. Depois fomos de metrô até o hotel que tinha reservado e que ficava próximo da localidade onde Lurdes me disse que eles tinham vivido. Comemos qualquer coisa e não perdemos tempo para nos colocarmos no caminho. Tudo o que eu tinha eram umas fotografias e indicações de edifícios e locais característicos que Lurdes me tinha dado e que poderiam ter informações sobre Raphael. O primeiro local em que decidi procurar era um bar onde supostamente ele costumava parar e que ficava próximo da casa onde tinham vivido. Se chegasse até lá e se tivesse a sorte de o dono ainda ser o mesmo e se lembrar de Raphael, seria uma tarefa, a princípio, fácil de ser concluída. Mais fácil do que isso só mesmo encontrá-lo através do Facebook, mas nenhum dos perfis encontrados com o seu nome correspondia ao do pai dele. Era mesmo preciso palmilhar o terreno dando uso ao francês de que ainda me lembrava dos tempos de escola. Leonardo também ainda se lembrava de muitas palavras em francês, por isso me agarrei ao ditado de que quem tem boca vai a Roma e me aventurei com ele nas ruas de Paris. Lurdes tinha dado o nome do tal bar, mas o único registro que aparecia na internet era de um em Marselha e por isso eu tinha mesmo de perguntar às pessoas. No primeiro estabelecimento em que entrei para pedir informações, não faziam ideia de que bar eu estava falando. O dono do segundo reconhecia o nome, mas as indicações que deu não foram as melhores. Finalmente, o terceiro parecia ter acertado. Segui as indicações e encontrei finalmente o bar. Contudo, o aspecto bastante degradado e o cadeado na porta eram esclarecedores. Tinha fechado.

— Estou tendo alguns flashes de memória, mas são quase imperceptíveis. Que sensação estranha. *Disse Leonardo enquanto intercalava o olhar entre o bar e a rua atrás de nós.*

— O que é você sentiu? Conseguiu voltar no tempo?

— Não... foi muito superficial e rápido. Foi como se uma ponte até a minha infância começasse a se construir e, quando eu decidi percorrê-la, desapareceu. Não tive tempo de voltar no tempo.

— E agora? Esta era a nossa melhor oportunidade. *Nesse momento reparei numa senhora idosa que ajeitava um vaso no parapeito da janela do rés do chão do prédio ao lado.* Vem comigo!

Fui falar com a senhora, pondo à prova o meu melhor francês, para ver se ela sabia de alguma coisa sobre o dono daquele bar. Pelo que consegui entender do que ela disse, a gerência tinha mudado de instalações para umas galerias num *arrondissement* ao lado. Ela soube me informar o nome das galerias para onde tinha se mudado e ainda o primeiro nome do dono, o que eu agradeci.

— Vamos já para lá para não perdermos tempo? *Perguntou.*

— Está ficando tarde e não quero que você ande nestas ruas de noite.

— Espere. *Respondi, pensativa, e olhei para o fundo da rua no sentido contrário ao que tínhamos vindo.* Ainda não fizemos tudo o que temos a fazer aqui. *Eu disse, começando a caminhar.*

Ele veio atrás de mim, intrigado, e enquanto isso eu ia percorrendo um conjunto de fotografias que Lurdes tinha me passado dos tempos em que vivera ali, na tentativa de reconhecer algum edifício ou monumento, mas as fachadas pareciam-me todas iguais. Dobrei uma esquina e poucos metros depois estanquei diante de um portão verde gradeado. Voltei a olhar para o monte de fotografias que trazia nas mãos e a foto que estava no topo era precisamente aquela em que Leonardo aparecia com a sua capa amarela em frente àquela mesma casa e que ele me tinha mostrado quando visitamos o seu quarto. Leonardo ficou a apreciá-la durante um momento com um leve sorriso no rosto.

— É esta... *Disse num sussurro enquanto a contemplávamos.* Uma vez caí daquelas escadas e me esfarrapei todo. *Disse, apontando com a cabeça na direção da pequena escadaria na entrada.* Íamos fazer qualquer coisa nesse dia e não fizemos porque rasguei a roupa e a minha mãe teve de fazer o curativo em mim.

Lembrei de Lurdes ter contado aquele episódio numa das nossas últimas conversas antes de vir, mas não quis dizer a ele que já conhecia a história para não lhe roubar o entusiasmo. Era importante que ele mergulhasse o mais fundo possível nas suas memórias para conseguir criar aquela ponte imaginária de que tinha me falado e pudesse, assim, acessar a sua infância.

— Que outras memórias você tem desta casa?

Ele semicerrou os olhos, e a sua expressão denunciava o esforço que fazia para tentar se lembrar de algo relevante.

— Recordo-me de alguns episódios. Lembro-me de uma ou outra festa de aniversário, de ter recebido alguns presentes e lembro-me bem do meu quarto. De resto recordo-me daquilo que costumava fazer com o meu pai, e que já te contei, e acho que é só...

Quando me preparava para lhe fazer uma proposta com base no que acabava de me dizer, a porta da casa se abriu. De dentro saiu um casal de crianças, brincando uma com a outra, e que aparentavam ser irmãos. Logo atrás veio uma mulher que puxou a menina para si, agachou-se à sua frente e começou a ajeitar sua roupa. O rapazinho agarrou-se ao gradeamento da escadaria e ficou olhando para mim muito atentamente com o dedo na boca. Depois saiu um homem que fechou a porta, pegou o menino no colo e desceu as escadas. Quando saíram pelo portão, fiz de conta que estava atenta às fotografias que tinha na mão, para disfarçar, e depois ficamos a observá-los enquanto se afastavam.

— Saudades? *Perguntei, enfiando-me debaixo do braço dele.*

— Não sei se são saudades. Estou só apreciando aquela família.

— Costumo dizer que a família é como a vida. Temos duas. Uma que nos deram e uma que escolhemos ter. Por isso, se for mesmo saudades o que está sentindo, pode sempre substituí-las pelo sonho de um dia ter a sua família. Escolhida por você, construída por você.

— Como pode um homem ser um bom pai quando o seu pai foi um mau exemplo? Ou melhor, não foi exemplo nenhum.

— Não estava lá o seu pai, mas estava a sua mãe, que foi mãe e pai todos estes anos. Talvez o mau exemplo do seu pai foi o melhor que você podia ter recebido. Pelo menos agora você sabe aquilo que nunca deve fazer. O seu pai, pelo visto, não tinha essa noção.

— Também é verdade. E assim dois filhos parece bom para você?

— Por que está me perguntando isso?

— Porque estamos falando sobre isso. Você não respondeu.

— Você sabe que se um casal só tiver dois filhos não contribui para o aumento da população, certo? E eu gostaria de contribuir.

— Então tem de ser no mínimo três. Muito bem, vou registrar essa informação. *Ele disse, sorrindo, olhando-me de cima.*

Fiquei nas pontas dos pés e beijei-o. Se havia tema que me fazia sonhar era a ideia de ser mãe e ter uma família. O maior dos meus muitos sonhos. E quem tocava naquele assunto ia direto ao meu coração. Sempre fui uma pessoa de sonho fácil e isso me trouxe mais desilusões do que realizações. Ainda assim insisto em sonhar porque enquanto sonho sorrio e sou feliz, e, mesmo que nunca venha a se concretizar, a felicidade que senti enquanto sonhei ninguém me tira. Tal como aquela sensação boa que as palavras de Leonardo me deram. Muitos dos meus sonhos foram permanentemente adiados pelas pessoas que eu permiti que entrassem na minha vida e me fizeram acreditar que eram sonhos sem sentido. Esse foi, agora eu sabia, o meu grande erro. Deixar ficar na minha vida pessoas que me cortavam as asas. Que me limitavam os horizontes e me chamavam de louca quando eu confessava o que queria. Pessoas que castravam as minhas vontades e tentavam impor as suas me convencendo de que eram melhores. Pessoas que empatavam a minha vida porque nem elas sabiam o que fazer com a sua. Mas toda a história recente com Leonardo tinha me mostrado que o tempo nunca chega para quem insiste em adiar, por isso cada dia em que não alimentava ou lutava pelo que queria era um desperdício de tempo irreversível. Mesmo sem querer e sem saber, também ele tinha me ensinado muito nos últimos meses.

Faltavam poucas horas para anoitecer e, se nos aventurássemos a ir à procura do bar, o mais certo era regressarmos já de noite e não valia a pena o risco. Tínhamos a viagem de regresso marcada para segunda-feira de manhã, o que significava que ainda restavam três dias inteiros para encontrar o pai dele. E eu acreditava que era tempo suficiente.

— Quando você me falou do teu pai, naquele dia em que fui ao seu encontro no jardim, você disse que quando ele regressava do trabalho costumava te levar a uma espécie de trailer, não foi? E que ele ficava numa praça aqui perto com divertimentos infantis.

— Sim, não lembro mais onde fica, mas não estamos longe.

— Vamos lá. Quero provar esses waffles com geleia de morango de que você me falou e que me deixou com água na boca.

Peguei na mão dele e seguimos em frente. Por onde havia passado não tinha encontrado nenhuma praça semelhante à descrição que ele tinha feito, por isso só poderia ser naquele sentido. Cheguei depois a uma encruzilhada e pela expressão de Leonardo dava para perceber que não fazia ideia de qual a direção a seguir. Tive de confiar na minha intuição e optei por seguir em frente. Um palpite que se revelou acertado porque alguns metros depois à minha direita surgiu uma praça que só poderia ser aquela que ele visitava com o pai, contudo estava completamente diferente. Não havia divertimentos para crianças, mas sim uma enorme esplanada no centro, e também eu não conseguia vislumbrar nenhum trailer. Apenas um quiosque com um aspecto antiquado.

— O que te parece? É esta? *Perguntei.*

— Tudo indica que sim, mas não posso jurar.

— Nada como perguntar a quem sabe.

Fui ao encontro do senhor do quiosque, que usava um bigode e uma boina engraçados, e me explicou que há tempos houve de fato naquela praça um carrossel, mas que a esplanada já estava lá há uns dez anos.

— Pelo menos ficamos com a certeza de que era aqui.

— Sim, mas as únicas referências que eu tinha não estão mais aqui. Ou seja, este local é como qualquer outro para mim. Se a intenção é me fazer regressar à minha infância, isto de pouco serve.

Ele tinha toda a razão, mas nesse momento vi algo que podia mudar um pouco aquela sua impressão.

— Olha! *Disse, apontando para uma pequena banca que tinha por cima a inscrição Crepes & Waffles.* Podemos ir embora sem ver os carrosséis e o trailer, mas não sem provar os waffles.

Só o cheiro já era meio prazer, e quando finalmente dei uma dentada no waffle quente com geleia de morango por cima, me apaixonei. Já Leonardo parecia ter congelado depois da primeira trinca. De olhos arregalados e olhar no infinito, ficou imóvel à minha frente. Não era difícil perceber o que estava acontecendo.

— Esta foi forte. *Disse ele assim que recuperou do seu estado paralisado.* Foi muito rápido, mas consegui fazer a viagem no tempo! *Os seus olhos estavam umedecidos pela emoção.* Foram dois ou três segundos, mas voltei a ser criança. Uau! Que sensação incrível. É o momento certo para dizer que tive um déjà-vu.

Fiquei tão contente em saber daquilo que só voltei a me lembrar do waffle que tinha na mão quando comecei a sentir a geleia escorrendo pelos meus dedos. Parte da missão da nossa ida a Paris estava quase cumprida, mas eu ainda não estava satisfeita com aqueles dois ou três segundos de infância como ele tinha dito.

— Perfeito! Estamos indo bem! Você também me disse que depois você e o seu pai iam comendo o waffle pelo caminho até um jardim que tinha o tal balanço e que o tempo que você levava para comer era o mesmo que levavam para chegar lá, correto?

— Sim, mas já não lembro em qual das direções era e esta praça tem várias ruas. Com tantas variáveis, de pouco vale saber o tempo que levava para chegar. Temos de tentar a nossa sorte.

A minha intuição não chegava para resolver aquele problema e também não confiava assim tanto na sorte. Comecei a fazer contas de cabeça e percebi que, se eles iam de casa à praça, da praça ao jardim e do jardim de volta a casa, o jardim teria de ficar numa direção circular. Para trás não era porque tínhamos vindo de lá e não vimos nada, só podia ser para a frente. Começamos a caminhar por uma das ruas e eu fui dando mordidas pequenas no waffle, simulando uma criança e aproveitando para ele durar um pouco mais, pois estava a saber-me muito bem, assim como também reduzi o tamanho da passada. Quando terminei de comer o waffle, sabia que não podia estar longe. Andei mais alguns metros, já mais guiada pelo instinto do que pela matemática, e lá estava ele, o inconfundível gato desenhado no ferro, anunciando que tinha chegado ao derradeiro elo com o Leonardo-criança.

— Olha, Leonardo! *Eu disse, apontando na direção do balanço.*

Agarrei sua mão, atravessamos a rua e corremos em direção ao pequeno jardim, orgulhosa e entusiasmada com o sucesso dos meus cálculos e da minha intuição. O balanço era tal e qual como Leonardo o tinha descrito, todo em ferro, com um gato desenhado também em ferro sobre a trave e todo ele com um aspecto antiquado.

— Há coisas que não mudam. *Disse ele, com um ar sonhador.*

Nesse momento estavam dois meninos no balanço e só restavam alguns fios de luz, o que tornava aquele ambiente ainda mais poético. Notava-se que o jardim tinha sido propositadamente mantido com um estilo de um ou dois séculos atrás, por isso não me admirava que o balanço ainda permanecesse igual à descrição que Leonardo me fizera dele. Fiquei durante um momento observando os meninos se divertirem, até que a mãe os chamou para irem embora e desocuparam o balanço. Olhei para Leonardo e não foi preciso dizer nada. Nós nos apoderamos do balanço e começamos a balançar feito duas crianças. A mim parecia a maneira perfeita de terminar aquele dia, e o fato de o jardim estar vazio ajudou a desfrutar ainda mais daquela sensação. No entanto, não demorou muito até o sorriso dar lugar às lágrimas no rosto de Leonardo. Ele parou de balançar e começou a soluçar num choro descontrolado. Desci do balanço e me agachei diante dele, pousando os meus braços sobre as suas pernas, e ele desviou ligeiramente o rosto para o lado.

— Chore à vontade. Precisa chorar tudo o que ficou preso aí dentro durante todos estes anos. Diga o que está sentindo, lembrando ou pensando. Não tenha vergonha, pode falar.

— É uma mistura de muitas coisas. É uma avalanche de sensações. É saudade, raiva, frustração, alegria, pena... é tudo ao mesmo tempo. *Engoliu em seco.* Era aqui que eu devia ter crescido. Era para este balanço que eu devia ter vindo sempre que queria lembrar da minha infância. O de madeira lá em Portugal é um bom escape, mas não é este, nem nunca será este. Era aqui que eu era feliz, era com estas casas, estas pessoas, estes jardins, estes cheiros, esta luz, tudo! *Fez uma pausa, ofegante, e o choro parou repentinamente. Logo a seguir ergueu a cabeça e começou a olhar em volta.* Estou sentindo uma estranha paz agora. É como... é como se eu nunca tivesse saído daqui. Como se todos aqueles anos em Portugal não tivessem existido e eu fosse de novo aquele rapaz que vinha para aqui no final da tarde com o pai.

— Isso é incrível! *Exultei, enquanto me erguia. Puxei-o para mim e o abracei.* Isso é uma grande vitória, Leonardo!

— É uma boa sensação, sim, mas não sei até quando durará.

— Isso não é importante agora. Você conseguiu se reencontrar com essa paz e alegria que sentia quando era criança e vivia aqui. Talvez daqui a cinco minutos já tenha passado, mas o mais difícil você já conseguiu. Estou muito feliz e orgulhosa de você. Estou convicta de que encontraremos o seu pai, mas, caso não seja possível fazê-lo nesta viagem, pelo menos já não se perdeu tudo. *Voltei a abraçá-lo.*

— Mas eu não devo me sentir sempre assim?

— É impossível se sentir sempre assim. As pessoas felizes também não se sentem felizes a todo momento. Senão não seriam felizes, seriam loucas. As pessoas felizes quando não se sentem felizes, porque como é óbvio todos temos fases menos boas, lembram-se de que são felizes porque sabem que têm tudo o que precisam para o ser. Apenas naquele momento não se sentem, mas sabem que são. A felicidade acontece como essas suas conexões fugazes com a sua infância. Ela acontece como um relâmpago, mas um relâmpago que serve para nos lembrar de que essa felicidade vive em nós. Apenas não estão reunidas as condições para se manifestar, mas está lá. E você neste preciso momento percebeu que essa paz está aí dentro, já sabe que ela existe e como ela é, agora é muito mais fácil se agarrar a ela. Não se assuste quando ela desaparecer, pois não foi embora, apenas voltou a se esconder no seu cantinho.

— E como é que eu a recupero quando ela se esconder?

— Você sentiu agora essa paz como se fosse de novo criança porque está aqui em Paris, porque estava no balanço e porque tinha acabado de comer o waffle, que funcionaram, na verdade, como âncoras que estavam agarradas à sua infância. No entanto, aquilo que você sentia já estava, pelo visto, aí dentro. Você apenas precisava de um estímulo extra para acessar isso. Agora o desafio é encontrar essas âncoras dentro de si mesmo para se conectar com esse bem-estar constantemente até que se torne um processo contínuo e automático.

Leonardo ficou olhando para mim com um ar intrigado e surpreendido com a explicação que eu acabava de fazer.

— Estou impressionado! Onde é que você aprendeu isso tudo?

— Falei bem, não falei? *Perguntei por entre uma gargalhada.* Acho que é uma mistura de experiência, necessidade de aprender e muitas, muitas conversas com um senhor chamado Nicolau Vilar. Mas, tal como você e a maioria das pessoas, ainda me falta o mais importante, aplicar. Sei por onde ir, mas ainda não cheguei lá.

— Agora me sinto criança, mas não é por causa do balanço nem do waffle, é mesmo porque não sei nada comparado a você.

— Não diga isso. O seu problema era ter os olhos fechados. A maioria das coisas está mesmo à nossa frente, nós é que nem sempre temos os olhos abertos para conseguirmos vê-las.

— Então ainda bem que os abri a tempo de ver você ao meu lado.

— Claro que sim. *Passei a mão no seu rosto.* Mas não basta ver, é preciso agarrar e segurar.

Mal eu acabei de dizer aquilo, ele me agarrou pelo fundo das costas, pegou em mim e rodopiou comigo no ar.

— Deixe isso comigo. Eu te agarro, te seguro e não te largo. *Deu-me um beijo e me colocou no chão.* E agora o que é que vamos fazer?

— Quanto a você não sei, mas eu vou voltar para o balanço.

Sorri e corri para o balanço, Leonardo juntou-se a mim logo a seguir e voltamos a ser crianças durante mais alguns minutos. No dia seguinte acordamos cedo para aproveitar bem o dia e pegamos o metrô em direção às galerias que a senhora tinha indicado. Quando chegamos lá, deparamos com uma infinidade de cafés, restaurantes e bares distribuídos por vários pisos. Demos uma volta para ver se encontrávamos algum bar com o mesmo nome, mas não vimos nenhum. Depois lembrei que a senhora também tinha indicado o nome do proprietário, então fui falar com um dos seguranças, que me indicou o nome do espaço e me disse mais ou menos onde ficava. Era um café bastante grande, mas nem dez clientes devia ter. O homem que estava no caixa era o mais velho do grupo dos empregados e presumi que fosse ele o proprietário. Algo que ele me confirmou quando lhe perguntei como se chamava. Falei do que tinha me trazido ali, sem, contudo, revelar a ele que era sobre o filho da pessoa que andava à procura, e ele me confirmou que conhecia Raphael. Respirei de alívio quando me disse que sim, mas foi um alívio breve. Logo depois me disse que não o tinha voltado a ver desde que se mudara para aquelas galerias. No entanto, lembrava-se do nome da companhia que ele tinha levado. Segundo ele, era uma mulher loira e *très belle*. Chamava-se Louise, mas não soube dizer o seu sobrenome. Devia haver milhares de mulheres com aquele nome na região de Paris, mas decidi tentar. Peguei o celular, pus o nome no Facebook e fui rolando a página sob o olhar atento do homem, que felizmente era muito paciente. À medida que ia passando e ele não reconhecia nenhuma das caras que iam aparecendo, a esperança ia se esvaindo, mas enquanto ele não desistisse eu também não ia parar de rolar a página, até que ele colocou o dedo na tela do celular e disparou para meu rejúbilo, *c'est cette femme!* Agradeci pelo seu tempo e saímos.

— Tudo indica que seja esta a atual companheira dele. *Eu disse a ele enquanto olhávamos para a foto do perfil dela.*

— Sim, mas agora fazemos o que com isso? Vamos adicioná-la? Mandamos uma mensagem? Além disso, ela não tem nada aí, só uma foto do perfil e uma de capa com não sei quantas pessoas. Cliquei na foto de capa, onde aparecia um grupo de pessoas todas com o mesmo uniforme. Só poderiam ser colegas de trabalho. Retirei o nome que aparecia na farda e procurei na internet. Era uma cadeia de supermercados e me assustei quando vi que tinha dezenas e dezenas de lojas em Paris. O que fazia daquela tarefa uma missão impossível. Lembrei então que, se ela vivia com o pai de Leonardo e se eles tinham ido ao tal bar juntos, certamente não viveriam muito longe daquela zona, por isso ela deveria trabalhar num supermercado próximo. Fiz zoom no mapa da zona onde ficava o bar e depois de contar os supermercados olhei para Leonardo.

— É um tiro no escuro, mas, tendo em conta as informações que temos, não nos restam opções melhores. Temos de tentar a nossa sorte. O melhor é começarmos pelo mais próximo do bar e, se não a encontrarmos, passamos para o seguinte e assim sucessivamente.

Abandonamos as galerias e nos metemos no metrô de volta ao *arrondissement* onde tínhamos começado aquela aventura. Tinha contado pelo menos uns oito supermercados na área circundante do bar devoluto, e por isso era uma questão de persistência e muita sorte, até porque havia ainda a probabilidade de ela não estar trabalhando na hora em que iríamos visitar o respetivo supermercado. Entramos no primeiro, fizemos uma ronda, dando especial atenção às funcionárias de cabelo loiro e aos seus crachás para confirmar o nome, e ninguém correspondeu à descrição. No segundo também não, muito menos no terceiro e tampouco no quarto. O dia estava chegando ao fim e eu já estava desanimando e acreditando que era uma luta em vão quando no quinto supermercado uma empregada chamou a minha atenção. Era loira, tinha o cabelo preso e estava nos caixas. Chamei Leonardo e apontei na direção dela.

— Se for ela o que fazemos? *Perguntou*. Dizemos quem somos e ao que vimos e ela nos leva até o meu pai?

— Calma. Se for esta a mulher por quem o seu pai trocou a tua mãe, também deve ter sido esta a mulher que, digo eu, contribuiu para que ele se afastasse de você. Portanto, não me parece que ela vá gostar muito da ideia que nos traz aqui. Vem comigo.

Passei disfarçadamente pelos caixas, por trás de uma senhora que estava sendo atendida nesse momento, e olhei de relance para o crachá da mulher. Era o mesmo nome que tinha visto no perfil do Facebook. Não havia dúvidas. Era ela. Continuei a caminhar para a saída, e Leonardo veio atrás de mim.

— Então? Não fazemos nada? *Perguntou assim que saímos.*

— Não deve faltar muito para acabar o turno dela. Vamos para aquele café do outro lado da rua e vamos vigiar a entrada do supermercado. Quando sair, nós a seguimos. Ela vai nos levar ao seu pai.

Leonardo me olhou com ar emocionado e me sorriu em forma de elogio pela minha perspicácia. A verdade é que, apesar do cansaço, aquele espírito aventureiro de detetive estava me entusiasmando e me dando uma energia extra para ir até o fim. Quando a vi sair do supermercado, bati no braço de Leonardo e nos apressamos para a saída de olhos colados nela. Entrou na estação de metrô e corremos atrás dela. Pegamos o mesmo metrô, saímos na mesma estação e, mantendo uma distância de segurança, seguimos cada um dos seus passos até que finalmente entrou numa casa. Paramos em frente a ela, do outro lado da rua, e eu me virei para Leonardo.

— Preparado para conhecer o seu pai?

— Não! *Respondeu e virou costas.*

Memorizei o nome da rua e o número da casa e fui atrás dele.

— Depois de tanto esforço, vai desistir na última hora?

— Eu não desisti, apenas não acho que seja o momento apropriado para conhecê-lo. É tarde e, além disso, estamos cansados. Acho que uma noite de sono vai me fazer bem para pensar melhor em como lidar com esta situação. Por isso... voltamos amanhã.

Entendi o seu ponto de vista, embora soubesse que havia uma pontinha de falta de coragem, mas ele tinha razão. Não eram horas para uma visita e estávamos muito cansados depois de tanto termos caminhado naquele dia. Não era a melhor altura para um momento que se adivinhava de emoções fortes caso se confirmasse que Raphael vivia naquela casa. Voltamos para o hotel e antes de adormecermos expus todos os cenários que consegui imaginar do que poderia acontecer. O primeiro de todos era o pai dele nem sequer viver lá e aquilo ter sido tudo um engano. Outro era ele não o reconhecer e ignorá-lo por completo. Ou ainda não reagir nada bem e nos expulsar de casa, revoltado. Podia ainda a companheira dele tomar as rédeas da situação e virar a cabeça dele para não nos dar atenção. Ou podia simplesmente se emocionar e querer retomar de imediato a relação com a família, mas esse era um cenário que parecia não fazer parte das pretensões de Leonardo.

— Quando você perdoa uma pessoa que te fez mal, por exemplo, um namorado, isso significa que a aceita de volta na sua vida? É isso que significa perdoar alguém? *Perguntou.*

— Acho que são duas coisas distintas. Uma coisa é perdoar uma pessoa, outra é aceitá-la de volta. Perdoar significa que você tem um bom coração e que é capaz de entender as fragilidades e os defeitos da outra pessoa. E aceitá-la de volta pode apenas significar que você é um idiota e não tem qualquer respeito por si mesmo. Mas também pode significar que é humilde o suficiente para dar uma nova oportunidade de ela provar que aprendeu com os seus erros, o que é um gesto muito nobre. Depende da situação, e a sua é muito particular.

— Pronto, eu quero perdoá-lo, mas não pretendo que ele volte a fazer parte da minha vida. É como se já fosse tarde demais, sabe? Os pais e as mães fazem sempre falta em qualquer altura da vida, mas é inegável que precisamos muito mais deles quando somos crianças e adolescentes. Eles são aquelas duas rodinhas extras na primeira bicicleta que recebemos para aprender a andar. E na minha bicicleta faltou durante grande parte da minha aprendizagem a rodinha de um dos lados. Mas hoje já sei andar de bicicleta. Essa é a diferença. Eu não posso dizer que sinto a falta dele. Eu sinto é falta de tudo aquilo que eu podia ter vivido com ele quando tinha de ter vivido. Não agora. Há coisas que são irreversíveis. Eu consigo fazer viagens no tempo, mas não significa que o tempo volte para trás. O que se perdeu está perdido para sempre.

— Não seja tão absoluto. Tire essas conclusões só depois de estar com ele. Talvez ele até te surpreenda. Lembra-se da história de vida da senhora Filomena lá do lar? Ela passou uma vida inteira com uma imagem errada acerca do pai. Não coloque nenhum cenário de lado. O que está perdido perdido está, mas acredito que o que vem aí compensará.

No dia seguinte eu quis aproveitar a manhã para dar uma pequena volta pela cidade e deixamos para a tarde o derradeiro compromisso que nos tinha trazido ali. Almoçamos com toda a calma e no final do almoço ele olhou para mim e me fez sinal com a cabeça de que estava pronto. Pegamos o metrô, dirigimo-nos até a casa onde tínhamos visto entrar a mulher no dia anterior e olhamos um para o outro antes de tocar a campainha. Leonardo estava cada vez mais nervoso e vi que talvez fosse melhor ser eu a apresentá-lo. Foi Louise que, alguns segundos depois, veio abrir a porta e ficou me encarando com um ar desconfiado. Perguntei a ela se era ali que vivia Raphael Lacroix e ela confirmou que sim, embora receosa. Virou-se para trás e chamou por ele, voltando a colar o olhar em mim enquanto segurava a porta. Leonardo aguardava atrás de mim, igualmente receoso, e eu fiquei ali, na sua frente, como se fosse um escudo. Não demorou muito a surgir junto na porta Raphael, que, apesar de consideravelmente mais envelhecido, foi fácil de reconhecer pelas fotografias que já tinha visto dele. Não havia dúvidas de que aquele era o pai de Leonardo, pois os traços do rosto eram os mesmos. Nesse instante, Leonardo deu um passo para o lado, fazendo-se destapar, e eu reapresentei-os um ao outro.

— Senhor Raphael, penso que entende bem português, por isso permita-me apresentar-lhe, embora um pouco mais crescido, o Leonardo Xavier Almeida Meneses Vilar de Lacroix, o seu filho.

Fez-se de repente um silêncio ensurdecedor. Parecia que no momento exato em que terminei aquela frase o mundo tinha parado e posto os olhos naqueles dois, frente a frente. Nada aconteceu durante longos segundos, como se alguém tivesse clicado no botão de pausa para criar suspense sobre o que vinha a seguir. Raphael engoliu em seco e a sua expressão de admiração transformou-se num semblante indefinido de quem não sabia o que dizer nem fazer. Olhou Leonardo de cima a baixo várias vezes como se estivesse vendo uma aparição e os seus olhos começaram a se umedecer.

— Parece que você ganhou coragem primeiro do que eu... *Disse Raphael, desviando o olhar como se denunciasse a sua covardia.*

Louise continuava com o ar de quem não sabia o que estava acontecendo e eu fiquei de lado na expectativa.

— Se o pai não foi capaz de fazer, alguém tinha de ser. *Respondeu, com uma tranquilidade assustadora.*

— Está tão crescido, Leo. A última vez que te vi era tão pequeno que pensei que ainda era uma criança.

— Não sou mais, mas ontem voltei a ser criança, por momentos, quando passei na praça onde o pai me levava para comer waffles e depois no jardim onde me empurrava naquele balanço.

— Ainda se lembra...

Raphael não aguentou mais e começou a chorar compulsivamente. Apoiou-se no batente da porta e Louise pôs as mãos nas suas costas e disse a ele qualquer coisa em francês que não consegui perceber. Leonardo parecia fazer um esforço para conter as lágrimas como se achasse que não era ele que tinha de chorar porque também não era dele a culpa. Raphael ergueu o rosto para Leonardo, que poucos mais centímetros de altura tinha que ele, e começou a caminhar vagarosamente de braços caídos na direção do filho. Assim que chegou perto dele, envolveu seu tronco muito lentamente com os seus braços e, após um segundo de apatia, Leonardo devolveu-lhe o abraço. Se antes parecia que alguém tinha clicado no botão de pausa, naquele momento parecia que alguém tinha clicado no botão de *slow motion*, pois tudo tinha acontecido tão devagar que parecia em câmara lenta. Talvez por Raphael não conseguir esconder o sentimento de culpa que se apoderava dele e sentir que não merecia aquele abraço. Era como se com aquela lentidão e resistência confessasse que tinha sido covarde durante todo aquele tempo. Quem também tentou resistir foi Leonardo, mas não por muito tempo, pois as lágrimas também começaram a escorrer pelo seu rosto e a pingar sobre a camisa do pai. Foi então a minha vez de chorar perante aquele atestado de culpa e respectiva declaração de perdão em forma de abraço. Era o reencontro entre pai e filho que durante mais de treze anos não se viram e não havia mais a fazer que não fosse vibrar com cada uma daquelas sensações e esquecer todas as razões daquela ausência. Olhei para Louise e tive tanta pena dela por causa da sua expressão desorientada que tive de lhe sussurrar *père et fils* para ela perceber o que estava acontecendo e logo levou a mão à boca. Raphael e Leonardo ficaram abraçados em silêncio e Louise aproximou-se de Raphael e tocou suas costas, fazendo-lhe sinal para que entrassem. Encaminhou-

-nos até a sala de estar e nos deixou a sós. Raphael sentou-se com Leonardo num sofá e eu me sentei numa poltrona ao lado.

— É a namorada? *Perguntou, com um olhar dividido entre os dois para que decidíssemos nós quem responderia à pergunta.*

— Sim. *Adiantou-se Leonardo.* E a Louise é a mulher por quem trocou a mãe? *Perguntou-lhe, sem papas na língua.*

— Como é que você sabem o nome dela? Aliás, como foi que descobriram onde nós morávamos?

— Isso não é importante. A mãe sabia algumas coisas e com alguma dose de persistência e sorte chegamos até aqui. Não respondeu. Foi por esta mulher que trocou a sua família?

Raphael baixou a cabeça, fez um momento de silêncio enquanto entrelaçava os dedos uns nos outros e depois ergueu de novo a cabeça, soltou um suspiro profundo e começou a falar.

— Como você deve imaginar, é uma longa história e com tempo...

— Pai! *Interrompeu ele.* Nós não temos muito tempo. Eu vim porque tinha algo muito importante a dizer para você e a dar para você. *Lembrei-me do porta-retrato que tinha dentro da minha bolsa e ainda do caderninho onde tínhamos escrito o que ele lhe diria.* Não vim com a intenção de reatar relações ou o que quer que seja. Se isso acontecer será uma mera consequência positiva, mas não o objetivo desta minha vinda. Aliás, temos viagem marcada para depois de amanhã. Se é uma longa história, resuma-a. Mas também não lhe peço satisfações. Já deixei de precisar delas há muito tempo.

— Eu te devo todas as satisfações do mundo. *Disse o pai, ainda com o olhar colado no chão, impregnado de arrependimento.*

— Foi por ela que você trocou a sua família? *Insistiu Leonardo.*

— Não. Foi por outra mulher. Eu me apaixonei por essa mulher depois de ela ter entrado para a empresa em que eu trabalhava naquela época e fiquei completamente cego. Sei que não adianta nada dizer isto agora, mas foi algo que me pegou desprevenido, e lembro que a relação com a sua mãe não estava passando por uma boa fase. Apareceu aquela mulher na pior ocasião possível e eu não consegui lutar contra isso. Entrou como uma avalanche na minha vida. E foi como se todo o resto... não fosse mais importante.

— Todo o resto significa eu e a mãe, é isso?

Ele abanou a cabeça, sem coragem para pronunciar um *sim*.

— Foi algo que ainda hoje não sei como explicar, e a minha cegueira criada por essa paixão fez com que deixasse tudo para viver unicamente para aquela pessoa, que, vim a perceber mais tarde, não era a melhor para mim. Confesso que muito tempo depois, ao olhar para trás, percebi que ela própria usava formas de me afastar de vocês e me fez acreditar que o que faria sentido era começar uma família do zero com ela. É claro que não lhe agradava que eu tivesse uma outra família porque seria sempre um fantasma na nossa relação. Então arranjou uma forma de apagar o meu passado e quando dei conta o mal já estava feito. Alguns anos depois, a relação acabou e apareceu a Louise, que sempre me incentivou a te procurar, mas nunca me pressionou, e eu, por covardia e vergonha, fui adiando, adiando, como se estivesse à espera de um momento certo. Talvez o que eu estava à espera era que alguém me obrigasse. Sim, fui um covarde durante todos estes anos. Fui um homem fraco e um pai ainda pior. *Voltou a olhar para o chão.*

Ficamos todos em silêncio digerindo aquele relato e Leonardo ia abanando a cabeça, dando a entender que compreendia a história, mas que isso não mudava nada. Olhou para mim e apontou com o queixo para a minha bolsa. Tirei o caderninho e passei para ele. Tinha chegado a vez de ser Leonardo a contar a sua parte da história.

Leonardo abriu o caderninho e começou a ler o que algumas horas antes da sua operação tínhamos decidido escrever para o pai.

— Apesar de tudo, obrigado, pai. Obrigado pelas vezes em que podia estar e esteve. Obrigado pelas lembranças que me deu quando teve oportunidades de as dar e não as desperdiçou. Sim, lembro bem daquilo que fazíamos juntos. Lembro bem do pai que você era e do filho que fui. Mas infelizmente não é porque eu tenha boa memória, mas sim porque essas lembranças foram poucas. Boas, mas poucas. Infinitamente escassas comparadas com aquilo que podia ter sido e o pai escolheu que não fosse. Na gaveta do meu coração reservada para você, hoje sobra um monte de espaço. *Sorri ao lembrar-me de que tinha sido eu a lhe dar aquela ideia da gaveta.* Com certeza, se continuasse a enchê-la de lembranças, algumas tinham inevitavelmente de sair. Talvez muitas das coisas que me lembro de quando tinha oito e nove anos não me lembraria, pois teriam dado lugar a outras bem mais importantes. Essa gaveta tem hoje meia dúzia de coisas, encostadas a um canto, e acredito que se gritasse lá dentro faria eco, mas essas coisas são tudo o que tenho de você e por isso tenho de estimá-las. Confesso que foi muito difícil crescer sem um pai sabendo que o tinha. Agradeço à mãe todo o esforço que fez para compensar a sua insubstituível presença. Agradeço todos os dias a ela por ter dado o melhor que sabia e por ter tido a coragem de assumir sozinha o cargo que o pai deixou vago. Mas era o mesmo que um treinador de futebol chegar perto do goleiro e explicar a ele que o atacante tinha sido expulso e ele agora não só teria de defender os gols como também de os marcar. Parece uma missão impossível, não parece? Mas felizmente a palavra *impossível* tem um significado para as mães diferente daquele que tem para o resto do mundo. Diga-me, como se explica a uma criança que o pai não quer saber dela? Como se explica a um menino de onze e doze anos que o seu pai trocou a sua família por outra? Como se diz a esse rapaz que não é importante para determinada pessoa quando o mais natural era ele ser a pessoa mais importante para ela? Não, não há inocentes nesta história, nem eu mesmo me considero inocente, pois foi preciso ter vindo alguém de fora me dizer que eu tinha de fazer isto que estou fazendo agora. Mas há mais e menos culpados, e eu não sou com certeza o mais culpado. Já sei que não estou dizendo novidade nenhuma, mas às vezes o óbvio também tem de ser dito. Não porque a outra pessoa precise ouvir, mas porque nós precisamos dizer. Lamento, pai, por todas as vezes em que eu regressava da escola com um Excelente debaixo do braço e você não estava lá para me felicitar e ainda por cada um dos treze aniversários que festejei sem receber os seus parabéns. Lamento por todas as vezes em que caía e me machucava e o pai não aparecia para me erguer do chão e dizer que era só um arranhão. Esperei sempre por um herói que nunca chegou a aparecer. Acho que ainda hoje o espero. Chamei você tantas vezes, pai, por que é que nunca veio? *As lágrimas lavavam o rosto de Raphael, que permanecia imóvel e em silêncio a olhar para o filho.* Queria tanto ter tido os seus conselhos quando não sabia o que fazer com as meninas e tinha vergonha de perguntar à mãe. Queria tanto a sua companhia quando queria jogar e brincar e não tinha com quem. A mãe podia se fazer de pai, mas nunca seria um homem, não tinha os gostos de um homem, nem pensava como um homem. Mas eu o perdoo. Apesar de tudo, e acima de tudo, eu o perdoo. Porque entendo suas fraquezas e a incapacidade de vencer o medo e a culpa. Porque compreendo a sua falta de sabedoria e de noção do que tem de ser, mesmo quando não temos coragem para fazer ou quando acreditamos que já é tarde demais. Como este encontro. É tarde demais para tapar o buraco que ficou aberto, mas o desabafo tinha de acontecer. Eu precisava perdoá-lo e o perdão vem sempre a tempo por mais tarde que seja. Perdoo-o não porque mereça, pois não fez nada por ele, mas porque eu preciso para me sentir bem comigo mesmo. Servem por isso estas palavras para dizer a você que não guardo rancor, apesar de tudo o que sofri por você não ter estado lá quando eu precisava e mesmo quando não precisava, e por nem sequer me procurar, por poucas vezes que fossem. Servem por isso estas palavras para lhe dizer que não lhe trancarei a porta, mas não espere que a abra por si, pois eu perdoei tudo, mas não esqueci nada.

Voltou a entregar o caderninho para mim e eu o guardei. Raphael ficou sem saber o que dizer e as lágrimas continuavam a descer pelo seu rosto. Eu imaginava que tinha sido difícil ouvir aquelas palavras, mas sem dúvida tinham sido purificadoras, tanto para um como para o outro. Leonardo olhava para o pai com uma expressão de tristeza, mas ao mesmo tempo notava-se nele um sentimento de dever cumprido porque sabia que aquilo tinha de ser dito.

— Eu mereci ouvir tudo isso. *Disse assim que se recompôs do choro.* Fui o pior exemplo de pai que você podia ter tido e por mais anos que viva nunca vou conseguir compensar esta minha ausência. Se ao menos tivesse tido a coragem de te procurar uma vez que fosse... mas eu estive anos sem dizer nada e depois tive medo de perceber que já não era importante para você. Ou que você já nem me reconhecesse. Ou que você tivesse tanta raiva de mim que me afugentaria como se fosse um animal qualquer. Talvez eu estivesse à espera de morrer em breve e isso servisse de justificativa para a minha ausência. Mas o que é certo é que não morri, e cada dia que passava tornava-se cada vez mais difícil de lidar com essa ideia, até que tive mesmo de... apagar você da minha vida, assumindo para mim mesmo que era um caso perdido. Esforcei-me para não pensar mais nisso, mas houve algo que eu guardei sempre comigo. *Levantou-se, abriu uma gaveta de um dos móveis da sala e tirou uma fotografia de dentro, que entregou a Leonardo assim que voltou para o sofá.* Lembra dele?

Leonardo sorriu para a fotografia. Era uma foto dele agachado ao lado de um cão do seu tamanho enquanto o abraçava.

— Afinal você gostava de cães. *Eu disse a Leonardo.* Era o seu?

— Não. *Respondeu por sua vez o pai.* Era o cão do dono de um bar que eu costumava frequentar. Quando levava o Leo comigo deixava-o sempre brincando com esse cão no terraço e ele adorava. Esta fotografia até foi tirada pelo próprio dono, que só me deu anos mais tarde. Eu a tenho guardada desde então. É a única que tenho dele.

— Que fofo! *Comentei com um sorriso.* Como se chamava?

— Chamava-se Mike.

Olhei logo para Leonardo, que comprimiu os lábios ao perceber que tinha sido descoberto. Era essa, afinal, a razão pela qual ele tinha batizado a cadelinha que atropelamos com o nome de Mika.

— Eu também tenho uma fotografia para lhe entregar. *Disse Leonardo, esticando o braço na minha direção.*

Peguei o porta-retrato com a inscrição *O Melhor Pai do Mundo*, passei para sua mão e ele logo a entregou ao pai. Assim que Raphael olhou para ela, começou a chorar. Fiz um esforço enorme para não chorar quando ele lhe estava lendo o que tínhamos escrito, mas naquele momento não consegui me conter. Pela primeira vez Leonardo tomou a iniciativa de reconfortar o pai e abraçou-o.

— Papa? *Disse uma voz com sotaque francês.*

Olhamos todos para a porta de entrada da sala e uma menina de cabelos claros e que devia ter uns sete ou oito anos espreitava na nossa direção. Logo atrás estava Louise com as mãos sobre os ombros dela e olhava para Raphael à espera da sua aprovação para libertá-la. Raphael estendeu os braços e a menina correu para o seu colo. Eu e Leonardo ficamos a olhar um para o outro de olhos arregalados e adivinhando o que aquilo significava.

— Sim, Leo, é isso mesmo que você está pensando, você tem uma irmã. *Explicou Raphael enquanto ajeitava a menina no seu colo.*

Durante as horas seguintes, a meia-irmã de Leonardo, que viemos a saber que se chamava Ariane, ficou na nossa companhia e logo se juntou também a mãe dela e atual companheira de Raphael. A presença de Louise e Ariane acabou por intimidar o lado sensível de ambos e eles passaram a conter-se um pouco mais. Se por um lado acalmou as emoções, por outro arrefeceu o ambiente e em pouco tempo parecia um encontro casual entre dois amigos que não se viam há muito tempo. Podiam existir a culpa, o arrependimento, a nostalgia etc., mas ninguém podia exigir nem a um nem ao outro um vínculo que não tinha existido durante anos. Só o tempo e a convivência poderiam vencer aquela inércia e reforçar a ligação entre ambos. Leonardo começou a ficar irrequieto e percebi que estava na hora de irmos embora.

— Acho que já fiz o que tinha de ser feito, que era dizer tudo aquilo e entregar a ele essa moldura. Chegou a hora de irmos.

Leonardo se ergueu, eu me juntei a ele e Raphael levantou-se logo depois para tentar mudar suas intenções.

— Fiquem mais um pouco. *Pediu*. Jantem conosco. Você disse que só iam embora depois de amanhã, ainda temos tanto tempo.

— Pai... eu já cumpri o meu propósito. Não tenho mais nada a fazer. O pai agora tem a sua família e eu estou sobrando aqui.

Raphael ia responder, mas mudou de ideia no último segundo. Sabia que, independentemente do que dissesse naquele momento, não ia mudar nada. Baixou a cabeça em jeito de rendição àquela despedida, e Leonardo lhe deu um abraço demorado. Despedimo-nos todos uns dos outros e, quando nos preparávamos para abandonar a casa, Raphael interveio.

— Dê-me um contato seu, filho, pelo menos.

Eu já estava do lado de fora e Leonardo estava mesmo atrás de mim, ainda do lado de dentro de casa, e olhou para o pai.

— Sabe por que foi que o encontrei? Porque quis e fiz por isso. E não foi preciso nenhum contato seu. Isto não é vingança nenhuma, longe disso. Apenas acho que, se estiver arrependido como mostra, deve prová-lo. Como disse, não vou trancar a porta, mas não vou abri-la. *Voltou-se para sair e assim que pôs os pés no exterior virou-se para trás e acrescentou.* Por favor, dê à Ariane aquilo que eu não tive, uma bicicleta com as duas rodinhas extras.

Tinham sido muito intensas aquelas últimas palavras. Deixei-o no seu silêncio enquanto caminhávamos e me lembrei dos bilhetes para ver um jogo do seu Paris Saint-Germain que eu tinha comprado e que ainda não tinha lhe oferecido. O jogo era no dia seguinte e, tendo em conta que já tínhamos cumprido as nossas missões, não havia tempo a perder. Vi no mapa onde era a escola mais próxima de onde ele tinha vivido e pedi para irmos até lá e aceitou sem me questionar, por julgar que ia tentar fazer mais uma viagem no tempo com ele, e, embora não fosse essa a intenção, não seria muito diferente. Quando chegamos vi o campo de futebol onde ele me tinha falado que ia jogar depois das aulas e levei-o comigo. Nesse momento estavam uns meninos jogando e nas bancadas algumas pessoas, que julguei serem família, assistiam à partida.

— Tome. *Eu disse, entregando a ele os bilhetes.* Acho que era um desejo seu de criança e que o seu pai nunca chegou a cumprir. Pensei que podíamos fazer isso amanhã. O que me diz?

Leonardo olhou para mim admirado e sem saber o que dizer.

— Uau! Que gesto lindo! Mas você nem liga para futebol.

— Não faço isto por mim. Se você gosta, eu aprendo a gostar.

Ele parou, refletiu e olhou para mim como se acabasse de ter uma ideia.

— Se você não gosta, não faz sentido irmos só porque eu gostaria. A minha vontade de nada serve se a sua não corresponder. Eu agradeço imensamente o gesto, mas, se me permite, tenho uma ideia melhor. *Voltou-se e foi falar com um grupo de pessoas. Começou a falar com algumas delas enquanto apontava para o campo, até que se demorou mais a falar com um dos homens e acabou por entregar a ele os bilhetes. Quando regressou para junto de mim, vinha com um largo sorriso.* Eu não tive a alegria de o meu pai me levar para ver um jogo do PSG, mas um daqueles meninos terá.

Tinha sido um gesto muito bonito de Leonardo e cheio de significado. Ele percebeu que, apesar de ser um desejo antigo seu, não era ele nem eu quem mais poderia desfrutar daqueles bilhetes. Podia não ser aquilo que eu mais adorasse fazer, mas não tinha qualquer problema em acompanhá-lo no jogo e adoraria ver a reação dele, tal como tinha acontecido nos anteriores reencontros com o passado. Contudo, Leonardo tinha tomado uma decisão nobre e altruísta ao oferecê-los a um pai e um filho, que iriam certamente aproveitar bem a experiência. Vê-lo tomar aquela atitude e ver o seu sorriso quando regressou até mim era ainda mais gratificante que qualquer sensação que pudéssemos vir a ter se fôssemos nós a usar os bilhetes. Só quando regressamos ao hotel e nos deitamos é que, após um momento de reflexão, Leonardo voltou a tocar no tema do pai e do que tinha acontecido na casa dele. No entanto, não notei arrependimento na sua voz por alguma coisa que tivesse dito ou feito e isso me deixou mais tranquila. De uma forma mais ou menos dura, mais ou menos direta e sincera, eu sei que estava consciente de que tudo tinha acontecido como tinha de ser.

Adormeci no meio da conversa, dominada pelo cansaço, e o deixei falando sozinho durante alguns minutos. Mas no dia seguinte eu acordei primeiro e foi a vez dele de retribuir porque tentei acordá-lo e ele tapou os ouvidos. Era o último dia em Paris e eu queria aproveitá-lo da melhor maneira e por isso não ia me render e abri as cortinas.

— Parece que temos mais um domingo de chuva juntos. *Disse assim que vi o tempo que fazia lá fora.*

Aquela informação despertou a atenção dele. Saiu da cama, espreitou pela janela e ficou apaixonado olhando para a chuva.

— Os meus dias favoritos. *Disse, sorridente.* Acho que já tinha perdido a esperança de voltar a sentir a chuva de Paris.

— Não me diga que é diferente das outras.

— Não. A chuva é a mesma, só que é em Paris. *Respondeu com uma gargalhada e depois abriu a janela e pôs o braço para fora.*

Os pingos foram caindo sobre o braço dele e Leonardo começou a sorrir tão genuinamente com aquela sensação que tive de experimentar também. Assim que comecei a sentir os chuviscos sobre a pele, uma serenidade revitalizante começou a percorrer meu corpo a partir do meu braço. Era agradável a impressão de estar sendo molhada e ao mesmo tempo estar protegida e segura.

— É uma sensação boa, sim, mas nem pense em ir correr para a chuva. Já bastou o susto que tivemos da última vez.

— Ai sim? *Lançou-me um olhar desafiador.* Não podemos ir para a chuva, mas a chuva pode vir até nós.

Ele recolheu o braço e passou a mão molhada no meu pescoço, me fazendo arrepiar e soltar um grito. Empurrei-o logo a seguir para a cama e me vinguei da mesma maneira. A chuva teimava em não parar e à medida que as horas foram passando percebemos que isso já não ia acontecer antes do final do dia. Ainda temia por tudo o que tinha acontecido e não quis arriscar nos aventurarmos no exterior com aquele tempo. Tudo apontava, por isso, para que o dia fosse passado dentro do hotel, dividido entre o quarto e o restaurante. Uma ideia que, apesar de tudo, agradava a ambos. A dada altura, quando eu apreciava pela janela o nevoeiro que começava a engolir a cidade numa imagem assustadoramente bela, Leonardo aproximou-se por trás de mim e encostou o seu corpo no meu. Abraçou-me pela barriga, afastou meu cabelo do pescoço e o beijou. Senti naquele segundo uma fraqueza nas pernas e o meu corpo vibrou da cabeça aos pés. Não havia sensação no mundo que superasse aquela presença tão junto a mim e aquele calor tão reconfortante. Tudo o que estava à minha volta, desde o prédio mais distante que a minha visão podia alcançar até os lençóis amarrotados sobre a cama, era amor. Se havia imagem que definisse o que era amor, era aquela. Não tinha dúvidas. Voltei-me para ele, coloquei as mãos por trás do seu pescoço e estiquei-me para beijá-lo. Leonardo me pegou, me deitou sobre a cama e nos deixamos levar pelo desejo dos nossos corpos de se entrelaçarem, alimentarem e desfrutarem um do outro. Durante horas não ousamos colocar sequer um pé fora da cama, como se ao fazê-lo pudéssemos quebrar todo aquele cenário cristalino e frágil de entrega mútua. Eu sentia que alguém tinha voltado a brincar com o comando da vida e pôs o tempo para correr mais depressa dentro daquele quarto. Dei por mim olhando constantemente o relógio e lhe pedindo para ter mais calma porque não queria que aquele momento acabasse. Parecia que tinha esperado uma vida inteira por aquele dia, que tinha se resumido a um simples quarto de hotel, nos arredores de Paris num dia de chuva. Deitei-me ao lado de Leonardo, ainda ofegante, e me deixei ficar por instantes apreciando sua beleza. Ele fez o mesmo, voltou-se para mim e me olhou com uma energia que nunca tinha sentido.

— Eu nunca te disse isto porque não sabia o que era... *Começou a dizer num sussurro*. Mas eu estive lendo os sintomas na internet e estudando sobre o assunto e percebi que bate tudo certo.

Comecei a ficar assustada com aquela conversa.

— Como assim? O que quer dizer com isso, Leonardo?

Ele fez um silêncio antes de responder e me enervou ainda mais.

— Percebi que aquilo que me une a você é amor. Eu te amo.

Fiquei imóvel depois de ouvir aquela tão doce declaração. As lágrimas começaram a fugir umas atrás das outras dos meus olhos pelo significado que aquelas simples palavras tinham ao serem ditas por ele. Perdi a noção do tempo e percebi que agora era ele quem começava a ficar preocupado por eu não dizer nada após a sua declaração.

— Eu também te amo, Leonardo. *Disse por fim e notei que soltou um suspiro*. Provavelmente te amo muito antes de saber que amava, mas acabei nunca chegando a te dizer isso.

— Talvez porque ainda não tivesse chegado o momento certo.

— Não tenho certeza se há um momento certo para dizer que se ama alguém. Mas o que é certo é que valeu pela vida inteira.

Aproximei o meu rosto do dele para lhe dar um beijo e depois Leonardo ajeitou a almofada, virou para cima e me puxou para ele para que deitasse a minha cabeça no seu peito. Um silêncio enternecedor apoderou-se do quarto e me permitiu ouvir o batimento do seu coração. Era a primeira vez que eu o ouvia com tanto detalhe desde a operação, e ouvi-lo bater depois das declarações que tínhamos acabado de fazer um ao outro era uma sensação indescritível. Ele tinha trocado o coração, mas não tinha trocado o inquilino, e era eu que morava ali dentro daquela caixinha.

— Está se sentindo feliz? *Perguntou, e respondi que sim com a cabeça.* Talvez esta seja a tão desejada receita para ser feliz no amor. Eu, você, uma cama e um domingo de chuva. Junte tudo, leve ao forno debaixo dos lençóis, tempere a gosto e *voilà*.

— Parece simples, não é? Lembra-se do dia em que fomos ver um filme romântico no cinema e você riu dele? Na metade você disse que já sabia que um dos protagonistas ia morrer no auge da história e que era sempre assim nas grandes histórias de amor.

— E por acaso acertei, também se lembra desse pormenor?

— Acertou em relação ao filme, mas olhe para nós. Pelo visto não é em *todas* as grandes histórias de amor que tem de morrer algum dos protagonistas. E acho que a nossa é uma grande história.

— Então ainda bem que há exceções.

A noite chegou e eu fiquei tão entretida vendo um filme romântico na televisão que o sono não quis nada comigo. O mesmo não podia dizer de Leonardo, que já deveria ir no quinto sono. Quando o filme acabou e mesmo antes de apagar a luz do candeeiro, reparei na minha bolsa pousada sobre a mesa debaixo da televisão e lembrei do envelope que estava lá dentro. Percebi então que já tinha feito tudo o que podia fazer por Leonardo e que a revelação que me fez nesse dia funcionou como um carimbo naquele dossiê. Estava na hora de ler, finalmente, a receita para ser feliz no amor que Nicolau tinha deixado para mim. Fui buscar o envelope e comecei a ler.

Querida Beatriz.

Como prometido aqui vai a receita que me pediu. Como deve imaginar, o que vou lhe dizer não é uma fórmula mágica, mas são alguns princípios importantes. Apesar de óbvios para mim, eu sei que a maioria das pessoas não tem a consciência suficientemente expandida para acolhê-los, por isso peço que antes de continuar a ler ponha os seus tabus de lado.

Baseando-me nos desabafos que foi fazendo desde que nos conhecemos, em especial o último, por causa do seu recente término, e baseando-me na percepção que tenho da menina Beatriz, percebi que o seu problema é o mesmo que o de quase toda a gente que não consegue ser feliz, não só no amor, mas também noutros campos da vida. O que a Beatriz tem vivido não são relações de amor, mas sim de apego. Que são dois termos que se confundem muito, mas que a maioria das pessoas, apesar de ouvir falar, nunca se deu ao trabalho de investigar. Partindo do apego é preciso chegar à origem dele. Essa relação de apego nasce de uma carência da Beatriz. Ou seja, falta qualquer coisa na menina que, inconscientemente, procura e encontra noutra pessoa. E como ela lhe dá algo que não tem e precisa, cria uma relação de apego com ela. E uma relação de apego é uma relação de dependência. Exatamente como uma droga. Tal como uma pessoa fica dependente de uma droga para se sentir bem, também fica dependente de uma pessoa. E tanto num caso como no outro sabem que são relações destrutivas e nem por isso deixam de querer.

Recapitulando, o insucesso das suas relações é causado pelo apego, o apego vem da carência, e essa carência é sinônimo de falta de amor-próprio. E lhe falta amor-próprio porque a menina nunca fez verdadeiramente o exercício de autoaceitação. Mas, para aprender a aceitar-se, primeiro tem de saber o que é que tem de aceitar. E isso só acontece depois de se conhecer. E para se conhecer precisa fazer uma enorme viagem interior de autoconhecimento. E essa viagem precisa de um pequeno impulso inicial, que é dado quando toma consciência de que o seu propósito no mundo é ser feliz e que merece ser. Em todos os campos da sua vida.

Porque a vida é para ser feliz. Nunca duvide disso nem nunca duvide de que é merecedora disso. A vida é para ser abundante. E essa abundância vem inevitavelmente do amor.

Neste momento a Beatriz já percebeu que veio ao mundo para ser feliz. Posto isto, agora vai fazer muita introspeção e identificar quais são as suas qualidades e defeitos. O que é que gosta e não gosta. O que quer e o que não quer. Quais os seus sonhos, o que é que a faz sentir bem e menos bem etc. Depois vai aceitar tudo aquilo que não pode mudar. Aceitar, perdoar e deixar ir. Todos esses exercícios, que são apenas uma pequena amostra de tudo o que pode e deve fazer, vão permitir a você se conectar com o amor que está dentro de você.

Há uma frase que digo muitas vezes e que gostaria que fosse o meu epitáfio, que é *Não sentimos amor, somos amor.* Ou seja, o amor é a nossa própria essência, é daquilo que somos feitos. *Todos.* E tudo o que precisamos é de nos conectarmos com ele para que possamos deixá-lo fluir e comecemos a vibrar amor. O problema é que esse amor está escondido debaixo dos medos, dos tabus, dos preconceitos, das desilusões e de um monte de entulho emocional que foi se acumulando dentro de nós ao longo da nossa vida e foi nos afastando daquilo que somos verdadeiramente. E nós somos amor. Quando finalmente se vir livre de tudo isto e se conectar com esse amor, que já está dentro de você e não fora, a Beatriz vai sentir-se um ser completo e não mais uma meia pessoa que foi posta no mundo para encontrar a outra meia. Não! A Beatriz é uma pessoa completa, e uma relação saudável é composta por duas pessoas inteiras e não por duas metades que formam um. A menina não consegue ser feliz no amor porque simplesmente não está vibrando num estado de amor, mas sim num estado de carência. E tudo o que vai atrair para a sua vida são pessoas e circunstâncias que a farão sentir ainda mais carente. Se quer amor, então vibre amor, *envie amor. O amor é libertador. O apego é dependência. E a dependência só traz dor.*

Espero ter ajudado.
Do seu amigo Nicolau.

Assim que terminei de ler, só tinha percebido uma coisa. Percebi que ler só uma vez não era suficiente para perceber a mensagem. Li outra vez e outra e mais outra, parando e refletindo sobre cada frase, e as ideias começaram a ganhar alguma forma na minha cabeça. A primeira conclusão a que cheguei foi que o problema era meu e a solução também. Comecei a fazer uma retrospectiva da minha vida, em especial dos meus relacionamentos, e comecei a perceber um padrão comum. Todos eles pareciam insuficientes, todos acabavam por ser esgotantes, em todos eu tinha a sensação de estar presa àquela pessoa e de precisar demasiado dela para poder estar bem. Em todos eu implorava por retribuição, mendigava por atenção e esperava e precisava da aprovação do outro. Eu não vivia com essa pessoa, eu vivia para ela, eu vivia lhe dando coisas. O problema é que eu não fazia porque gostava dela, mas porque precisava que ela retribuísse a minha oferta e dessa forma me fizesse sentir valorizada. Tal como um cãozinho que pousa a bola perto dos pés do dono para que ele a atire e depois corre atrás dela com a ilusão de que estão brincando um com o outro.

Percebi também que um dos sentimentos muito comuns nesses meus relacionamentos era o constante medo da perda. Aliás, era mais do que medo, eu tinha pavor de perder essa pessoa. Não imaginava sequer a minha existência sem ela. Temia imensamente a possibilidade de estar e ficar sozinha, precisamente, sabia agora, porque nem sequer tinha a mim mesma. A minha felicidade dependia quase na totalidade da outra pessoa. Estava literalmente nas suas mãos e por isso não era de admirar que ela fizesse o que queria de mim. Esse pavor de perder e a solidão que acarretava essa perda tornavam-me uma pessoa controladora e possessiva. Claramente sintomas do estado de carência em que estava, como disse Nicolau na receita. E como também dizia, o amor é libertador, pacífico e transparente. A carência é o oposto, é uma prisão, é agitada e insegura e de transparente não tem nada. Comecei a lembrar-me de vários episódios em que escondia aquilo que sentia e punha as minhas vontades de lado com receio de que a outra pessoa se revoltasse contra mim e encontrasse nisso um motivo para acabar o nosso relacionamento. E quando acabava eu implorava à outra pessoa para ficar comigo, como se isso fosse alguma demonstração de amor. Era sim uma clara demonstração de falta de amor-próprio da minha parte. Cheguei então à conclusão de que eu era muito boa em dar conselhos, mas muito ruim em segui-los, pois no fundo eu já sabia tudo aquilo, apenas não conseguia ou, pior do que isso, não queria ver.

Muitas destas ideias que Nicolau tinha acabado de me fazer perceber eu já as tinha transmitido, ainda que por outras palavras, nas minhas conversas com Leonardo, com a mãe dele e até com a minha irmã. E agora tudo estava batendo. É claro que não era possível eu ser amada por alguém porque nem sequer eu me amava. Não era possível eu ser tratada bem por alguém porque nem sequer eu me tratava bem. Aliás, eu era a primeira a abdicar de ser quem eu era de verdade para que a outra pessoa continuasse a ser quem queria e como gostava, pois tinha tanto medo de perdê-la que eu não queria que ela se chateasse por nada.

Olhando agora à distância do tempo, eu conseguia ver que não havia de verdade uma afinidade entre mim e esses namorados. E, se havia alguma afinidade, não era entre mim e eles, mas entre agradá-los e a imagem da pessoa que eu queria que eles fossem. Tinham sido relacionamentos de fachada. Uma total ficção. Porque o amor aceita. O apego e a carência pelo visto tentam mudar o outro, moldá-lo e controlá-lo. Agora eu conseguia ver que era impossível aquelas pessoas serem as certas para mim porque eu não estava sendo eu mesma, mas sim uma criação para agradar ao outro. E eu o fiz porque não me conhecia, porque não me aceitava e por isso não podia me amar a ponto de ser eu mesma naqueles relacionamentos. Aquela pessoa estava comigo porque eu encontrava nela algo que eu não tinha e precisava. E quando não me dava eu cobrava dela. E essa cobrança sobrecarregava a outra pessoa, sobrecarregava o relacionamento e me esgotava a energia. Eram relações profundamente desgastantes e eu me submetia a elas porque não me amava o suficiente para perceber que eu merecia mais e por isso tinha de as abandonar. Caso contrário iria continuar a ver a minha energia sugada pelas pessoas que eu permitia que entrassem na minha vida. No fundo eu estava pedindo que me amassem porque eu não era capaz de fazer isso, então precisava que fizessem isso por mim.

Ao longo de toda a minha vida, me fizeram acreditar que eu tinha de encontrar a minha cara-metade para poder ser feliz. Ou seja, eu era uma meia pessoa que só conseguiria ser feliz quando encontrasse a outra meia. E essa ideia me fazia crer que era um ser incompleto e por isso insatisfeito e por isso dependente de outro para ser feliz. E não. Eu não precisava de outra pessoa para ser feliz, mas sim para partilhar a felicidade que já existia dentro de mim. Eu não precisava de outra pessoa para me dar amor, mas sim para trocarmos o amor que já existia dentro de nós.

Mas as últimas palavras de Nicolau me fizeram perceber que não tinha sido um acaso esse tipo de pessoa ter entrado na minha vida e eu ter vivido esses relacionamentos com o mesmo padrão. Segundo ele, aparentemente fui eu que atraí essas pessoas e esses relacionamentos. Como eu vibrava num estado de carência, eu atraía para a minha vida pessoas que me fariam sentir ainda mais carente e provavelmente também elas pessoas carentes. E fazia todo o sentido essa interpretação porque batia com a retrospectiva que estava fazendo da minha vida. Por exemplo, como eu sempre fui uma pessoa generosa e caridosa, eu de certa forma acabava atraindo para mim pessoas que iam exponenciar isso. Comecei a me lembrar de outros cenários possíveis de confirmar ou contradizer essa hipótese e me lembrei de um evento solidário de que fazia parte e em que tinha de distribuir umas camisetas gratuitas aos participantes. Quando peguei um monte de camisetas para começar a distribuir e perceberam que eu as estava oferecendo, em poucos segundos tinha uma multidão à minha volta me pedindo uma. E, se pudessem levar mais uma ou duas para o resto da família, levavam. Era como se aquela generosidade atraísse para o meu redor pessoas que iam exponenciar isso em mim, ou seja, pessoas interesseiras. Quanto mais eu dava, mais queriam, e, quanto mais queriam, mais eu dava. Algumas nem queriam tanto assim a camiseta, mas como era grátis aproveitavam. Lembrei depois que, se em vez de dar eu estivesse vendendo as camisetas para doar o dinheiro à associação, apenas as pessoas que queriam mesmo a camiseta ou que queriam mesmo ajudar, pois eram generosas e não interesseiras, é que iriam se aproximar de mim. No fundo era o que se tinha passado nos meus relacionamentos, embora em relação a outros aspectos, como a carência.

E o fato de aceitar e viver relações que eram más para mim me fazia vibrar naquela energia negativa de falta, de carência, de escassez, e é claro que não podia atrair para mim coisas boas, pessoas boas e compatíveis comigo, pois nunca me dei ao trabalho de olhar para dentro e sempre esperei que a minha alegria viesse de fora. Se eu aceitava pouco, nunca podia ter mais do que aquilo, pois a mensagem que eu enviava para o universo era a de que eu aceitava pouco e por isso nunca me dariam mais do que isso. Se eu aceito dez para fazer determinada tarefa, a outra pessoa não me vai dar vinte. Sou eu que tenho de perceber que valho vinte, que mereço vinte e exigir vinte. Mas isso eu só poderia perceber quando olhasse para dentro e começasse a me conhecer. Só eu poderia chegar a essas conclusões.

Depois comecei a ver todas aquelas questões que Nicolau sugeria que eu respondesse e comecei a sentir dificuldade em responder a elas, afinal quais eram as minhas qualidades? Afinal quais eram os meus sonhos, os meus gostos e o que é que me fazia sentir bem e mal? Quando as li pareceram de fácil resposta, mas quando me dediquei a responder estava tendo muitas dificuldades. Só aí percebi que talvez eu não me conhecesse assim tão bem como pensava.

E sem isso eu nunca poderia saber quem sou e ter noção do que mereço e por isso não me amar o suficiente para atrair para mim pessoas que exponenciariam esse amor.

Faltava só perceber por que é que Nicolau me disse que eu só deveria conhecer a receita depois de cumprida a minha missão ou quando percebesse que tinha feito tudo o que podia por Leonardo. E após todas as conclusões que tirei do que li não foi difícil perceber o motivo. Recordei uma conversa que tivemos em que ele me disse que não era aquilo que eu dava que estava errado, mas aquilo que eu esperava daquilo que dava. E depois lembrei do pedido que me fez um dia antes do AVC para não esperar nada da parte de Leonardo, nenhum reconhecimento, retribuição ou recompensa. Apenas para me concentrar em fazer o que tinha a fazer por gosto e com gosto, para fazer bem e me sentir bem. E agora tudo fazia sentido. Dessa forma Nicolau garantia que durante toda aquela missão eu iria focar o ato de dar, cuidar e amar e não naquilo que eu esperava receber por aquilo que dava. E esse tinha sido o meu grande erro. Eu dava sempre para receber. Eu dava não porque amava a outra pessoa, mas porque queria que ela me amasse. E isso era vibrar numa frequência de carência. E quanto mais vibrava carência mais carência eu atraía para a minha vida. E amar alguém é querer que essa pessoa seja feliz, se for ao nosso lado melhor, mas acima de tudo querer que ela seja feliz. E apego é querer que essa pessoa nos faça feliz. O que é muito diferente. Ao me dizer para não esperar nada do outro lado, Nicolau não estava me dizendo que não era importante ser amada de volta, mas me mostrando que tudo começa em mim, tudo parte de mim, que só amando eu serei amada, que só enviando amor eu vou receber amor, porque ao vibrar amor eu vou atrair amor. E eu seria finalmente feliz no amor.

Aquilo que eu pensava ser a transformação de Leonardo estava sendo, na verdade, a minha transformação. E é claro que eu só entenderia tudo isso se lesse esta receita apenas no final.

Senti os meus olhos lacrimejarem com a emoção que se apoderou de mim depois de tantas conclusões. Aquela receita era a peça que faltava naquele puzzle e que depois de colocada deu sentido a toda a história. Olhei para cima e sorri em forma de agradecimento a Nicolau por aquela expansão da minha consciência. Tinha sido uma jogada de mestre da parte dele ao conseguir transformar a vida de duas pessoas ao mesmo tempo.

Voltei a guardar a receita no envelope com a certeza de que ainda precisaria ler muitas mais vezes para não me esquecer e me deitei, abraçada a Leonardo. O voo de volta era no final da manhã, por isso só tivemos tempo de tomar o café e seguimos logo para o aeroporto. Na viagem de trem até lá, Leonardo ia olhando pela janela com um olhar nostálgico de despedida e ia segurando a minha mão com firmeza. À medida que nos afastávamos da cidade, eu ia me sentindo mais aliviada, como se aos poucos fosse ficando para trás uma enorme carga que trazia sobre os meus ombros.

Leonardo fez praticamente toda a viagem em silêncio. Quando começamos a nos aproximar do aeroporto, percebi que aquela sensação de alívio que estava sentindo começava a transformar-se num estranho vazio. Como se a carga que eu pensava estar deixando para trás não estivesse afinal sobre os meus ombros, mas sim dentro de mim. Como se deixasse para trás um pedaço daquilo que eu tinha passado a ser também.

Assim que chegamos ao aeroporto e nos sentamos à espera do voo, esse vazio atingiu o seu auge e comecei a sentir um aperto sufocante no peito. Olhei para Leonardo e reparei que ele estava me olhando com um ar tão luminoso que aumentou ainda mais aquele aperto. Ele me fez um sinal com a cabeça para a bolsa, eu a abri, peguei o celular, coloquei os fones, pus a tocar a nossa música e voltei a olhar para ele. A sua pele ficava cada vez mais brilhante e finos raios de luz pareciam sair dos seus olhos. As lágrimas começaram a escorrer pelo meu rosto, e Leonardo continuava a sorrir para mim com o seu jeito tão delicado e calmo como um anjo. Quando a música terminou, guardei o celular, respirei fundo e me senti finalmente pronta para me despedir dele.

— Eu sabia que esta hora ia chegar. *Começou a me dizer, calma e delicadamente, e eu abanei a cabeça, tentando conter as lágrimas.* É a este lugar que eu pertenço. É aqui que eu tenho de ficar e quero te agradecer por você ter me devolvido ao meu lugar. Graças a você eu consegui voltar a sentir a mesma alegria de quando era criança e consegui fazer as pazes com o meu passado. Graças a você eu descobri o que era amor e me sinto muito grato por ter tido tempo de descobrir. Você foi a luz na escuridão em que eu mesmo me meti. Derrubou a muralha que construí em volta do meu coração e me ensinou a amar. Obrigado, Beatriz, por cada chamada de atenção e por cada safanão no meu braço. Obrigado pela sua persistência e paciência para travar uma luta que não era sua para conseguir me ajudar a sair do buraco em que eu tinha entrado. Obrigado por nunca ter desistido de mim e por ter sido a pessoa que eu não merecia para conseguir me ensinar a merecer. Você me disse que não podemos esperar um beijo ou um abraço de alguém a quem demos um murro. Mas é quando essa pessoa nos dá um beijo ou um abraço depois de termos dado um murro nela que conseguimos perceber quão errados estamos. E eu percebi a tempo quão errado estava. Percebi a tempo o anjo que você foi para mim desde o primeiro minuto. Desde a primeira vez que você me sorriu, que me desafiou, que me convidou... que me beijou. Agora é a minha vez de ser o seu anjo da guarda. Mesmo que você me diga que eu não te devo nada, permita-me fazê-lo por gosto e para me sentir bem. Agradeço cada um dos seus ensinamentos que me faziam sentir criança, mas ao mesmo tempo estavam me fazendo crescer. Eu sei que alguns deles eram ensinamentos que eu não quis ouvir do meu avô, mas que nem por isso ele deixou de fazer chegar até mim. E fez isso através de você. Através da única mulher que amei na minha curta vida. Curta, mas não pequena. Graças a você. Resta-me pedir que você não chore mais, pois a nossa história não merece.

— Não me peça isso, Leonardo. Você sabe que eu não consigo.

— A nossa história foi feliz. Foi uma grande história de amor e merece ser lembrada para sempre com um sorriso. Você já sofreu o suficiente. Chegou a hora de você se libertar porque eu já estou entregue. Mas esteja você onde estiver eu estarei lá também. Guardado no seu peito. No lugar que eu conquistei e que sei que você vai ter sempre para mim. Quero muito te ver sorrir. Quero muito voltar a te ver feliz como você fez por mim porque você merece. Mais do que qualquer outra pessoa, você merece. E eu não quero ser a razão da sua tristeza quando tudo o que você me deu foi alegria. Por isso eu te peço que não seja injusta comigo e seja feliz. Acredite que eu, lá de cima, estarei sorrindo por você e estarei te guardando e protegendo.

— Mademoiselle? *Chamou alguém por trás de mim.*

Olhei assustada para trás e parecia que tinham me acordado de um sonho. Era uma funcionária do aeroporto me chamando para embarcar e só nesse momento reparei que só faltava eu. Quando me voltei para o lugar ao meu lado onde estava Leonardo, já não voltei a vê-lo. Tinha simplesmente desaparecido e senti que nunca mais seria capaz de voltar a imaginá-lo com tanta nitidez. A despedida estava feita. Eu o tinha devolvido ao lugar aonde pertencia e tinha chegado a hora de voltar para casa. A funcionária voltou a chamar por mim e eu peguei a mala e minha bolsa e embarquei. Durante a viagem não tive nenhum medo nem ansiedade e o tempo passou correndo. Parecia que durante o período em que estive no ar estava vivendo numa realidade paralela e, quando o avião pousou, voltei à minha consciência e com esse retorno veio de novo a falta. Mas era uma falta diferente. Doía, mas era uma dor calma, pacífica, reconfortante até. Assim que vi a minha mãe, que me esperava no aeroporto, corri para ela e a abracei em prantos.

— Foi tão difícil, mãe. Foi tão difícil!

— Eu sei, meu amor. Mas você precisava fazer isso e foi um gesto muito nobre da sua parte. Você sabe que estou orgulhosa de você.

— Não é justo! Não é justo! A operação tinha corrido bem, ele já tinha conseguido o mais difícil, era só resistir um pouco mais. *Exclamei, agarrada a ela por entre lágrimas e soluços.*

— Ó minha filha, você sabe que são operações muito difíceis, as horas seguintes são sempre cruciais e o corpo de Leonardo infelizmente não reagiu bem. Ninguém teve culpa de nada. Todos deram o seu melhor e você, mesmo depois de tudo o que aconteceu, encontrou forças para cumprir a promessa que tinha feito a ele. Isso foi um gesto muito bonito e que o deixaria muito, muito orgulhoso. Tal como me deixou a mim e com certeza a dona Lurdes.

— Eu imaginei tudo, mãe! Imaginei tudo como se ele estivesse junto de mim e fizesse tudo aquilo comigo. *Continuei o meu desabafo e as lágrimas não paravam de correr pelo meu rosto.* Comprei um bilhete de avião para ele e o lugar foi propositadamente vago para eu poder imaginá-lo ali ao meu lado. Encostei a cabeça no assento do avião e imaginei que era o ombro dele. Imaginei as conversas que teríamos, as perguntas que ele me faria e as respostas que ele me daria bem do seu jeito. Algumas dessas conversas eram só os meus dilemas naturais e outras eram só aquilo que eu gostaria que ele me dissesse e nunca chegou a dizer.

— Pronto, meu amor. Não chore mais. Imaginar a companhia dele e as conversas que teria com ele foi uma forma bonita de tê-lo mais presente durante esta viagem. *Ela disse, para tentar me acalmar, enquanto esfregava minhas costas.*

— Às vezes eu parecia louca, mas eu sentia que precisava fazer aquilo daquela forma, senão não era a mesma coisa, mas ao mesmo tempo era ainda mais doloroso senti-lo tão perto de mim e não conseguir tocá-lo. Era uma sensação tão grande de impotência. Quando consegui encontrar a casa onde ele viveu em Paris, porque a reconheci de uma fotografia que tinha dele pequenino em frente a ela, imaginei-o me contando as histórias que tinha vivido ali, e na verdade só estava me lembrando do que a dona Lurdes tinha me contado. Depois visitei vários pontos próximos da casa dele e dos quais tinha me falado uma vez quando conversamos sobre a infância dele com o pai e tentei recriar tudo da melhor maneira como se ele estivesse de verdade junto a mim, vivendo aquilo comigo. Mas não sei se fiz tudo como devia ser, mãe! E agora nunca vou saber.

A minha mãe libertou-se do meu abraço para poder olhar nos meus olhos e segurou o meu rosto para garantir que aquilo que me ia dizer era ouvido e compreendido por mim.

— Beatriz! O que foi que você sentiu durante o tempo todo?

— Eu senti a presença dele, mas *não tenho como provar isso.*

— Não tem e não precisa. *Ela disse, de olhos arregalados.* Se você sente isso, então se concentra nessa sensação, pois essa é a sua verdade. *Limpou as lágrimas do meu rosto com os dedos.* Anda. Vamos para casa. Conte-me o resto pelo caminho. Aqui não estamos à vontade.

— Mãe... Antes de irmos para casa, podemos passar por lá?

Ela comprimiu os lábios e me lançou um sorriso apagado, mostrando que tinha entendido ao que eu estava me referindo. Depois pegou minha mala e me ajudou a levá-la para o carro. Assim que deu a partida, fez um momento de silêncio e depois retomou o diálogo.

— Conseguiu encontrar o pai dele? *Acenei afirmativamente com a cabeça.* Como é que foi? Como é que ele reagiu?

— Esse foi sem dúvida o momento mais difícil de toda a viagem. Quando cheguei à casa do pai dele, me apresentei, mostrei a ele uma fotografia do Leonardo. Uma das mais recentes e ele o reconheceu logo, claro, e ficou admirado como ele estava crescido porque aparentemente só tinha uma fotografia dele e ainda era dos tempos de criança. Depois, quando expliquei a ele que... *Fiz uma pausa para segurar as lágrimas.* Quando expliquei que o filho tinha falecido horas depois de ter sido submetido a um transplante de coração, ele não aguentou e me abraçou chorando. Foi tão difícil, mãe! Mas no momento eu imaginei que ele estava abraçando o filho e não a mim, e aquilo nada mais era do que um reencontro entre os dois. Apesar de tudo o que o pai dele fez e do tempo que estiveram separados, eu não conseguia imaginar a dor que estava dentro daquele homem. Saber por terceiros que o filho que ele abandonara tinha falecido e ele não tinha mais tempo de lhe dizer que estava arrependido de tudo o que tinha feito é uma dor que nem quero imaginar. Coube a mim fazer isso, e foi sem dúvida a tarefa mais difícil da minha vida. Ainda cheguei a perguntar à dona Lurdes se ela não achava melhor ser ela a fazê-lo, mas ela disse que não conseguia e, uma vez que eu já tinha prometido a Leonardo ir com ele a Paris reencontrar o pai, ela me confiou essa tarefa... *Suspirei.*

— Foi um gesto muito nobre e corajoso da sua parte, filha. Por isso te digo que estou muito orgulhosa de você.

— Mas o pior ainda estava por vir, mãe. Quando ele se acalmou, começou a me contar o que tinha acontecido e as razões do seu afastamento e depois chegou a minha vez de ler aquilo que o Leonardo tinha escrito para ele e quando começou a ouvir ficou completamente destroçado. O filho dizendo tudo o que o pai o privou de viver e tudo o que sofreu pela ausência dele e ainda assim dizendo que o perdoava. Ele já se sentia mal por saber que tinha falhado ao longo de todos aqueles anos, mas ouvir aquelas palavras depois de saber que não podia mais pedir perdão a ele é uma dor inimaginável. E eu fazia a ele as perguntas que imaginava que o filho iria fazer porque sabia que, se o Leonardo estivesse mesmo lá, ele iria querer saber aquilo. Mas ele só estava no meu coração e na minha mente, mãe! *Voltei a explodir num choro descontrolado e a minha mãe passou a mão no meu braço para tentar me acalmar sem saber mais o que fazer.* Eu até tinha comprado dois bilhetes para ir com ele ver um jogo de futebol do seu clube lá de Paris, mas depois foi como se o Leonardo me sussurrasse ao ouvido que tinha uma ideia melhor e eu acabei oferecendo os bilhetes a um senhor para que levasse o filho para ver o jogo. Mas o pior de tudo... o pior de tudo foi que eu nunca consegui lhe dizer que o amava. Eu não tive tempo, mãe! Eu nunca disse que o amava e ele nunca disse a mim.

Por que foi que eu adiei? Por quê, mãe? *Quanto mais desenterrava aquelas lembranças, mais eu chorava, mas a minha mãe percebeu que eu precisava desabafar e me deixou dizer tudo o que me vinha à alma.* Ontem imaginei que ele me dizia isso e eu dizia a ele, mas foi tudo apenas na minha cabeça. Nada daquilo aconteceu de verdade, e eu só queria mais um segundo para lhe dizer que o amava. Era só um segundo, mãe. E não tive! Ficamos as duas em silêncio, e, embora não o tivesse dito à minha mãe, agradecia a ela a forma como respeitava o meu momento de catarse. Fosse através das palavras ou do choro. Melhor do que ninguém, ela sabia o quanto era importante para mim espremer aquela dor. Entretanto, passamos numa rua que me chamou a atenção e quase por impulso pedi à minha mãe para cortar à esquerda.

— Para onde você quer ir, afinal? Eu pensei que...

— Já vamos para lá, mas antes tenho de passar num lugar.

Dei a ela as indicações necessárias de onde queria ir, ela estacionou, saí do carro e pedi que esperasse por mim. Alguns passos à frente, dei por mim no meio da rua das floristas e fui percorrida de uma ponta à outra por uma profunda saudade. Afastei-a com uma inspiração e um sorriso dolorido e me dirigi a cada uma das lojas, comprando uma flor de cada florista e fazendo um ramo com elas. Voltei para o carro e só paramos no cemitério. A minha mãe esperou no carro para me dar privacidade e eu entrei no cemitério e percorri a distância até o sétimo jazigo do lado esquerdo, que pertencia a Nicolau e agora também a Leonardo. Pousei o ramo de flores sobre ele e não contive as lágrimas ao ler a frase que dizia logo abaixo da fotografia de Leonardo: *Não sentimos amor, somos amor... e amar é uma eterna viagem interior.*

Fale com o autor

🌐 www.raulminhalma.com

f www.facebook.com/raulminhalma 📷 www.instagram.com/raulminhalma 🐦 www.twitter.com/raulminhalma

👻 raulminhalma (Snapchat)

🤖 App Raul Minh'alma (Android)

✉ raulminhalma@gmail.com

▶ www.youtube.com/raulminhalma